U0164854

香港屏山
古建築
裝飾探究

孫
祖
科
文武登科
甲子科

揀選衛正堂
父 子
兄弟聯科
祖孫 父子 兄弟 叔姪
文武登科

目錄

龍炳頤教授序

文化傳承　任重道遠

綜觀香港的中國傳統民居建築，屏山建築群是較完整及具代表性，當中覲廷書室和清暑軒的空間組合、橫樑壁畫、閣樓迴廊等，別樹一格，是我特別鍾愛，更成為多年來我在民居建築教學上的模範。於九十年代，當我擔任古物諮詢委員會主席時，曾建議屏山建築群設定為「文物徑」，以便推行文化傳承工作，1993 年「屏山文物徑」由當時港督彭定康主持開幕，象徵香港文物保育工作開展新一頁，讓市民大眾能從參觀遊歷中意識到文物建築保育的價值和意義。

繼《屋脊上的願望》後，馬素梅博士在香港首條「文物徑」成立二十周年之際，編撰《香港屏山古建築裝飾探究》及《香港屏山古建築裝飾圖鑑》兩部巨著，別具意義。馬博士的精深研究，把屏山古建築群的結構、形態、裝飾，巨細無遺地展示出來，此兩部著作無可否認地奠定了研究香港傳統民居建築的里程碑，同時使文物建築的價值和文化傳承有更深層次的展示。

馬博士多年來從事藝術教育工作，雖然不是修讀建築專業，卻能對文物建築的理解，作出如此全面的分析和整合，書中不單探究建築裝飾，更涉及建築歷史、人類學、農村社會結構及新界族群等研究，其學究之深，實為香港研究傳統民居建築及文化的翹楚；馬博士對學問的追求，對研究的熱誠，亦為教育界的典範，值得後進借鏡學習。

馬博士的《香港屏山古建築裝飾探究》及《香港屏山古建築裝飾圖鑑》，籌備經年，內容豐富，細緻詳盡，極具參考價值，我誠意向所有對研究傳統民居建築及古蹟探究人士推薦此著作，並共同為傳承香港文物保育工作一起努力。

龍炳頤

FHKIA, FRICS, Hon HKIP
香港大學建築學教授
羅旭龢夫人基金教授（建築環境）

二零一三年端午

林社鈴保育建築師序

《香港屏山古建築裝飾探究》和《香港屏山古建築裝飾圖鑑》是作者馬素梅博士繼《屋脊上的願望》另一力作。新作羅列香港傳統中國建築的結構、形制和裝飾的例子，以圖文並茂，深入淺出的方法，讓讀者認識和體會香港本土文化、傳統工藝及民間藝術。

文化遺產是人類文明在歷史洪流中延續的見證。我們從傳統中，看見自己民族文化的傳承脈絡；從歷史建築中，認清自身處於浩瀚歷史時空下的相對位置。

保存文化遺產是一項專業而艱鉅的工作，要做好文物保育工作，必須認識及詮釋文物的意義、內涵和價值，避免無知地錯誤修復，導致不必要的破壞。同時，文物保育的目的，也在認識及詮釋我們珍貴的文物，讓參觀者及我們的下一代可以透過這些建築及裝飾的部件，領會到傳統文化、藝術、歷史、建築的素養和內涵。

作者馬素梅博士一直致力於研究中國南方傳統建築的裝飾，足跡遍及香港各區、嶺南各地，甚至東南亞等地區，作出深入的研究及比較；她嚴謹及專業的精神，為我們帶來了這兩本精彩的古建築裝飾研究和圖鑑，方便我們在參觀欣賞屏山古建築時，可以按圖索驥，浸淫在歷史文化的氛圍之中。

林社鈴
香港建築署高級物業事務經理（文物保育）
香港大學建築系文物保育課程榮譽副教授

李浩然博士序

第一次與馬素梅見面，已經是十多年前的事。那時，香港大學建築文物保護碩士課程剛成立，正要尋找對香港傳統中式建築有深入研究的專家來講課，但很難找到合適的人選，因為大多數的專家，不是依靠書本和互聯網二手資料的「自封專家」，就是對中國北方古建築甚有研究，卻對香港嶺南建築毫不認識的學者。正當失望之餘，有人介紹馬素梅博士（下稱「梅姐」，因大家已是認識了十多年的老朋友），於是馬上約她見面。其實那次是秘密「面試」，她是不知情的。

梅姐給我的第一印象，是一個老實得很可愛，嚴肅之餘又很風趣的學者。她被我一大堆的「面試」問題弄得很不耐煩，於是她好像拔劍般從手提袋裏掏出她的處女作：《屋脊上的願望》，那是當年全中國，甚至全球，第一本專題研究香港傳統中式建築屋脊裝飾的著作。她可能已猜到我在試探她，於是老實不客氣地介紹了該書的內容，給我上了精彩的一課。跟着她對我說：「還有什麼問題？」我心想：「我終於找到一位合適的專家了！」

梅姐第一次的專題講座果然精彩。一開場，她跟同學們宣佈：「今天我只講香港的一間廟宇的屋脊。」班上的碩士生們嘩然：「嚇？一間？只講屋脊？」跟着下來兩小時，她詳細為屋脊上石灣陶瓷人像的奧意一一解碼——從物料與技術，到美學表現以至社會政治含義，均娓娓道來，令大家聽得入神。她的演講直接影響了多位同學的論文方向，令同學們知道甚麼是真正的「深入研究」，讓他們明白論文的研究不能空泛地包羅萬有，而是要實實在在的集中探討。那是第二次與梅姐見面的情境。

第三次與梅姐會面，是在香港太平山街某廟宇的屋頂上。沒錯，是在屋頂上！（當然，我們做足了所有的安全措施！）當時該廟宇正進行復修，外牆搭了棚架。她趁機安排了一次直接接觸的學習體驗，讓同學們了解文物保育研究必要以實地考察進行，到現場蒐集一手研究資料的重要性。從屋頂爬下來的時候，心想：「我終於找到專家中的專家了！」

多年來，為了深化研究，梅姐把研究範圍拓展到殖民地時代的南洋，走遍馬來西亞各地，考察當地的嶺南風格建築。十多年後的今天，梅姐已是一位公認為嶺南建築屋脊裝飾的專家，曾作過無數的講座和發表過多量學術文章。作為學者專家，她希望能把研究心血出版成書，與大眾分享；她表示不想只寫一本學術性高，但可讀性低的書，所以努力地整理研究資料，重寫又重寫，期望寫出一本既具學術份量，又內容精彩的著作。我很欣賞梅姐的想法，但這是一個不容易達到的目標，只有默默地祝願她成功！

在多年的學府生涯中，我閱讀過不少學術書，概略可分為三類：第一類屬自我之作，連篇偉論，但像是自言自語，不知所云；第二類是學者與專家之言，惟內容枯燥乏味，晦澀難明；第三類是專為讀者而寫的，雖同樣出自專家學者之筆，卻能兼顧學術與閱讀趣味，是三者中最好的。現在梅姐的心願終於達成了，她果然說得出，做得到，完成了一本既富學術性，又專為讀者而寫的著作。作為學者，可以為一本「第三類」著作撰寫序文，實在是一件光榮的事情。

李浩然博士
香港大學建築文物保護課程主任
二零一三年十二月

自序

自 1998 年開始接觸中國傳統古建築以來，我對中國文化的興趣與日俱增，可以說，它改寫了我的人生。少年時，學習藝術，只着重西方的藝術風格和技巧，對中國藝術認識不深，更遑論中國建築。當年熱愛陶藝，又喜歡開拓新的教材和教學方法，故引入了中國建築的屋脊作教學題材，其後更撰寫了《屋脊上的願望》一書。該書的出版，引起一些古建築保育人士的注意，讓我有機會參與一些古蹟維修的前期研究工作。與他們的合作，鞏固了我對古建築的認識，也擴闊了我的眼界，使我對古建築的興趣愈趨濃厚。

過去十多年來，我目睹一間間殘破的舊屋，搖身一變，成為令人眼前一亮的歷史珍品，也眼看一座座珍貴的建築文物，在一味求新、求完整的價值觀下，被改至面目全非。面對這種破壞力，為當前的古建築留下視覺紀錄，成為刻不容緩的事情。有幸得到攝影文化人黃啟裕先生義務協助，多次到屏山拍攝，把古建築的美保留下來，予讀者及後人參考，實在難能可貴。

跟香港古建築有關的書籍，大多數以歷史研究或文化導賞的形式出版，內容主要介紹它們所處的地點，族群的發展歷史等，鮮有對建築裝飾作深入的探究，也沒有詳細分析各建築的空間結構、構件特色、裝飾題材、內容和象徵意義，與及更深層次的隱喻。屏山是我第一個以地區為本的建築裝飾研究，對於屏山族人的背景，除了有關開基祖的資料，坊間有關的書籍記載不多。這次研究，我嘗試透過屏山兩所祠堂的神主牌和族譜資料，理出各有關人士的關係，如各古建築的興建者背景及他們之間的親屬關係，族人的科舉成就和官職等，以使建築裝飾反映的理想與現實生活連結起來。這一過程十分艱鉅，若不是得到屏山族人的幫忙，是難以達成的。在此，特別感謝鄧昆池先生、鄧廣賢先生、鄧聖時先生、鄧則鳴先生、鄧火華先生、鄧美霞小姐和黃壽如先生鼎力襄助。又得到曾廣才先生、黃博錚先生和何大鈞先生協助辨認壁畫上的題字，實在獲益良多。沒有李翠蓮女士對初稿作校閱，本書也難以面世，不勝感激！

關於中國古建築的文化特色，中國和台灣的專書甚多。然而，中國的古建築專書，大多專注於北方建築、官式建築和著名歷史建築的研究，有關南方的地區建築著墨不多；至於台灣，因為她的古建築風格與福建一脈相承，追本溯源，福建的古建築的風格與香港古建築的廣東風格又是南轅北轍。故此，專門研究香港中國古建築特色的專書甚少。況且，中國和台灣對古建築構件的結構和名稱也有差異，致令這個香港屏山古建築的研究倍加困難。幸好有林社鈴先生義務當顧問，得到他的寶貴意見，使我這個建築門外漢，可以放心發表香港古建築裝飾的研究報告。復得到建築界的翹楚——龍炳頤教授和李浩然博士答應為本書作序，令拙作生色不少！

希望通過本書，可以令讀者認識香港古建築的文化，作為古蹟保育的基礎，並引發更多有關本土古建築藝術的研究，為香港古蹟保育作進一步的貢獻！

馬素梅

二零一六年

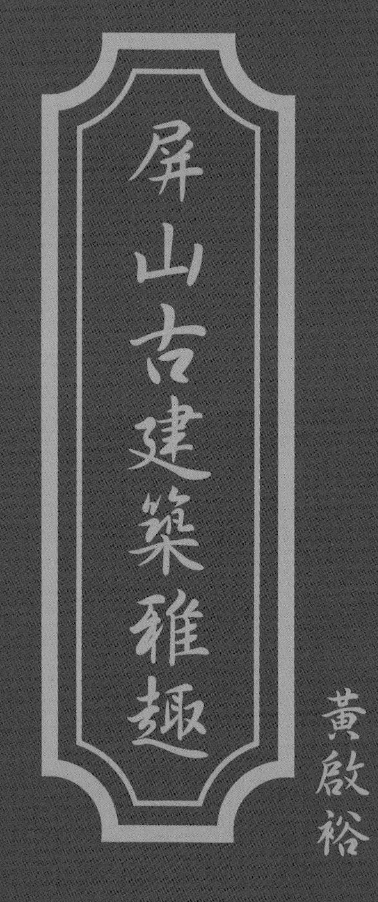

黃啟裕

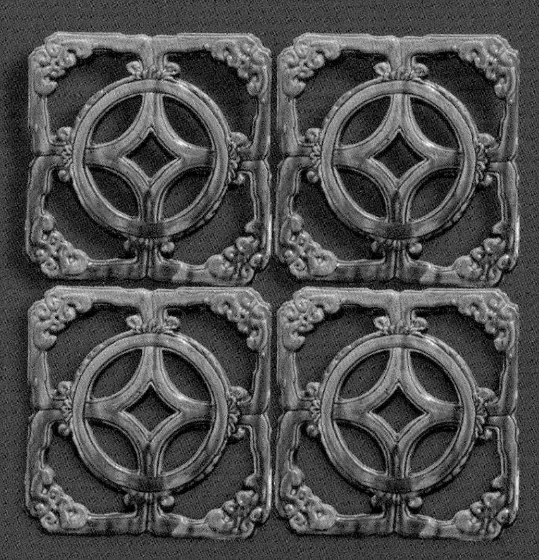

《冬日有懷李白》

寂寞書齋裡，終朝獨爾思。更尋嘉樹傳，不忘角弓詩。
短褐風霜入，還丹日月遲。未因乘輿去，空有鹿門期。

唐・杜甫

有意月窺
無心

有意月窺

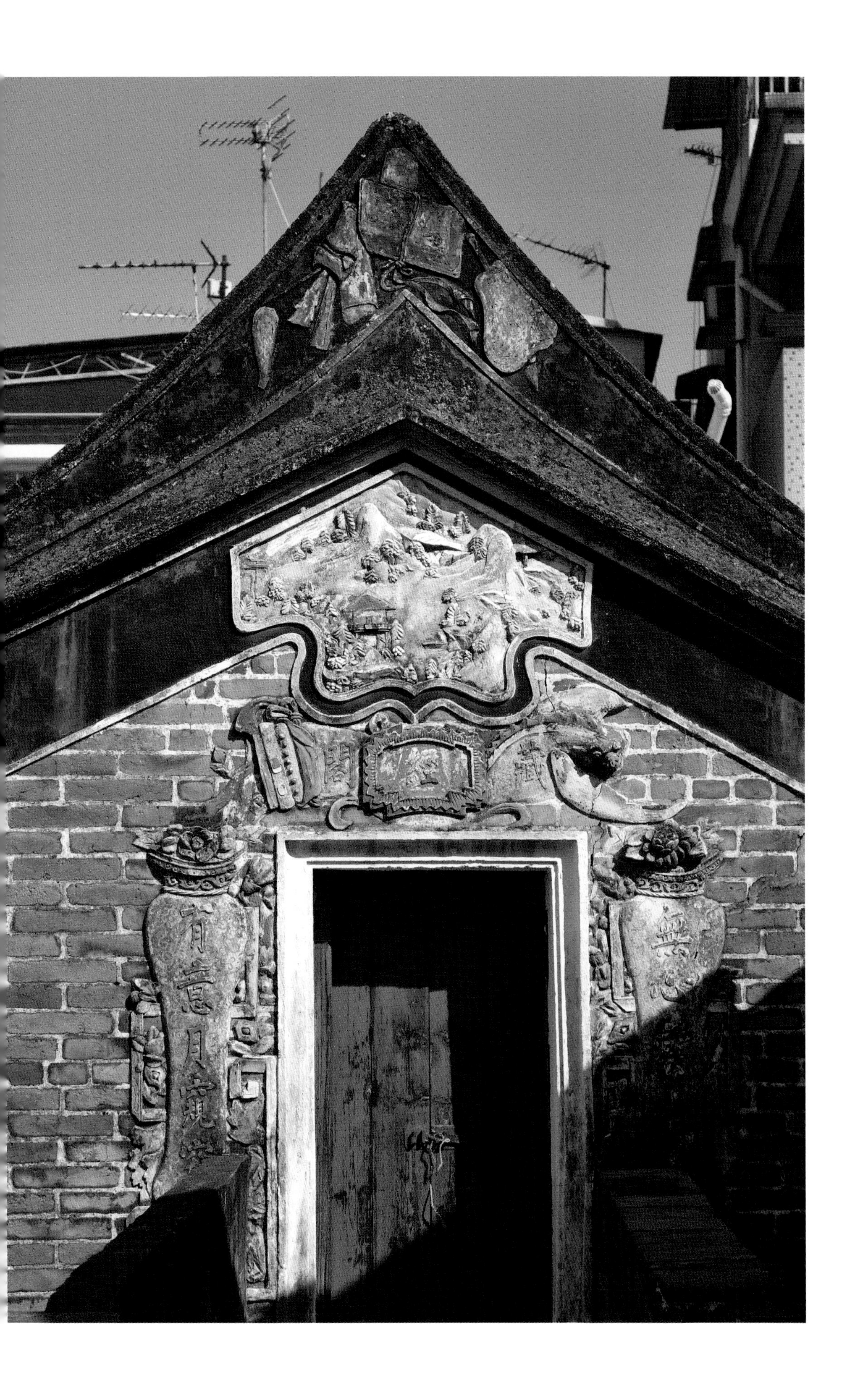
藏
閣
有意月窺
無

紅日當窗花絢錦

屏山古建築雅趣

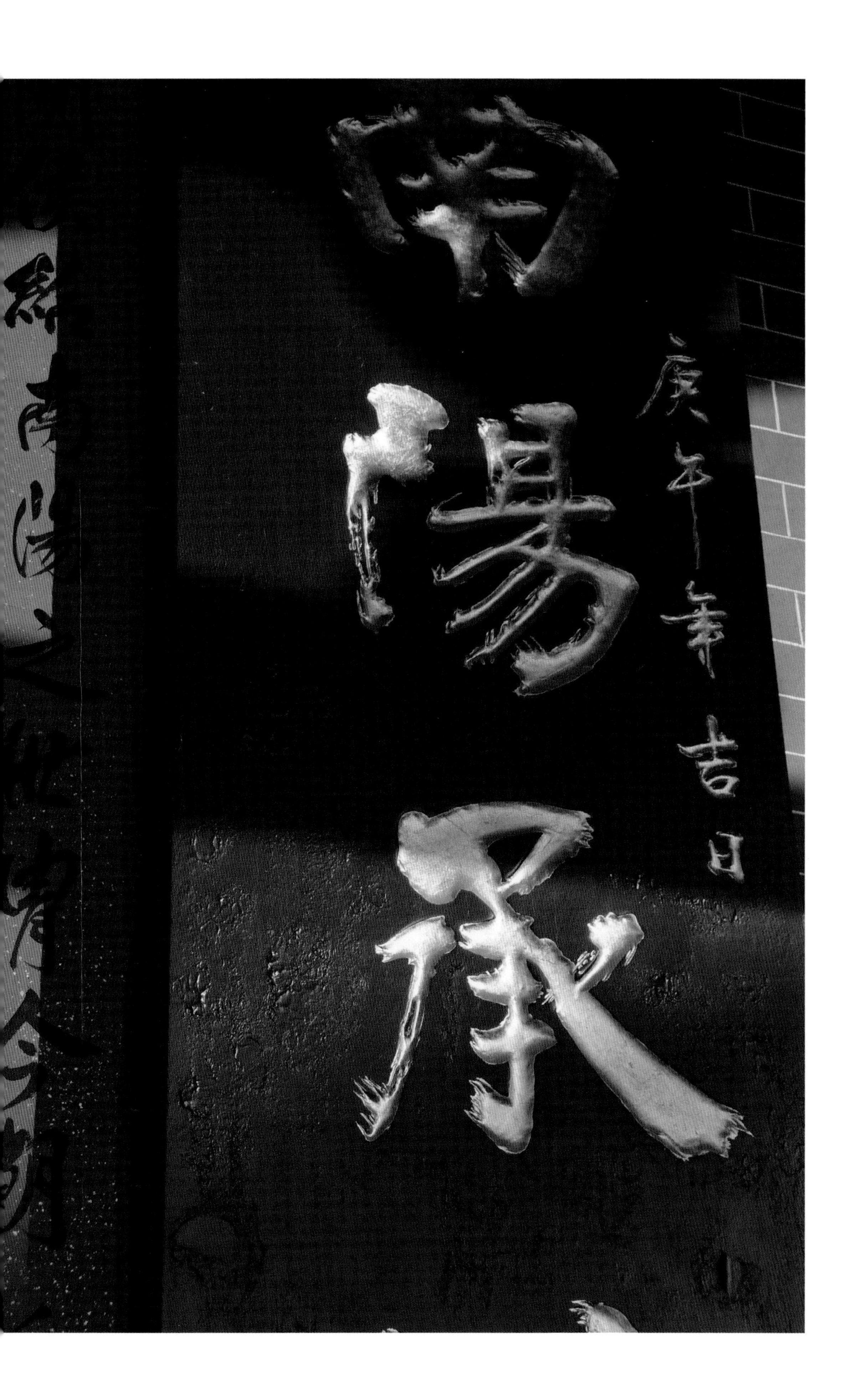
陽承
庚午年吉日

屏山是福地，它見證着香港早期歷史的發展。屏山位於香港新界元朗區，地勢平坦，而且水源豐富，適合耕作。區內有小山丘，鄧氏族人認為是風水福地，於是遠在元朝時，便從錦田分支，遷居到這裏。此後，子孫世代繁衍，聚居的範圍日漸擴大，形成一個歷史悠久的村落群。

屏山由三圍六村組成，三圍有上璋圍、橋頭圍、灰沙圍；六村是坑頭村、坑尾村、塘坊村、新村、洪屋村和新起村。這些村落交相錯落，毗鄰而建，當中古蹟林立，有祠堂、書室、公所、古塔、廟宇、圍門門樓、古井、社稷壇等，是一處既集中，又多元化的古蹟勝地。

自 1993 年「屏山文物徑」成立以來，屏山古蹟群已吸引無數中外遊客到來參觀和考察。加上香港回歸後，中小學開始關注香港的古蹟和與中國文化有關的事物，到這裏來參觀的學生及團體更是絡繹不絕。然而，市面上可供參考的有關資料，大多只是簡單的鄧族歷史和旅遊導覽；對於這些古建築的文化內涵、建築特色、藝術風格等，尚付闕如。有鑑於此，筆者特別選取了屏山五所最具特色及保存完好的古建築裝飾，作有系統的羅列及詳盡的解説，務使參觀者對這些古建築有更寬廣的認識和深入的瞭解。同時，讀者還可以把相關知識引申至香港其他同類型的古建築中，令香港的中國傳統建築文化得以承傳。此外，書中的資料，特別是圖像，更是今日的歷史見證，對未來古蹟保育工作極具參考價值，可以作為具體的參考依據。

雖然現在屏山區內仍保留有大量古建築，但筆者只選取這五所建築作全面及深入的研究，是因為它們在政府和村民的共同努力下，保存狀況良好，上面添加或替代的部份不多，相信較接近原貌。這幾座建築物風格獨特，各具特色，裝飾的題材和形式均豐富多樣，且造工精良。它們儼如一本「活」的香港歷史書，內容繁富，涵蓋了古人的生活文化，風俗習慣和思想信念：如對子孫的期盼與囑咐、對官祿與提升社會地位的訴求、對聖賢的崇敬、對自然無為生活的嚮往、對美的熱愛、對詩詞及書法的喜好等等……。建築裝飾方面，亦透視了繪畫風格的演變，以及善用隱喻的特殊手法。

此書現分兩冊，第一冊是《香港屏山古建築裝飾探究》，重點在對香港屏山五所古建築的總結和分析，它們是鄧氏宗祠、愈喬二公祠、述卿書室、覲廷書室和清暑軒。內容主要比較這五所古建築的整體風格，按各建築構件分類，分析其題材及表達手法，探討建築裝飾的深層意義等。同時，又會從歷史資料中，探尋祠堂和書院的發展脈絡，為香港的本土文化追本溯源，找出它與中國古代社會和文化的關係，跟歷史接軌。若把現存的族譜資料和祠堂眾神主牌上羅列的文字紀錄，拿來與建築裝飾所寄託的理想互相比照，我們對歷代屏山族人的生活狀況和奮鬥目標，將會有更多、更深的瞭解。

至於第二冊《香港屏山古建築裝飾圖鑑》，是一本圖典：首部份按中國古建築的結構，加插建築繪圖，介紹各個構件的名稱、所在位置及相關資料；次部份以圖文並茂的方式，全面介紹上述五所古建築的裝飾方法、題材內容、隱含寓意等，目的在使讀者能掌握中國古建築的基本知識。

本書研究的屏山五所古建築，分別創建於元朝（鄧氏宗祠）、明朝（愈喬二公祠）和清朝（述卿書室、覲廷書室及清暑軒），全都有悠久的歷史，期間也許有重建或修建，因此亦難以確定其原貌與現況是否相符。

由於受傳統禮制規範，作為全族的宗祠——鄧氏宗祠，建築規模自然較由各房興建的家祠為大，且堂皇和莊嚴猶有過之。至於愈喬二公祠，乃由屏山三大房之一興建，因興建者喬林及其父親都被封為壽官，社會地位相當高，加上承襲了祖先的品位，雖靠在鄧氏宗祠旁邊興建，但除了高度略低外，一點也不比宗祠遜色。及至述卿書室及覲廷書室，雖在清代興建，但同受傳統禮制規範，規模略小；不過，建築細部的裝飾極富韻味，且典雅端莊，堪稱香港清代華南建築的典範。還有清暑軒，採用了截然不同的風格，不但不依照中軸對稱的中式建築傳統，就連大門也安置於隱蔽的迴廊當中。作為文人雅居之所，清暑軒與其他兩所祠堂和兩所書室等公用建築的結構和裝飾卻大相逕庭。

筆者希望藉這五個例子，讓讀者對香港的古建築文化，有更多的認識和體會；對各個建築裝飾的含義，有更深的瞭解。

祠堂

中國傳統社會是一個家天下的社會。
「家」是以血緣和姻緣而組成的一個共同生活的親屬團體，
是社會組織的基本單位；
「國」則是眾多家的有機結合。
(劉黎明，2003，230)

「族」，由來自同一祖先的多個「家」所組成；家、族、國三者雖處於不同層面，卻相互交織成千絲萬縷的關係。一個宗族的祠堂，隨着家族的繁衍，已漸次發展成為族人生活的中心領域，影響着整族人的思想和起居行止。當中，最能彰顯這層意義的莫如祠堂的建築模式，因為族人會因應當時的社會制度和環境因素，把祠堂建成某種特定模式：讓人一進入祠堂的空間，思想行為隨即受到種種規範和約束；同時，由於受到家族延續發展的期望所影響，祠堂亦成為維繫歷代族人的樞紐，見證着家族的歷史與興衰——一個族群的傳統文化藉着它，得以承傳。香港新界屏山的鄧氏宗祠和愈喬二公祠，無論在建築規模、結構、形式、裝飾內容及細節各方面，都反映出一個時代和地域的獨特文化。

由於過往鮮有學者蒐集及研究香港的鄉村古建築，亦甚少相關的歷史記載，如興建祠堂的源起和過程如何？由誰人建造？怎樣建成？建築物過去的使用情況如何？有誰曾在那裏活動過？如此種種，均付諸闕如，説明我們對香港古建築的認識着實不多。筆者在研究時亦感到十分吃力，幸好目前屏山鄧族，尚有熱心族人，積極整理和保存鄧族的族譜及其他歷史活動紀錄，使一度影響中國人極其深厚的宗族文化，不致在人類的歷史中湮滅。

祠堂的發展

古時交通不發達，人口流動少，在同一村落生活的人，大多數有血緣關係，形成聚族而居的生活模式，宗族遂得以發展。「族」是指由父系血緣關係的各代人的家庭，在宗法觀念的規範下組成的社會群體。一般宗族群體的生活以祭祀先人、教育子孫、編寫族史、舉辦宴會及其他集體活動較為普遍。要瞭解一個宗族，必須認識它的血緣關係、地緣關係、宗族法規、組織結構及其領導人（馮爾康，1998，8）。

祠堂的由來及規格

早期的祭祖活動是在居所中進行的，後來因為族人子孫繁衍，祭祀祖先需要改在住宅以外的獨立建築進行，產生了祠堂一類的建築，而且規模不斷擴大。最初的祠堂本是一組建築，是族人祭祀祖先的地方，到了清代，這些建築逐漸發展成為族人集體活動、族長施政的場所（馮爾康，1998，51）。

初期的祠堂是指在陵園內，具有陵寢功能，而又適用於貴族大戶的建築。祠堂始見於戰國，在秦漢時期的祠堂都建在墓地上。墓上的建築稱為「堂」，而「祠」是對祖先的一種祭祀名稱。根據《詩經 · 小雅 · 天保》：「禴祠烝嘗，於公先王。」漢人毛亨傳解釋：「春曰祠，夏曰禴，秋曰嘗，冬曰烝」。因此，「祠堂」之「祠」，是指祭祀祖先和着重春祭之意（劉黎明，2003，12）。在魏晉至隋唐間禁止設立祠堂祭祀五祖，宋代時出現在家中供奉祖先的祠堂，元代以後開始有祭群祖的祠堂（馮爾康，1998，72）。

《禮記 · 王制》記載了周朝的宗廟制度：「天子七廟，三昭三穆，與大［太］祖之廟而七。諸侯五廟，二昭二穆，與大［太］祖之廟而五。大夫三廟，一昭一穆，與大［太］祖之廟而三。士一廟，庶人祭於寢。」按《朱子全書》(儀禮經傳通解續卷第二十五 · 祭禮九 · 宗廟)云：「祧，遷主所藏之廟」。「周以后稷為始祖」，「七者，大［太］祖及文王、武王之祧與親廟四。」「天子七廟」是指供奉天子之父、祖、曾祖、高祖、文王、武王和始祖等七位祖先的享堂。朱熹解釋：「室有東西廂的曰廟，無東西廂有室曰寢。」廟在前，為尊；寢在後，為卑。普通百姓不能建廟祭祖，祭祖只可以在寢室裏進行。宗廟須按照昭穆制度，以次世之長幼親疏排列。父為昭，子為穆。昭是明，穆為其次，以表示孝道。父子異昭穆，兄弟昭穆同。立廟之法是「后稷廟在中央，當昭者處東，當穆者處西。」(另一說是「大祖東向，昭南向，穆北向，孫從王父，以次而下。」)「高祖之父、高祖之祖與親廟四皆次第而遷」，文、武為祖宗，因此予以保留。朱熹建議的昭穆制如下：

太廟(木主在西壁下，東向)	
穆世室(木主在西壁下，北向)	昭世室(木主在西壁下，南向)
穆宮一(木主在西壁下，北向)	昭宮一(木主在西壁下，南向)
穆宮二(木主在西壁下，北向)	昭宮二(木主在西壁下，南向)
穆宮三(木主在西壁下，北向)	昭宮三(木主在西壁下，南向)

(《晦庵先生朱文公文集》卷十五)

興建祠堂 彰顯孝行

宋代民間家族組織熱衷建立自己的祠堂，與理學的興起有密切關係。理學家視孝為百行之首。朱熹在《家禮 · 卷一》中強調人們應重視祠堂，因為祠堂體現了：「報本反始之心，尊宗敬祖之意，實有家名分之首，所以開業傳世之本也。」所以「君子將營宮室，先立祠堂於正寢之東」。而且「或有水火盜賊，則先救祠堂，遷神主遺書……然後及家財」。朱熹主張順從民俗，允許民間祭祀始祖。官僚因此紛紛建祠祀奉高、曾、祖、禰四代先人於正寢之東。

明朝初年制度中指定貴族、官僚才可以設立家廟，祭祀高、曾、祖、禰四代先人，士庶不得立廟，但可以祭曾、祖父以下三代(或說只可祭祖、父兩代)。明世宗接受禮部尚書夏言的建議，士民也可祭四代祖先，但不可建祠堂；同時允許官民在冬至時祭祀始祖。明代民間違制建設祠堂以及供奉始祖已漸普遍，而且長江流域及以南地區比較活躍(馮爾康，1998，43-53)。明中期以後，民間逐漸把祠堂搬到居室以外，成為獨立的「家廟」。到了清代，祭祀的祖先有數十世之遠，有些大宗祠，甚至把年代久遠的將相，奉為始祖，如周姓封后稷為祖，姜姓則祖姜尚等，血緣觀念由此得以強化(劉黎明，2003，14-19)。

祠堂有宗祠、支祠、分祠等區別，各類祠堂所供牌位不同。一般來説全宗族的祠堂祭祀始祖以下的祖先。有過遷徙的家族，通常祭祀始遷祖以下的祖先（馮爾康，1998，75)。Maurice Freedman (1966) 認為宗族的分支是由於各房支之間財富累積的差異所造成的。Emily Ahern (1973、1976) 則指出宗族的分支必須透過遷離到其他村落才有可能發生。根據 Myron Cohen (1969) 的分析，宗族的發展包括了衍分 (fission) 與凝結 (fusion) 兩個截然不同的過程。當某族聚居人數增加至無法繼續擴張時，自然會在別處另立新的居住地，這批人可能另設一所新的祭祀公業，形成一個高層次的宗族 (higher-order lineage) 或分散的宗族 (dispersed lineage)。另外，也有一些顯赫的家族單位，為了光宗耀祖，出資建立祭祀公業；在這種情況下，同一祖先的父系成員，就可能凝結此一公業，連成一個較為完整的宗族團體，促成「凝結」的現象。宗族的分支主要是為了與其他房支分隔，而且，以同一先祖為中心的族群，往往會成立多個互相重複的祭祀公業。在宗族發展過程中，分支與凝結之過程並不互相衝突。很多時候，由於防衛和團結的需要，邊疆環境也會促進宗族團體的形成（轉引自莊英章，2004，40-44)。

圖 1.1 鄧氏宗祠（宗族祠）及愈喬二公祠（支祠）

神主牌的由來

宗祠內供奉的祖先，是以神主牌的形式，安放在建築內的神龕上。早在商代末年已有神主牌出現。神主牌又稱木主、牌位、木牌、神牌、靈牌，用木製成，有底座；黑色底、金漆字，上角插二金花。木牌上面紀錄了先祖的年代、祖先的世代、名諱、字、號、官職品位或功名成就、妻子謚號等。憑着這些資料，可以瞭解族人的關係及家族的發展概況。古人立「神主」是為死者安置靈魂之意。先民相信祖先的靈魂遊離於生命肉體之外，永恆不滅，並且能干預人事，可以保護子孫，令子孫得福，繁衍昌盛；另一方面，祖先經驗豐富，處事周全老練，在世時開闢基業，使子孫安享福利，因而被子孫景仰。古人還相信死人會化成鬼，不過祖宗的靈魂是善鬼，若不誠心拜祭祖先，祖先便不予庇佑，子孫就可能遭殃，由祖先崇拜產生孝的觀念。所謂孝，包括兒子對在世父母的敬養，

死時安葬，葬畢要有莊重的祭祀。這些思想同時強化了祖先崇拜的意識，以及鞏固了慎終追遠的文化傳統。由於族人一般對神主牌都十分尊敬和重視，並視之為祠堂的靈魂所在，因此祠堂建築上的裝飾，也會受這股力量牽引而發展。

屏山各古建築所祭祀的先祖

鄧族在香港不同地區建村，包括岑田（今稱錦田）、廈村、大埔頭、龍躍頭和屏山等，可算是符合上述宗族衍分的條件。為了團結族人，鄧氏又在各村落興建宗族祠堂，如屏山和廈村的鄧氏宗祠。此外，還有各支祠，如清樂鄧公祠、松嶺鄧公祠和兄弟合祠，如鎮鋭鋗鄧公祠和愈喬二公祠等。

作為屏山鄧族的總祠，鄧氏宗祠的神龕頗為宏偉，共有八層。安放在最高位置的三個大神主牌有粵派鄧氏的第一世祖「宋承務郎太始祖」鄧漢黻，左側是（屏山）「宋一世祖」鄧元禎，右側是（屏山）「宋二世祖」鄧萬里。第二層中央為二位（屏山）「宋三世祖」的牌位，「三世祖」的左側為（屏山）宋四、六世祖，「三世祖」的右側為（屏山）「元福建方伯五世祖」鄧馮遜的神主牌位。據屏山鄧族的資料，鄧氏宗祠是由元朝「福建方伯」（官階名稱）鄧馮遜所建，符合當時只許品官建祠堂的規定。鄧馮遜牌位的兩側由中央向外排列是（屏山）明七至十一世祖，其他各層均是按祖先的先後次序由中央向外排放，最晚期的（屏山）清廿三世祖，則置於最下一層右側邊端。遠古與近代祖先的高低先後排列次序，正鞏固了族人的人倫思想。這種把神主牌展現在族人聚會的場所的做法，加深了族人認為人死後要有後人供奉的觀念，因而形成沒有子嗣的族人，也要由其他房支的兒子過繼的風俗習慣，如述卿與覲廷的父親瑞泰，便是從生父國香（芝蘭）家轉為夢月的嗣子，瑞泰考獲功名，夢月得「例贈武略騎尉」的封號。另外，國臣（際泰）（屏山第 17 傳）的生父是「義有」（屏山第 16 傳），原本屬於益遜一脈，非愈喬的先祖馮遜的後人，由於「國臣」成為「珍儀」（喬林的後裔）的嗣子，因此「國臣」子孫的牌位，可以在愈喬二公祠中找到。神龕上擺放各代的神主牌共有 124 座之多，由此可見，鄧氏宗祠神主牌的數量，已超越宋代以前那只准供奉四代和不許祭祀始祖的規範。

圖 1.2：鄧氏宗祠神龕

圖 1.3：愈喬二公祠神龕

從神主牌的位置看族群的遷徙與分支情況

鄧元禎是粵派鄧氏太始祖鄧漢黻的第七代傳人，但鄧氏宗祠內沒有供奉鄧元禎以上五代在錦田生活的祖先，也不見居於錦田的鄧元亮（鄧元禎的二弟）和居於東莞的鄧元和（鄧元禎的三弟）兩位先祖，正反映出屏山鄧氏宗族從錦田鄧氏族群遷徙出來的分支情況。

然而，鄧愈聖（長兄）和喬林（三弟）的神主牌同時安放在鄧氏宗祠和愈喬二公祠內，又是甚麼原因呢？在鄧氏宗祠裏，愈聖（長兄）和喬林（三弟）的神主牌安放在神龕的第二層右端，而世明（愈聖的二弟）（遷往屯門）則置在同層的左端（見表一：鄧氏宗祠神主牌位置分佈）；在愈喬二公祠的神龕中，愈聖和喬林的神主牌，安放在最上層，位於三大神主牌中央的是「宋承務郎太始祖」鄧漢黻，左側是「明處士十一世祖世賢號愈聖鄧公」，右側是「明壽官十一世祖世昭號喬林鄧公」（見表二：愈喬二公祠神主牌位置分佈）。可見愈聖和喬林二兄弟並非從屏山宗族的祠堂中獨立分割出來，而是重覆出現在宗祠和支祠中。族譜記載喬林「家素富饒，尤樂施捨」，可見愈喬二公祠的興建屬於標榜家族的身分和地位，不是與屏山鄧氏宗族分割開來。愈喬二公祠神龕分九層。第二層由十二世祖（屏山第 12 傳）（屏山族人用「屏山第 傳」的稱謂，以區別其在整個鄧氏宗族先祖的世代）開始；最下層至清屏山第 24 傳，共有神主牌 189 座。愈聖沒有子嗣，由喬林後人供奉。愈聖二弟世明的神主牌並沒有在愈喬二公祠中供奉，世明的後人希舜和梅品的神主牌也只置於鄧氏宗祠中。現時兩所祠堂的產業均由萬里祖堂管理。

此外，與本研究相關的述卿書室和覲廷書室的紀念人物——述卿和覲廷（屏山第 21 傳）的神主牌在鄧氏宗祠和愈喬二公祠中都有供奉，他們的同輩，考獲鄉進士的屏石、勳猷 (21 傳) 和父親瑞泰 (20 傳) 的神主牌在兩祠堂的神龕都可以找到。然興建述卿書室的寶琛（鄉進士）和大成 (22 傳) 與及鄉進士飛鴻 (21 傳) 的神主牌卻只安放在鄧氏宗祠內。雖然勳猷的兒子宏英 (22 傳) 也考獲鄉進士，但他的神主牌並沒有安放到鄧氏宗祠中，只供奉在愈喬二公祠內，可見能否在全族宗祠內設置神主牌位，科舉成就這等光宗耀祖的快事，並非是取決的唯一因素。而興建覲廷書室的「香泉」(22 傳) 則同時供奉在覲廷書室和愈喬二公祠內，可見二者的關連。

圖 1.4：覲廷書室神龕

覲廷書室神龕的規模不及鄧氏宗祠和愈喬二公祠，神龕共分六層。供奉的靈位由上至下是「南陽鄧門歷代祖先」、「瑞泰」、「覲廷（朝聘、經猷）」（此建築所紀念者）、「林芳（香泉）」（此建築的興建者）」，最下一列有香泉兒子的靈位「兆禧、兆椿、兆鏞、兆瀛、兆垣和兆乾」等，説明用作祭祖場地的，並不限於祠堂一類建築。

部分愈喬二公祠神龕上的神主牌並非一人獨立一面的，如早期的「時澤、時任、時沛」(13 傳)；「士昌、士富、士祚、士華、士標、士榮」(14 傳) ；「應麟、應豸、夢麟」(15 傳)；「雲路、洪業、洪俊、洪才、洪成、洪經、洪疇」(16 傳)；「鼎臣、佐臣、阿泉、阿義」(17 傳，鼎臣應為 16 傳) 等，都是以集體方式列於神主牌之上。這也許是因為子孫繁衍，神龕的空間不敷應用使然。另一個特別的現象是鄧氏宗祠神龕最下層中央位置，列有「本祠舊主各房列祖神位」。據屏山父老解釋，「鄧氏宗祠目前所在的位置，其中有小部分地方原是陳氏、黃氏、林氏所擁有，後來鄧族與他們磋商，結果他們願意讓出土地。鄧族為了紀念他們的幫助，於是在他們同意之下，造了該座舊主神主牌，並安放在鄧族眾祖先神主牌之中，日後永遠由鄧族子孫供奉。」(資料由鄧昆池提供)

至於神主牌的編排方式，兩所祠堂裏的神主牌，只有鄧氏宗祠的最高一層按古代左昭右穆制度排列，即左面是單數，右面是偶數的先祖世代排列方法，其他各層只是按中軸對稱的方式排列。

宗族血緣與族譜

重視血緣關係 鞏固族群地位

由於族群成員及房支眾多，難以單憑神主牌上的資料理出族群成員之間的關係。要釐清各族人的關係，可以從族譜的紀錄探本溯源。根據司馬遷《史記 · 三代世表》記載，早在秦代，已有宗族歷史的文獻體裁，當時稱為「譜牒」。在唐代以前大多數是記載百家姓氏的官修合譜，至唐中葉以後，私撰家譜才逐漸興起。到宋朝，由於受到程、朱學說的「三綱五常」等宗法倫理思想影響，家譜的編修不斷增長，且每隔一段時間就續修。宋代將續修家譜視作對祖先的一種孝道 (劉黎明，2003，181-183)。宋代以後出現了種類繁多的私譜，到了晚清時期更達至頂點。運用家譜作為記載血脈的文獻，在中國南方較北方盛行，劉黎明 (2003，190-191) 認為這是因為南方血緣習俗更盛。同時，鑑於歷史原因，南方多北方移民，本土與客籍人士的矛盾較大；為了生存，雙方都需要團結宗族，共同奮鬥，抵禦外敵。此外，南方人亦會靠鄉籍、宗族、科舉來凸顯自己的社會地位；加上南方經濟發達，提供了興建祠堂的有力條件；再者，商人亦可借助宗族組織開展活動，華僑又更能利用族群的勢力在海外紮根站穩。以上種種有利因素，令各個族群更重視世代相承的血緣關係，而族譜的修撰就是血緣關係最好的明證。

族譜維繫血脈 保持家風

至於族譜的內容，「官修時代已講求譜主名諱、爵秩、官職、妻妾、子女、年壽、生卒、除名、外家等寫法。宋以後的私修族譜更增加葬地、山向、合葬、遷葬、義子、贅婿、繼嗣、兼祧等內容的寫法，又創造五世一圖的譜系法。」(馮爾康，1998，204)。劉黎明 (2003，186) 則提供了較詳細的描述：

- 譜系本紀：直系近世親屬的情況
（一般把自高祖而下的仕宦、婚姻、享年、行事、子女等情況，簡單地排列起來）
- 家訓、家誡、家族規約等
- 祠堂、墳墓、義莊等財產情況
- 仕譜：專列本家族仕宦者，「以進士標其首，特奏次之，世賞又次之」
（《鐵庵集》卷三十七）
- 人物傳記：本着「揚善隱惡」、「人善勸後」的原則，凡家族人有「一行之善，一藝之長，必為之傳，而登官籍致錢給者則載其志銘焉」（《方舟集》卷十）
- 藝文：包括本家族人的詩文及朝廷、官府頒降給本家族或本家族成員的詔諭等

族譜的主要作用是維繫血脈，保持家風。有了清晰和有系統的世系紀錄，聚族而居的族人便不致關係紊亂或互相疏離，宗族組織得以維持。有了家譜，宗族的活動，如祭祀祖先或執行族規等都可按族譜的紀錄進行。當中最明顯的一項是「字輩」的確定：「字輩」是中國傳統社會中按家族世系取名的一種規矩，同一輩的兄弟姊妹（包括堂兄弟姊妹、族兄弟姊妹）的名字用同一個字輩。例如述卿和覲廷的父親為瑞泰，瑞泰兄弟的名字為培泰、鉉泰、炤泰，同輩的還有遠泰和逢泰。瑞泰六名兒子的名字分別為謨猷（連興）、作猷（添興）號述卿、勳猷（進興）、懿猷（四興）、經猷（田興）號覲廷、秩猷（佛興），與他們同輩的還有逢泰的兒子壯猷、芳猷、嘉猷、懋猷、鴻猷和培泰的兒子汝猷、翼猷、肩猷、招猷等。人們可以透過「字輩」在親族血脈的坐標上準確地找出自己的位置，從而判斷出與他人的長幼尊卑關係。另一觀點認為，宗族關係所包含的不單是血緣關係，還包括隸屬關係，如父子、兄弟、祖孫、叔伯之類的親屬稱謂等。字輩模式的身分制度，還有助維護中國傳統等級制度，是一種維護國家內部和諧的工具。除此之外，家譜也是實施家長權的依據：族人一旦譜上題名，即表示取得族籍，便須遵守家譜上載錄的各種規範，接受宗族執掌人的統治（劉黎明，2003，191-218)。官修時代的譜書主要表達宗族的政治和社會地位，所以具有強烈的政治作用；而私修時代複雜多元的譜牒，則反映了家族歷史，展現宗族的社會地位。譜內紀錄的宗法倫理內容，更被用作族人的思想倫理教材，有維繫和強化家庭和宗族，以及制約人們的社會生活、鞏固社會政治制度的作用。它也提供了豐富的歷史資料，供學術研究之用（馮爾康，1998，204-205)。

神主牌與族譜資料比較

在辨別神主牌主人身分方面，有一點要注意的是：由於古人的名字組成有名、字、號或其他別名，如覲廷的名是經猷，字是朝聘，號覲廷，別名田興。同一人的神主牌在不同的祠堂內，有時會用上不同的名稱，如鄧氏宗祠神主牌「明鄉飲賔仁所」（屏山第 14 傳）與愈喬二公祠的「明鄉賓懷德」屬同一人；另一例子是「明壽官號鳴岡」與另一版本「明壽官來儀」相同。此外，同一人的名字在神主牌和族譜上的寫法亦有出入，如 20 傳的元貴 / 元圭、20 傳的溥齋 / 溥濟、20 傳的美

桂 / 美圭、20 傳的緝興 / 緝卿。祠堂的興建源於中國人慎終追遠的精神，鄧族祠堂的建築空間與祭祀先祖息息相關；而建築上的裝飾，亦必然與先祖有關連，因此，對他們這些先祖的認識，是瞭解鄧族祠堂的關鍵一環。

屏山鄧氏的發展

有關屏山鄧族歷史的資料不多，因此只能依靠屏山鄧氏族人出版的刊物、族譜的內容與鄧氏族人提供的資料來瞭解鄧氏在屏山的發展。鄧氏的發展年代久遠，族譜上鄧氏族人把商朝「祖丁」的少子「曼」奉為始祖。由於「曼」受封於河南省南陽郡鄧縣，「曼」遂以「鄧」為姓，自稱「鄧曼」。鄧族又把光復漢室的東漢大將鄧禹奉為四十七世祖。鄧禹為雲台二十八將之首，被封為高密侯，令鄧族感到光榮。因而鄧氏宗祠門聯上書有「南陽承世澤，東漢啟勳名」。反映鄧族的崇古價值觀。一向被鄧氏族人認定為香港鄧族開基祖的是鄧漢黻（漢黻被稱為粵派鄧氏第一世祖，又被定為錦田鄧氏第一世祖），原本世居江西吉水縣白沙里，在宋初開寶年間（公元 969-976 年）遷居廣東。根據鄧氏族譜的資料，鄧族遷徙的原因是由於賊匪作亂，朝廷迫令所致：

> 「考宋高宗紹興五年乙卯，廣惠象羅二山賊酋黃自典、陳文振聚匪擾亂，殺戮軍民無算，又遭蝨食田禾無收。至紹興十四年甲子，有統兵官林奉旨將南韶二府人民三丁抽一，五丁抽二，撥來廣惠居住，不來者發問邊軍之苦，是以由南雄珠璣巷遷徙之由來也，上諭猶存。」（標點為筆者所加）

鄧漢黻的曾孫鄧符（字符協，粵派鄧氏第四世祖）解官後，遷居圭角之岑田（今錦田），築力瀛書齋，聚朋講學。至南宋年間，粵派鄧氏第七世祖鄧元亮已發展成為鄧氏五大房的承嫡孫。這五大房分別是元禎、元亮（居岑田，即今之錦田）、元和（居東莞懷德）、元英（居東莞竹園）、元禧（居東莞福隆）。後鄧元亮之子惟汲因娶宋高宗之女，獲封為稅院郡馬。鄧元禎由岑田回東莞定居，其子鄧從光（萬里）自岑田遷居屏山，鄧元禎遂被追封為屏山第 1 傳。至明朝，鄧翰輔、翰弼及翰傑（屏山第 10 傳）又發展成為屏山鄧氏的三大房。屏山鄧氏與其他宗族一樣，追求能一脈相承，子孫繁衍，在族譜中除了記載先祖的生卒年份、娶妻、生子和葬地的資料外，也凸顯先祖在科舉考試的成就與所授的官位。（見表三：屏山鄧氏族人世系表）

圖 1.5：鄧氏宗祠門聯

除了以上提及的內容，族譜中鮮見族人的生平事跡，愈喬二公祠的興建者喬林（屏山第 11 傳）是少有的一個例子：

「公質任自然，不事矯飾，與人無驕傲之氣然，人不見有諛媚之容。家素富饒，尤樂施捨，是以弱者每悅而親，暴者每慕而化。居鄰逆盛之為公患。不啻虺蛇之肆恣，公無奈論奏，討除一方，賴以安晚年，掀脱塵鞅，娛弄烟霞以樂，享其天年。若公之為人，庶幾三代之遺哲矣。」

鄧族與王羲之

鄧氏族譜記載，晉王羲之曾替族譜寫序，文中闡述王羲之與鄧羌將軍 (62 世祖）共事一朝，因此撰文支持：

「……余與遐公嗣君鎮國將軍羌，同力王事，路出湖湘。其家編修譜牒，將軍與其族人具冊請為之序。因披閱其世系源流，詳覽其先後圖繪，洵足謂探本清源，有條不紊，朗然倫序，一脈貫通，盛亢相榮，慶流未艾。誠哉！家之有譜，猶夫國之有史也。余雖不敏，不得不為之文。辭爰略弁數言於其簡端，用鋟諸梓俾鄧氏雲礽，以垂久紀云。

時晉寧康二年，歲次甲戌秋，九月重陽前三日，穀旦。

右將軍會稽內史兼理節度機務事通家弟瑯琊王羲之頓首拜撰」

（標點為筆者所加）

也許由於鄧族與王羲之的淵源甚厚，因而特別喜愛採用羲之的文章作為建築裝飾。愈喬二公祠選用了晉朝王羲之的《蘭亭集序》的部分內容作為壁畫裝飾：

「群賢畢至，少長咸集。此地有崇山峻嶺，茂林修竹。」
「是日也，天朗氣清，惠風和暢，仰觀宇宙之大，俯察品類之盛，所以遊目騁懷，足以極視聽之娛，信可樂也。」[1]

愈喬二公祠建築構思者借《蘭亭集序》的內容來形容屏山地區人傑地靈，能聚集賢能之士對飲，鄧氏宗祠又以圖像描繪「曲水流觴」活動進行的情況。王羲之的《蘭亭集序》便是在「曲水流觴」活動中結集而得。這裏除了讚賞屏山優美的環境，也寓意希望這些祠堂的後人能成為賢能的人或能凝聚賢能的人。

愈喬二公祠又採用了王羲之的《十七帖》中第十五帖《旦夕帖》：「旦夕都邑動靜清和，想足下使還，具時 [州將]。桓公告慰，情企足下數使命也。」文中祝願好友周撫能順利擔當要職，反映鄧族對建功立業和升官的企盼。

祠堂建築

朱熹《家禮卷一》説明祠堂的形制：「君子將營宮室，先立祠堂於正寢之東。祠堂之制，三間，外為中門，中門外為兩階，皆三級，東曰阼階，西曰西階。……」訂明祠堂只可以是闊三開間，大門在中央，門前分兩階，各有三級。朱熹又以繪圖解釋古祧廟制，指明祖先每一世均有一 廟，廟有門、堂、室、房、夾室、寢等均圍在四面牆中，如圖 1.6。

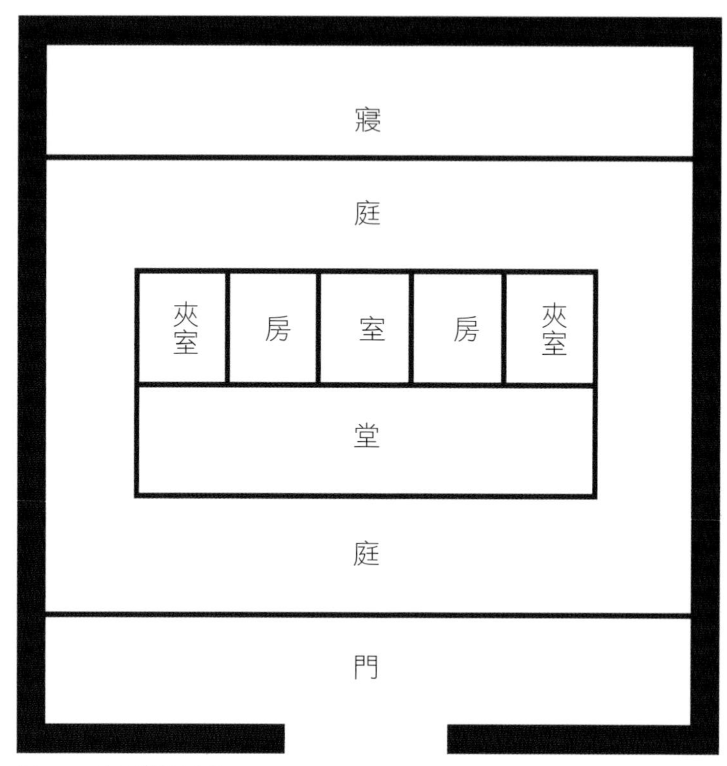

圖 1.6：祧廟議狀并圖

(《晦庵先生朱文公文集卷十五》朱熹，宋 /2010，頁 713)

《魯班經》講述了祠堂裝修的模式:「裝修祠堂式:凡做祠宇為之家廟，前三 [山] 門之東西走馬廊，又次之大廳。廳之後明樓茶亭，亭之後即寢堂。……又且寢堂及廳兩廊至三 [山] 門，只可步步高，兒孫方有尊卑。……廳心門不可做四片，要做六片吉。……其寢堂中心不用做門。……」(午榮，明，191)。據此，可對祠堂建築的空間分佈略知一二。祠堂在規模上都比一般住宅大，多為中國傳統的合院式建築，主要建築在中軸線上，前為大門，中為享堂 (中廳 / 祭堂)，後為寢室，加上左右的廊廡，組成「進」與「天井」的建築組群。享堂亦稱祭堂，是拜祭祖先神主，舉行祭祀儀式和族眾團聚的場所，寢室則供奉祖先牌位 (劉黎明，2003，24)。祠堂多是世家大族，經過聚族和累世同居的情況下興建，祠堂是祖先靈魂棲息之所，能讓老祖宗的魂魄棲息在富麗堂皇的祠堂，除了令族人感到自豪外，也顯示自己氏族政治地位的優越 (張小平，2002，24，26)。

屏山鄧氏宗祠和愈喬二公祠都採用三開間、三進兩院、兩廡廊（位於二三進間的院落中）、中軸對稱的布局。二所建築均在一進院中舖設紅砂岩（紅粉石）甬道，大門中央沒有門檻，鄧氏宗祠在大門中央有三級，愈喬二公祠則有二級，相信顯示階級之別，這模式與朱熹所述的不同。由一進向內台階分別是三級、五級和七級，與《魯班經》的「步步高」概念脗合，也沒有僭越了「九級」的帝王之數。

祠堂的作用

祠堂與宗族的群體生活、經濟、文化、教育，有着密切的聯繫。祠堂作為祭祖的場所，反映了人們對血脈的重視，名門望族亦以此顯其本，透過與上古的血緣脈絡關係，體現崇古的宗法思想，延續以輩分論尊卑的等級制人倫關係。尊祖敬宗的祭祀活動為同姓子孫提供了精神寄托，同時，也加強他們的群體意識，團結現在的族人，起着凝聚宗族、鞏固宗族組織的作用。族人在參與祭祀儀式時，其實是親身體驗宗法教育。馮爾康 (1998，86) 解釋：「到祠堂祭祖，是實行孝道，也是教育族人懂得禮法，以實踐孝道，從而成為一種教育形式。又因是實踐式的教育，令族人學得快，易於接受，所以它對傳播宗法思想起了重大的作用。」古時候祠堂甚至是家族中的司法「公堂」，因此，祠堂除了是族人聚會的場所，也是正俗教化的地方。至於教化的內容，除了可在族譜中找到外，主要可在祠堂的建築裝飾上找到。

由於祠堂的主要功能是祭祖，所以各族宗祠的規約都把祭祀當作大事，克期舉行。古時的祭禮分「日祭、月享、時類、歲祀」，朱熹解釋：「日祭於祖考，月薦於曾祖，時類及二祧，歲祀於壇墠。」有關四時之祭：「春祭曰祠，夏祭曰禴，秋祭曰嘗，冬祭曰烝。」又規定「三歲一祫，五年一禘」，即三年一合祭，五年一大祭。除了通常的祭祀，還有特殊祭奠。子孫獲得科舉功名或者升官晉爵，是非常的榮耀，都需要到宗祠祭祀。

在鄧氏宗祠和愈喬二公祠的門楣上都貼上書有「俎豆生香」四字的橫聯。「俎」是古代祭祀時盛牛羊的禮器，多用青銅製，也有漆器。「豆」是古代盛食物的祭器，形似高足盤。俎和豆都是祭祀用的禮器，表示祠堂與祭祀的緊密關係。根據屏山族人鄧昆池的資料，現時鄧氏宗族只保留春秋二祭的習俗。

圖 1.7：「俎豆生香」

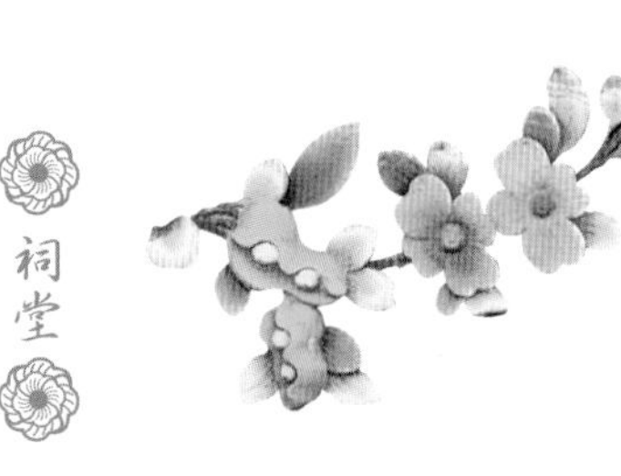

祠堂教化的內容

宋朱熹在《家禮 · 卷一》中除了提及祠堂的重要外，也建立了一套禮制，包括祭祀的方法，如「為四龕以奉先世神主、旁親之無後者以其班祔、具祭器……等」(即置由高祖以下四代的神龕以作供奉，無後者由近親供奉，祭器只可作祭祀用途，用畢後要按規定方法貯存)，並有指定的服飾、禮儀等，讓子孫可以遵從。總之，祠堂是一所神聖的殿堂，族人必須按特定的規則處事做人。

宗族的教化作用，受到清政府的重視，康熙九年 (1670 年) 頒布《聖諭十六條》，首六條「敦孝弟以重人倫，篤宗族以昭雍睦，和鄉黨以息爭訟，重農桑以足衣食，尚節儉以惜財用，隆學校以端士習……」。就康熙的聖諭，雍正予以詮釋，並在雍正二年 (1724 年) 另外頒行《聖諭廣訓》，除了地方官員的宣講外，還通過學校和科舉考試貫徹推行，以及在鄉塾以潛移默化的方式推廣。家庭以血緣關係為紐帶，家庭倫理的核心是「孝」，由此推廣至社會，社會倫理的核心是「忠」。儒家思想要求「修身、齊家、治國、平天下」。清政府正好利用這一點，把「忠」和「孝」結合起來。通過進行「孝悌」教育，不但親族可以和睦共處，還能使社會穩定和諧。屏山鄧氏宗祠三進內張掛了「孝」、「弟」二字的字畫，可見至今的宗祠，仍奉此為金科玉律。

圖 1.8：鄧氏宗祠三進的「孝」、「弟」字畫

關於孝的涵義《史記，太史公自序》中提及孝有三層涵義：「……且夫孝始於事親，中於事君，終於立身。揚名於後世，以顯父母，此孝之大者。」指出能出人頭地，光宗耀祖，才算達到孝的最高境界。這一觀念演變至族人對「祿」的追求。

此外，《孟子 · 離婁上》第二十六章説：「孟子曰：『不孝有三，無後為大。』」宗族的承傳與否，依靠血脈的延續，「無後」即表示沒有同姓的男兒繼承宗族，令血脈中斷，因而「求子」成為族人的殷切祈求，即對「福」的企盼。透過建築裝飾和族譜，古人表達對族人的要求。族譜的資料較詳細，內容主要列出族人的關係，生卒，科舉成就，官職等，有時候也列出族規，資料的取捨反映他們的價值取向，如除了科舉官位外，族譜沒有紀錄各人的其他職業，顯示「士、農、工、商」四業中，只有士人才得到社會的重視。建築裝飾多強調祝願或理想生活的模式，如兄弟和睦、夫妻恩愛等。

屏山鄧氏宗祠的家訓

書寫在鄧氏宗祠一進前的壁畫上的家訓如下：

「書云：孝乎惟孝，友于兄弟，施於有政。」

（《尚書 · 君陳篇》，行書，右簷牆）

「故君子因睦以合族。詩云，此令兄弟綽綽有裕。」

（《禮記，坊記》，行書，左簷牆）

題字明確地指出「孝」的重要，而且也提及「孝」與「政」和「族」的關係，兄弟和睦是關鍵要素。《禮記，坊記》原文還包括與父母的親屬和睦共處才算是孝：「子云：睦于父母之黨，可謂孝矣。」兩段選取的內容均來自古代典籍，在崇古的世代，極具參考價值。這像閒話家常的道理，故以行書表達。至於較嚴肅的訓話，則用隸書和篆書告誡子孫：

「惜食惜衣，非為惜財緣惜福。求名求利，但須求己勿［莫］求人。」
「陳文恭公格言」

（篆書，右簷牆）

「讀書，起家之本；勤儉，治家之本；和順，齊家之本；偱［循］理，保家之本。」
「朱文公格言也。」

（隸書，左簷牆）

此二則家訓主要環繞個人的修為和家庭關係，勸勉族人要勤儉，不要浪費衣食，靠自己實力取得的成就，才是真正的成功。要家族成功只能靠讀書而得，要管理好一個家庭，除了勤儉，還要令家人和睦相處，按理而行，才可持久。陳文恭公格言來自門聯，朱文公格言來自朱熹手書的四幅木匾，這些木匾現藏於福建南劍尤溪，一所紀念朱熹父子的祠堂「南溪書院」內（楊慎初，2002，13）。陳文恭又名陳康伯，為宋朝官員，在南宋孝宗時被封為魯國公；朱文公即宋朝的朱熹，是南宋著名的哲學家、教育家。如前所述，他倡導民間可以興建祠堂，又研究古代禮法和建立祭祀的制度，對民間的宗族發展影響深遠。

以上壁畫的家訓內容，與譜族上的家訓相近，壁畫題字言簡意賅，把文本與藝術融合，族譜的內容則較直率，除了說出規條外，還道出當時的歪風，和族人行為不當的後果。屏山鄧氏族譜的家訓內容如下：

> 「……先代起家清淡，然好讀書，戒嬉遊，喜勤儉，禁賭博。常是以垂訓而家道隆，自是以來，前人世守，奉教勿替，但今世風日下，誠恐子姪輩有為俗染，變讀書而習嬉遊，鄙勤儉而樂奢華，甚至三五聚賭，妄自作為，致墮家聲而貽先人羞也。……或有聚賭成群，無論大小，一經在場執獲及訪問確實，小則家法懲治，大則送官究處……」

建築裝飾圖像與訓勉內容

「蒼龍教子」

至於對「忠」的要求，在建築上則以較含蓄的圖像方式表達。在鄧氏宗祠和愈喬二公祠一進大門前的上方，都以黑白水墨畫的方式繪上大、小二龍的圖像。大龍在上，面向下；小龍在下，面向上。大小龍四目相投，嚴如父親教導兒子的模樣，一般被題為「蒼龍教子」。二龍騰雲駕霧，並有精氣射出，勇猛非常。究竟父親對孩子作甚麼指導？這畫的另一命題為「教子朝天」可以解作向天子朝拜，即忠於君之意；也可解作朝着天空的方向一飛沖天，即邁向理想，得到成功。中國皇朝時代，庶民不可用「龍」來裝飾建築，民間唯有設計較抽象的龍形，使其難以辨認出來。由於建築的地位不同，在述卿書室和覲廷書室的「蒼龍教子」繪於一進後中央的簷牆上，覲廷書室的「蒼龍教子」圖，還題上詩句：

> 「末日風雲滃素屏，爭 [峥] 嶸頭角露神形；静看頗 [有為霖] 勢，贈□□墨點情。」

在廣州南沙區黃閣鎮東裏村輔黨麥公祠的《教子朝天圖》壁畫有如下的題字：

> 「盡日風雲滃素屏，峥嶸頭角露神形；静看頗有為霖勢，安得僧繇作點睛。
> 清道光丙午年（1846 年），寫在瓜月朔越後偶作，龍溪梁漢雲學繪。」
> (中華人民共和國國家文物局，2012)

覲廷書室的建造時期較麥公祠晚 24 年，相信這是當時流行的版本。寓意世事雖然風雲變幻，但有能力的人是終會出人頭地的，藉此勉勵子孫發憤圖強。

「揚名聲，顯父母」，出人頭地既然被視為孝的表現，與此相關的題材當自然而然地出現在建築的顯眼位置。一幅與龍有關的裝飾圖——「鯉躍龍門」因為很能表達這個意思，於是建築中多處出現，成為重要的裝飾，如在屋的正脊前或後、樑枋之下或封簷板上。

圖 1.9a,b,c,d：「蒼龍教子」

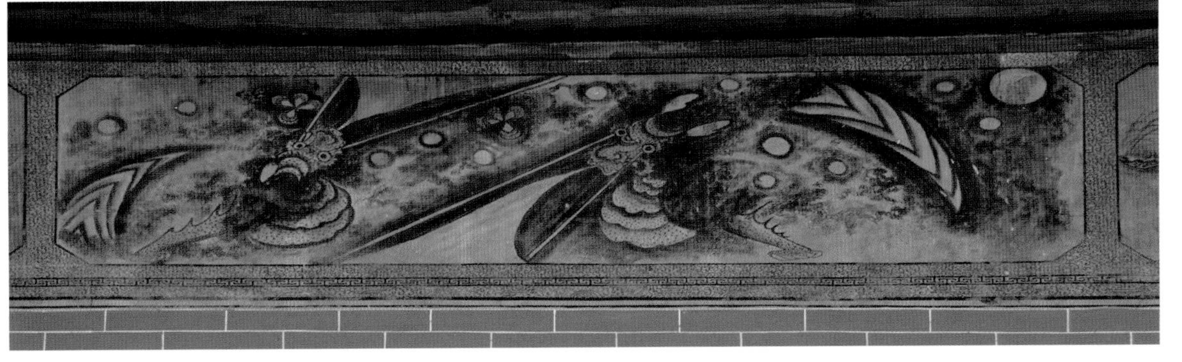

（鄧氏宗祠一進前中央簷牆壁畫）

（愈喬二公祠一進前中央簷牆壁畫）

（述卿書室一進後中央簷牆壁畫）

（覲廷書室一進後中央簷牆壁畫）

「鯉躍龍門」

各「鯉躍龍門」圖中都見鯉魚兒游向禹門，或在禹門之下跳躍，有些則正跨過禹門，魚頭形已變易；圖的另一端則有行龍騰駕於雲海之中。部分例子有二蟹或一蚌、一蟹在旁，寓意「二甲傳臚」，一幅例子有上升的太陽，寓意「旭日初升」，即升官之意。「鯉躍龍門」比喻在科舉考試中，可以金榜題名，登科及第，一朝顯貴。令族人熱衷採納作裝飾題材。

圖 1.10a-g：「鯉躍龍門」

鯉魚、海浪、正在轉變的龍形、祥雲（鄧氏宗祠一進前正脊灰塑）

二蟹、二魚、禹門、魚化龍、雲龍（述卿書室一進前正脊）

蚌、蟹、魚、禹門、魚化龍、龍、祥雲、太陽（覲廷書室一進後正脊）

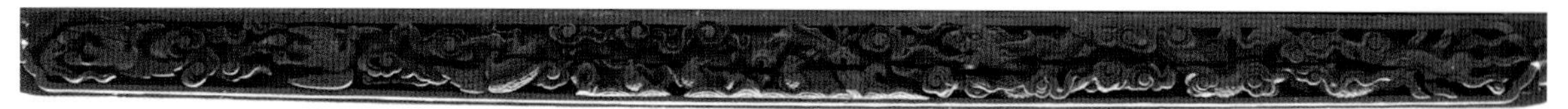

三仙鶴、祥雲；二鯉魚、禹門及魚化龍；一行龍、祥雲（鄧氏宗祠一進前左門額枋）

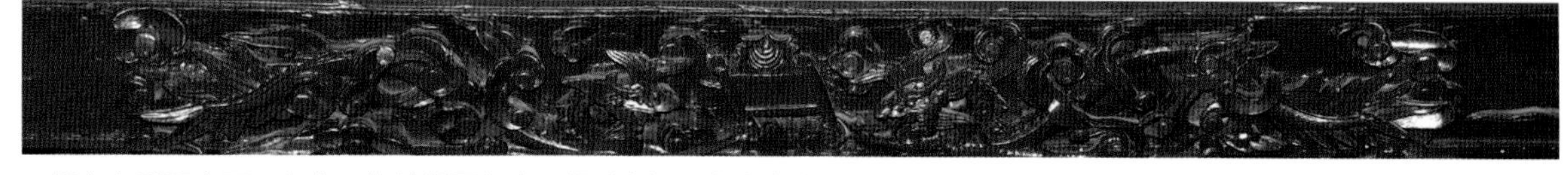

二鯉魚在禹門之下、左右二龍於祥雲之中（鄧氏宗祠二進中央左樑架七架樑底部）

鯉魚在禹門下，下有波浪、祥龍環繞禹門騰飛、祥雲（愈喬二公祠一進前右額枋）

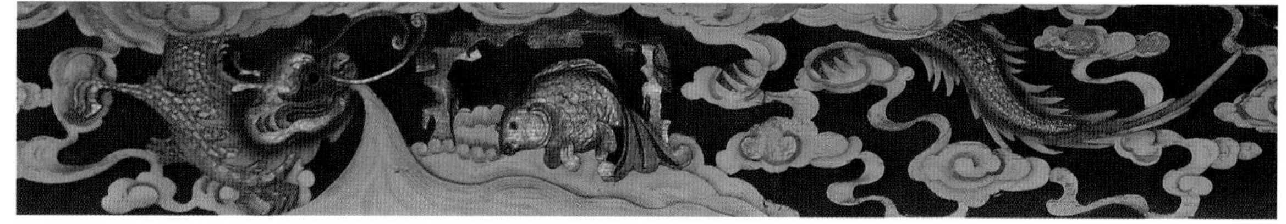

龍、祥雲、禹門、鯉魚（覲廷書室二進前封簷板）

傳說大禹治水，以鬼斧把山崖鑿開（豁口稱為「禹門」），以疏導洪水。居住在黃河中的鯉魚被沖至下游，不能回家。為了鼓勵鯉魚逆流而上，玉帝下旨，若能躍過龍門之鯉魚，可以變身成為龍，於是有「一登龍門，聲價十倍」之說（完顏紹元、郭永生，1997，22）。

「鰲魚」

鄧氏宗祠和愈喬二公祠所有正脊上皆置鰲魚，都屬同一款式，即有龍頭，雙角，頭在下方，魚身，尾向上翹，儼然像正躍過禹門時的「魚化龍」的模樣。葉祖康 (1982，17) 及香港政府新聞處 (1979，65) 載的圖 2 顯示，鄧氏宗祠的一進及二進在該書出版前均沒有鰲魚脊飾。香港政府新聞處出版書刊中圖 3 所示的鰲魚，相信屬愈喬二公祠所有。現在鄧氏宗祠上的鰲魚，應是 1980 年代以後加設的。二祠加上鰲魚裝飾，相信與近世流行「年年有餘」或「獨佔鰲頭」的吉祥語意思相關。另外，愈喬二公祠樑架斜頂上的「穿」，也有鰲魚裝飾。這款鰲魚「穿」木裝飾是廣東古建築特色之一。

圖 1.11：鰲魚 (愈喬二公祠二進後右脊飾)

圖 1.12：鰲魚 (愈喬二公祠一進穿)

祠堂的經濟來源

祠堂作為一個宗祠的組織，在祭祀及舉辦族眾的活動時，都需要一定的財務支持，才可運作。朱熹在《家禮》中訂立祠堂的制度時，提出「置祭田」的概念，建議：

> 「初立祠堂，則計見田，每龕取其二十之一以為祭田，親盡則以為墓田，
> 後凡正位祔者，皆放此，宗子主之，以給祭用。上世初未置田，則合墓下
> 子孫之田，計數而割之，皆立約聞官，不得典賣。」

以祭祀田供奉祠內遠祖的法則，實際到明清兩代才實行 (清水盛光，1949，轉引自莊英章，2004，28)。「祭田」又稱「祀田」、「烝嘗田」；皖閩稱為「祭田」、江浙稱為「義田」、江西稱為「公堂」、廣東則稱為「嘗租」。祭田是全家族的公共財產，主要用於支付祠堂祭祖的費用，有了可靠的經濟基礎，可以確保祭祖的香火不斷。有多餘的收入，也可分配給族人或作撫恤族眾，這些對於子弟的實惠，又可增強族人的團結精神 (馮爾康，1998；劉黎明，2003)。

除了作為祭祀的祭田外，古代又有以義田作為興建書塾的教學建設，以及支付師資和學生的生活費。這一種義田，又稱作書田、學田，多屬宗族的特殊產業 (馮爾康，1998，63)。雍正的《聖

諭廣訓》強調「立家廟以薦烝嘗，設家塾以課子弟」，同時政府更制定政策，保護宗族公產 (同上，153)，使祠堂和書塾有長足的發展。許多宗族內有經濟力量的族人，也出資開辦宗族義塾，教育族人 (同上，41)。

掛在覲廷書室二進的匾額，書上「崇德堂」三字，又用「崇德」二字，譜上「崇山毓秀，德澤流芳」的門聯，掛在大門兩側。「崇德堂」是覲廷書室和清暑軒的祖堂名稱。其他祠堂和書室都各有祖堂負責：管理鄧氏宗祠和愈喬二公祠的是「鄧萬里祖堂」、述卿書室的是「思誠堂」、仁敦岡書室的是「燕翼堂」、聖軒公家塾的是「一體堂」、若虛書室的是「維新堂」。其他還有若愚「應舉祖」、呼愚「應果祖」、勳猷「麟閣堂」、弼卿「弼成堂」、懿猷「植槐堂」和秩猷「敦禮堂」等，各祖堂現均經元朗民政事務處祖堂事務組註冊，負責管理祖先遺留下來的產業，包括土地房產的收益。有了這些資產，各古建築才可以定期維修，得以保存至今。祖堂的工作事務由司理負責，司理是同祖各房支的代表。在春秋二祭和需要維修宗族祠堂和祖墳時，他們都會聚在一起，商討有關事宜。至於屏山以往有否義田供義學或賑濟用途，暫沒有相關資料可作考證。

註釋：

1　《蘭亭集序》的原文為：
「永和九年，歲在癸丑，暮春之初，會於會稽山陰之蘭亭，修禊事也。群賢畢至，少長咸集。此地有崇山峻嶺，茂林修竹；又有清流激湍，映帶左右，引以為流觴曲水，列坐其次。雖無絲竹管弦之盛，一觴一詠，亦足以暢敘幽情。是日也，天朗氣清，惠風和暢。仰觀宇宙之大，俯察品類之盛。所以遊目騁懷，足以極視聽之娛，信可樂也。……」(楊簫，2010，277-278)

表一：鄧氏宗祠神主牌位置分佈

宋二世祖萬里							宋承務郎太始祖漢瀓							宋一世祖元禎							1
			11 明壽官世昭號喬林	11 明世賢號愈聖	10 明翰輔	9 明善長	7 明彥祥	5 元福建方伯馮遜	3 宋顥	3 宋頲	4 宋志遠	6 元天與	7 明寧國府正堂彥通	8 明原肇	10 明翰弼	10 明冠帶壽官松波	11 明世明				2
			16 明壽官號鳴岡	15 明壽官敦復	14 明鄉飲賓仁所	14 明念直	13 明見峰	12 明桂字國馨	12 明樸號兩峰	12 明壽官號璧山	12 明樟號昇崗	12 明梅號東梅	15 清希舜	13 明邑庠生南屏	14 明邑庠生宵羽	15 清叔敷	15 明文林郎長修				3
		18 清國學生若虛	18 清邑庠生樂圃	17 清宜軒	17 清飲賓師儉	17 清博士弟子員聖軒	17 清國學生國臣	16 明庠生珩號來皇	16 清珍儀	16 清羽儀	16 明邑庠生樾號國賓	17 清勑臣	17 清邑庠生素其	17 清邑庠生劼臣	18 清職監聘客號在眉	18 清邑庠生若愚	18 清旺				4
		19 清忍夫	19 清炳宇	19 清例貢牛八品兆麟	19 清郡庠牛星閣	18 清國學生呼愚	18 清國學生仁山	18 清國學生素謙	18 清邑庠生朝客	18 清冠帶壽官次荊	19 清國學生蔚峰	19 清明經進士國香	19 清國學生鄉飲賓武受號岐峰	19 清邑庠生樂水	19 清例贈武略騎尉夢月	19 清邑庠生位榮					5
	21 清附貢生候選訓導朝器號礪巖	21 清邑庠生楷垣	20 清鄉飲賓卓軒	20 清煥簡	20 清溥齋	20 清公發	20 清邑庠生誥封奮武校尉維城	20 清國學生勉齋	20 清可大	20 皇清鄉進士即用衛守府瑞泰號輯五	20 清郡庠生逢泰號賡堂	20 清恩貢生栽圃	20 清壽員輯美	20 清例授登仕郎正九品華漢	20 清靜安	20 清世才	20 清帝毓	21 清鄉進士揀選衛守府飛鴻字京玉號霄軒	21 清壽官字憲邦		6
	22 清作興	21 清邑庠生例贈文林郎七品作猷號延卿	21 清國學生菲亭	21 清邑庠生鷹揚號渭卿	21 清郁文	21 清鄉進士揀選衛守府勳猷號麟閣	21 清鄉進士揀選衛守府屏石	21 清奉直大夫謨猷號弼卿	21 清耀邦號謙堂	21 清廷軒	21 清例貢生集岐	21 清擢萃	21 清國學生朝憲字秩猷	21 清郡武生大鵬總司家聲朝鏞	21 清郡武生朝聘號觀廷	21 清國學揀士	21 清壽員品芳	21 清樹佑	21 清武信騎尉字嘉猷號楚崖	21 清郁耀	7
23 清例貢生梯雲	22 清壽員聲芳	22 清昌繡號文階	22 清壽員凌雲	22 清賡良號小范	22 清例贈修職郎八品集矩	22 清壽員裕天	22 清例授文林郎七品寶琛號賚臣	22 清國學生葆元	22 清壽員越恒	22 清壽官榮光	本祠舊主各房列祖神位	22 清郡武生大成	22 清國學生梓良字翰彥號芸臺	22 清竹渠	23 清公富號占衢	23 清國學生興和	23 清國學生俊衢	23 清汝恒號子馨	23 清昌善	23 清國學生梅品	8

表二：愈喬二公祠神主牌位置分佈

11明喬林(壽官)								1宋承務郎太始祖漢䜚(六品)								11明愈聖								1
		16 明邑庠生來皇	16 明雲路洪業洪俊洪才洪成洪經洪疇	15 明應麟應豸夢麟	14 明士昌士富士祚士華士標士榮	13 皇明時化	13 明邑庠生時中號南屏	13 皇明見峰	12 明東梅	12 明冠帶壽官國材號璧山	12 明國馨	12 明昇崗	12 明兩峰	13 明時澤時任時沛	13 明見川	13 明時潔	14 明鄉賓懷德	14 明邑庠生宵羽	15 明副貢生枝蕃號長修	15 明壽官敦復	16 明壽官來儀	16 明邑庠生國賓		2
	19 清例贈武略騎尉六品允升	19 清光升	18 清憲禹	18 清善客	18 清旺	18 清邑庠生瑋客	18 清邑庠生懷珍	18 清邑庠生應舉號若愚	18 清國學生仁山	17 清敏臣號宜軒	17 清邑庠生劼臣	17 清邑庠生潔臣	17 清鄉飲賓師儉	17 清邑庠生勉臣號聖軒	17 清勑臣	17 鼎臣佐臣阿泉阿義	17 清邑庠生勷臣	18 清國學生聘客	18 清國學生德光號若虛	18 清國學生字應果號呼愚	18 清奎璧	19 清長升	19 清傑南	3
	20 清例贈武略騎尉鉉泰號鼎軒	20 清炤泰字慧可	20 清壽官帝毓	19 清例貢生八品兆麟	19 清爆宇	19 清壽冠階升	19 清清玉號瑩軒	19 皇清國學生煜宇	19 清倬南	19 皇清壽員煒宇號光垣	19 清作南	19 清邑庠生沖一	19 清邑武生兆月字萃芳號容興	19 清貢生例贈武略騎尉八品芝蘭號國香	19 清國學生位熊字渭升	19 清郡武生庚字誥一號星閣	19 清鎮宇	19 清壽官宅升	19 皇清例贈武略騎尉夢月號敦齋	19 清國學生鄉舉正賓鳳翔	20 清字公義號侃堂	20 清恩賜登仕郎元貴字華漢號翠雲	20 清恩貢生培泰字際可	4
21 清天恩字徽猷	21 清添吉號廷獻	21 清壽官光宗	20 皇清國學生公德	20 清鄉進士即用衛守府六品瑞泰字獻可號輯五	20 清登仕郎敬屏	20 清德宗	20 清敏可	20 清學源	20 清美桂字穎漢	20 清鄉飲賓卓軒	20 清壽員達仁字愛焳號樂山	20 清壽官旭茂	20 清開基字肇緒	20 清維城	20 清莪溪	20 清國學生見漢	20 清運泰字達可號行之	20 清公發	20 清郡庠生號賡堂	20 清例贈武略騎尉萬發字錫九號楷亭	21 清鐘聲字籍猷	21 清輔國	20 清壽官卓斯	21 皇清煥材
21 清九齡	21 清森懷	21 清虞聲	21 清平惠	21 清高軒	21 清毓材	21 清朝銘	21 清茂材	21 清奇材	21 清鄉進士揀選衛守府遂懷號屏石	21 清國學生瑞章號菲亭	21 清峻如	21 清樂懷	21 清朝清字理猷號熙閣	21 清壽冠朝槐號植三	21 清邑庠生鷹揚號渭卿	21 清奉直大夫朝輔字謨猷號弼卿	21 清邑庠生例贈文林郎七品作猷號述卿	21 清興懷	21 清附貢生候選儒學訓導八品朝器字懿猷號礪巖	21 皇清鄉進士例授武略騎尉六品勳猷	21 皇清郡武生朝聘字經猷號覲廷	21 清成材	21 清拔材號學田	6
22 清賡良號小范	22 清月亭	22 清志高	22 清冠帶壽官榮光	22 清燦宇	22 清輝宇	22 清緝興字準之	22 清例贈修職郎正八品集矩	21 清灼彬	21 清傑封	21 清朝憲字秩猷	21 清國學生鐸聲字貽猷號端生	21 清壽冠國祥	21 清揚聲	21 清巳發	21 清芳猷號芬軒	21 清壽冠朝棟字壯猷	22 清壽冠世彥	22 清郡武生鍾良號秀川	22 清壽高號逸卿	22 清郡武生驤良號雲衢	22 清品高	22 清賢英字忠彥號昕樵	22 清傑良字國彥	7

表二：愈喬二公祠神主牌位置分佈(續)

22 清仁良字吉彥號藹臣	22 清達義	22 清彥龍	22 清廷芳	22 清邦良號袞臣	22 清國學生志良號惠泉	22 清壽源號鶴朋	22 清瑤林	22 清佐良字英彥號小礪	22 清國子監太學生貴良字秀彥號楚材	22 清鎮龍號見田	22 清破愚字傑彥	22 清邑庠生林芳字彥士號香泉	22 清仲良字家彥號莞笙	22 清鄉進士例授武略騎尉宏英號樸石	22 清例授國學生珍良號玉如	22 清柱隆	22 清梓良字翰彥號芸臺	22 清世良字俊彥號堯臣	22 清業隆	22 清廷華	22 清錫良字鈺彥號寶珊			**8**
24 清邑武生鳴岐	24 清瑞賀號春雲	24 清火壽字顯祥號麗平	24 清大年字祺賀	23 清水安字冠廷號晃臣	23 清挹秀	23 清引祿字鑾聘	23 清羨衢	23 清禮普	23 清立成	23 清昌善號懷初	23 清容富字聲衢	23 清公富字占衢	23 清公保	23 清明經進士例授修職郎例贈正八品步衢	23 清澤普	23 清錦附	23 清汝珊	23 清國學生汝錫號英生	23 清國學生汝誠字品重號鏡芙	24 清國學生禮山	24 清國學生楚石	24 清麟賀號兆佳	24 清國楨字超瑞號拔卿	**9**

表三. 屏山鄧氏族人的世系表 (只顯示神主牌名字的相關人物)

(黑色：鄧氏宗祠神主牌　紅色：愈喬二公祠　**粗體：二所祠堂均有**　藍色：其他別名　綠色：溯源(只供參考))

				始祖漢黻				
				1 元禎				
				2 萬里				
3 顥(1)				3 **頊**(2)				
				4 志遠				
				5 馮遜(1)			5 益遜(2)	
				6 天與			6 光大	
	7 彥通(1)			7 彥祥(2)			7 敬可	
				8 原肇(1)			8 原福	
				9 善長			9 壽勝	
		10 翰輔(1)	10 翰弼(2)	10 松波(3)			10 塤	10 平
		11 珍		11 世賢/**愈聖**	11 世明	11 世昭/**喬林**	11 讓	11 文德
		12 璋			12 元	***1**	12 麟	12 引祥
		13 文中			13 宏宜 (1)		13 奇玉	13 汝吉
		14 應衡			14 師魯/仲儒		14 彥昌	14 齊
		15 一鳳			15 希舜 (2)		15 明俊	15 觀成
		16 夢隆字顯裕號鳴雷			16 大成		16 鼎臣	16 義有
		17 履昌/達其			17 林桂			17 國臣(珍儀嗣子)
		18 次荊			18 嘉珍			
					19 雲苑			
					20 榮士			
					21 群(1)			
					22 賀壽(3)			
					23 梅品			

*1

<table>
<tr><td colspan="20">11 世昭/**喬林**</td></tr>
<tr><td colspan="8">12 **璧山** (1)</td><td>12 樟/**昇崗** (2)</td><td colspan="9">12 桂/**國馨** (3)</td><td>12 梅/**東梅** (4)</td><td></td></tr>
<tr><td colspan="4">13 時中/**南屏** (1)</td><td>13 見川 (2)</td><td>13 時潔 (3)</td><td>13 **見峰** (5)</td><td>13 時化 (6)</td><td></td><td colspan="2">13 時任 (1)</td><td>13 時沛 (2)</td><td colspan="6">13 時澤 (3)</td><td></td><td></td></tr>
<tr><td colspan="2">14 仁所/懷德 (1)</td><td colspan="2">14 **宵羽** (2)</td><td>14 懷仁 (1)</td><td></td><td>13 念直 (3) (嗣子)</td><td></td><td></td><td colspan="2">14 士榮</td><td>14 士標</td><td colspan="5">14 士華 (1)</td><td>14 士富 (2)、士昌 (3)、士祚 (4)</td><td></td><td></td></tr>
<tr><td colspan="2">15 **敦復**</td><td colspan="2">15 **長修**/枝蕃</td><td>15 邦錄</td><td></td><td>15 叔敷 (2)</td><td></td><td></td><td>15 應麟 (1)</td><td>15 應豸 (2)</td><td>15 應詔</td><td>15 夢麒 (1)</td><td colspan="4">15 夢麟 (2)</td><td></td><td></td><td></td></tr>
<tr><td>16 鳴岡/來儀 (1)</td><td>16 羽儀 (2)</td><td>16 珩/**來皇** (1)</td><td>16 樾/**國賓** (2)</td><td>16 炤/賓儀 (3)</td><td></td><td>16 珍儀</td><td></td><td></td><td>16 雲路</td><td></td><td>16 洪俊</td><td>16 洪經</td><td>16 洪業 (1)</td><td>16 洪成 (2)</td><td>16 洪才 (3)</td><td>16 洪疇 (4)</td><td></td><td></td><td></td></tr>
<tr><td>*2</td><td></td><td></td><td>*3</td><td>17 際熙/采臣 (1)</td><td></td><td>17 國臣 (嗣子)</td><td></td><td></td><td></td><td></td><td></td><td>17 阿義 (亞二)</td><td></td><td>17 佐臣</td><td>17 阿泉</td><td></td><td></td><td></td><td></td></tr>
<tr><td></td><td></td><td></td><td></td><td>18 奎璧/[illegible] (3)</td><td></td><td>*4</td><td></td><td></td><td></td><td></td><td></td><td></td><td></td><td>18 憲禹</td><td></td><td></td><td></td><td></td><td></td></tr>
</table>

2

16 鳴岡/來儀 (1)

17 素其/勳臣(1) | 17 潔臣 (2) | 17 **師儉**(3)

18 聘客/**在眉**(1) | 18 懷珍 (2) | 18 琬客 (2) | 18 光客 (3) | 18 瑋客 (4)

19 宅升(1) | 19 允升 (2) | 19 階升 (3) | 19 位熊/渭升(4) | 19 光升 | 19 長升 | 19 位公 (1) | 19 位伯 (3) | 19 位旦 (1) | 19 位仁 (1) | 19 位和 (3)

20 卓斯 (2) | 20 廸斯/祿壽 (3) | 20 式几 (1) | 20 冠几 (3) | 20 旭茂 | 20 **帝毓** | 20 日煌 | 20 挺秀 (1) | 20 挹秀 (2) | 20 日燦 | 20 麟/爆中/紱廷 | 20 德宗

21 峻如 (1) | 21 光宗 | 21 飛鴻 | 21 安國/殿玉 (2) | 21 瑞章/菲亭 (1) | 21 灼彬/瑾章 (3) | 21憲邦 (1) | 21 **耀邦/謙堂** (2) | 21 捷元/欽邦 (1) | 21 **楷垣** (2) | 21 伯 (1) | 21 **揀士** (4) | 21 洙/印周 (1) | 21 **集岐** (2) | 21 九齡/安梅 (4)

22 **集矩** | 22 昌繡/文階/成矩 | 22 **聲芳** | 22 廷芳 (2) | 22 燦宇 (3) | 22 輝宇 (4) | 22 **裕天(大)** (1) | 22 暢大 (1) | 22 **郁文** (1)

23 **梯雲**/步衢 (1) | 23 羨衢 (2) | 23 **公富/占衢** (1) | 23 俊衢 (2) | 23 容富/聲衢 (3) | 23 禮普 (2) | 23 澤(濟)普 (1) | 23 引祿/鑾聘

24 楚石 (2) | 24 大年/祺(麒)賀 (1) | 24 瑞賀/春(青)雲 (2) | 24 麟賀/兆佳 (3)

*3

- 16 **玠** (1)
  - 16 樾/**國賓** (2)
- 17 **勅** (1)(玠嗣子)
  - 17 勉臣/聖軒(2)
  - 17 **劼臣** (3)
  - 17 **宜軒**/敏臣/際達 (4)
- 18 協震
  - 18 德光/**若虛** (1)
  - 18 應舉/**若愚** (2)
  - 18 **旺** (3)
  - 18 應果/**呼愚** (4)
  - 18 **仁山** (1)
  - 18 善客 (2)
  - 18 朝客 (3)
- 19 緯耀(嗣子)
  - 19 **兆麟** (1)
  - 19 **夢月/敦齋** (2)
  - 19 **國香**/芝蘭 (3)
  - 19 沖一 (2)
  - 19 蔚峰 (3)
  - 19 武受/岐峰/鳳翔 (4)
  - 19 庚/誥一/星閣 (3)
  - 19 作南 (1)
  - 19 傑南/經耀 (3)
  - 19 倬南 (4)
  - 19 兆月/萃芳 (1)
  - 19 兆松 (2)
- 20 煥簡 (2)
  - 20 **公發** (1)
  - 20 逢泰/**賡堂** (2)
  - 20 **瑞泰**/輯五(伍)/獻可
  - 20 培泰/際可/栽圃 (2)
  - 20 鉉泰/鼎軒(卿) (3)
  - 20 炤泰/慧可 (4)
  - 20 見漢
  - 20 琮/兆祥
  - 20 **華漢**/元貴(圭) (5)
  - 20 美桂(圭)/穎漢 (6)
  - 20 敬屏
  - 20 啟綰/品漢
  - 20 運泰/逵可/行之 (3)
  - 20 賢發/捷斯
  - 20 壬發/見賢
  - 20 靜安
  - 20 **開基/肇**(紹)**緒** (1)
  - 20 榮基 (1)
- 21
  - 21 朝棟/壯猷 (1)
  - *5
  - *6
  - *7
  - 21 理猷/熙閣 (1)
  - 21 平惠 (1)
  - 21 天恩/徽猷
  - 21 虞聲 (2)
  - 21 鐘聲/籍(藉)猷 (3)
  - 21 揚聲
  - 21 **朝銘**(鈞)/金聲 (1)
  - 21 家聲/**朝鏞** (3)
  - 21 鐸聲/貽猷
  - 21 大鳴
  - 21 國祥 (2)
  - 21 **品芳** (1)
  - 21 高軒
  - 21 光祖
  - 21 光斗
- 22
  - 22 世彥 (1)
  - 22 **葆元**
  - 22 鎮龍/見田
  - 22 錫良/鈺(普)彥/寶(乃)珊 (2)
  - 22 彥龍 (3)
  - 22 **竹渠**/全福
  - 22 緝興(卿)/準之 (1)
  - 22 **榮光**/得昌

***4**

<table>
<tr><td colspan="15">17 國臣/際泰</td></tr>
<tr><td colspan="6">18 素謙/文客/應燦(1)</td><td colspan="9">18 樂圃/瑞客/應鰲/應璈 (2)</td></tr>
<tr><td>19 煜宇 (1)</td><td>19 炳宇 (2)</td><td>19 熼宇 (3)</td><td>19 鎮宇 (4)</td><td colspan="2">19 煒宇/光垣 (5)</td><td colspan="6">19 堅玉/敦樸 (1)</td><td>19 忍夫/潔玉 (2)</td><td>19 清玉/瑩軒 (3)</td><td>19 樂水/瓊玉/波 (4)</td></tr>
<tr><td></td><td>20 輯美 (2)</td><td></td><td></td><td>20 學源</td><td>20 達仁/樂山 (2)</td><td colspan="4">20 溥齋(濟)/公善(1)</td><td colspan="2">20 祖壽/葉芹/公耐</td><td>20 勉齋/公德</td><td>20 公義/侃堂 (2)</td><td>20 卓軒</td></tr>
<tr><td></td><td>21 傑封/堂慶 (4)</td><td></td><td></td><td></td><td></td><td>21 成材/朝珍 (1)</td><td colspan="2">21 廷軒/良材 (2)</td><td>21 茂材 (4)</td><td>21 毓材/創瑞 (4)</td><td>21 奇材 (3)</td><td></td><td>21 拔材/學田 (3)</td><td>21 煥材/士有 (2)</td></tr>
<tr><td></td><td></td><td></td><td></td><td></td><td></td><td>22 志高 (1)</td><td>22 壽高/達仁/逸卿 (1)</td><td>22 九義 (2)</td><td>22 品高/得祿 (2)</td><td></td><td></td><td></td><td></td><td></td></tr>
<tr><td></td><td></td><td></td><td></td><td></td><td></td><td></td><td></td><td>23 達義/信得</td><td></td><td></td><td></td><td></td><td></td><td></td></tr>
</table>

***5**

<table>
<tr><td colspan="8">20 逢泰/賡堂(2)</td></tr>
<tr><td>21 芳猷/芬軒/朝桂(2)</td><td>21 嘉猷/楚崖/朝陽(3)</td><td>21 添吉/廷獻(4)</td><td>21 朝槐/植三/懋猷/英吉 (5)</td><td colspan="4">21 鷹揚/渭卿(6)</td></tr>
<tr><td></td><td>22 鍾良/秀川/水發/偉彥</td><td>22 驥良</td><td></td><td>22 仲良/家彥/箎笙(生)(2)</td><td>22 珍良(彥)/玉如/繼源 (1)</td><td>22 壽源/鶴朋/永良(3)</td><td>22 志良/惠泉/端彥(4)</td></tr>
</table>

*6

<table>
<tr><td colspan="16">20 **瑞泰**/輯五/獻可</td></tr>
<tr><td colspan="3">21 **謨猷**/**弼卿**/朝輔/連興 (1)</td><td colspan="2">21 **作猷**/**述卿**/添興/朝選 (2)</td><td colspan="2">21 **勳猷**/麟閣/進興/朝用 (3)</td><td colspan="6">21 **朝器**/**礪巖**/四興/懿猷(4)</td><td>21 朝聘/**經猷**/**覲廷**/田興/朝聘 (5)</td><td colspan="2">21 **朝憲**/**秩猷**/佛興(6)</td></tr>
<tr><td>22 **賡良**/**小范** (1)</td><td>22 貴良/秀彥/楚材/茂林 (2)</td><td>22 瑤林 (3)</td><td>22 寶琛/賚臣/惠育 (1)</td><td>22 大成/惠成/駕彥 (2)</td><td>22 宏英/樸石/宏恩/世恩 (2)</td><td>22 邦良/袞臣/厚恩 (3)</td><td>22 傑良/國彥/景隆 (1)</td><td>22 柱隆 (2)</td><td>22 業隆 (3)</td><td>22 佐良/英彥/小礪/佑隆 (4)</td><td>22 世良/俊彥/堯臣/燊隆 (5)</td><td>22 仁良/吉彥/藹臣/芳隆 (6)</td><td>22 林芳/士彥/香泉/光宗 (1)</td><td>22 **梓良**/翰彥/芸臺(雲台)/星華 (1)</td><td>22 廷華 (2)</td></tr>
<tr><td></td><td></td><td></td><td>23 汝恒/子馨/貞重/祖祿</td><td></td><td></td><td></td><td></td><td></td><td></td><td></td><td></td><td></td><td>23 汝錋/英生/兆鏞/兆棠 (1)</td><td></td><td></td></tr>
</table>

7

20 培泰/際可/栽圃			
21 樂懷/汝猷/朝俊(1)	21 **屏石**/遂懷/翼猷(2)	21 興懷/肩猷/朝任(3)	21 森懷/招猷/朝英(4)
	22 破愚/傑彥		
	23 汝誠/品重/鏡芙		

未能鑑別世系的神主牌

19 位榮	20 **維城**	20 可大	20 世才	20 萬發字錫几號楷亭 (太安人黃, 安人張)	20 敏可(房)	20 我溪	21 擢萃	21 樹佑(文)	21 郁耀(黃)	21 輔國(黃)	21 巳發(黃)

22 作興(廖)	22 凌雲(文文)	22 越恆(黃)	22 月亭(廖)	22 賢英字忠彥號昕樵 (黃區)	23 **昌善**號懷初 (黃張)	23 水安字冠廷號冕臣 (趙)	23 立成	23 公保	23 錦附(黃)	23 汝珊(廖)	23 興和

24 鳴岐 (廖鄭蔣)	24 禮山 (廖黃樊)	24 國楨字超瑞號拔卿 (黃)	24 火壽字顯祥號麗乎 (湯)

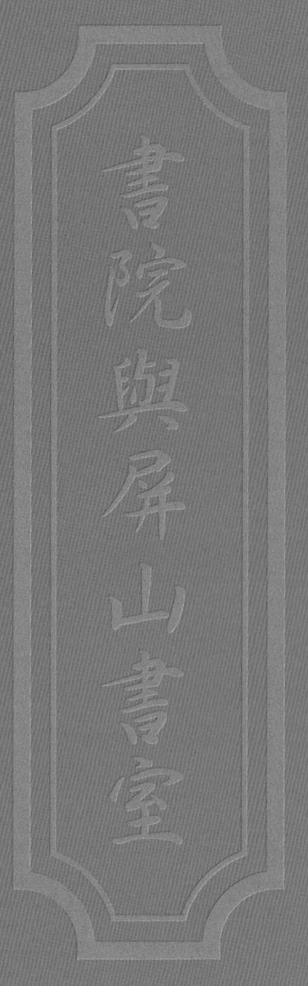

屏山古建築的裝飾，訴說着鄧氏族人對子孫能光宗耀祖，出人頭地的渴望。

中國古代農村社會，平民百姓主要靠在科舉考試中登科及第，進入官場，來提升自己家族的社會地位，這從鄧氏宗祠壁畫上引用朱熹的格言：「讀書，起家之本。」可見。大家都相信讀書除了可以考取功名，令家族的名聲得以彰顯外；知識還能夠令家族的繁榮長久地保持下去。故此，「書香門第」是家族理想追求的最高境界。

鄧氏族人對透過讀書，祈求在科舉考試中及第的想法，可從屏山多所古建書室的建築裝飾反映出來。這些書室包括：仁敦岡書室(由屏山第 14、15、16 傳的仁所、敦復及鳴岡三代人在明、清期間興建)、聖軒公家塾(紀念屏山第 17 傳的際選，號聖軒)、若虛書室(紀念屏山第 18 傳德光，號若虛)、五桂堂(紀念屏山第 18 傳五兄弟珮客、琬客、光客、瑋客、璟客)、覲廷書室(紀念屏山第 21 傳的經猷)、述卿書室(紀念屏山第 21 傳的作猷)(資料源自屏山族人鄧昆池先生和鄧氏族譜)及作為家塾的壁玉樓(屏山第 23 傳步衢興建)。另外，還有在屏山橫州的福興書室(已改建)。《各省區歷代書院統計表》顯示：香港的書室在宋朝興建的有 1 所、明朝 1 所、清朝 31 所(王炳照，1998，203)[根據作者蒐集的資料，香港的書室應多於此數][1]，僅屏山這單一地區已建有八所書室及家塾，可見鄧族對子弟讀書的重視。

圖 2.1：仁敦岡書室

圖 2.2：聖軒公家塾

圖 2.3：若虛書室

圖 2.4：五桂堂

圖 2.5：述卿書室

圖 2.6：覲廷書室

圖 2.7：璧玉樓

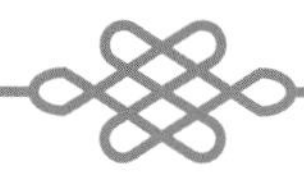

書院的發展沿革

有關屏山書室的歷史記載不多，我們只可以從中國古代的官學和書院的歷史發展中，尋找相關的線索。「書院」的名稱最先在唐代出現，原本是指「皇家藏書、修書之所」，是宮廷內為皇帝服務的設施 (《新唐書 · 百官誌 · 集賢殿書院》轉引自楊慎初，2002，2)。唐開元二十一年 (733年) 間，民間已出現「私塾」的雛形；後來一般百姓更在鄉村廢寺，設立鄉學。早期民間的書院，大多集中於山林勝地，因為自魏晉南北朝以來，佛道二學得到統治階級的支持，於是天下名山，盡為寺觀所佔，廣建禪林精舍。至唐末五代時，社會動盪不安，士人遂隱居山林，寄寓寺觀，讀書講學，深受佛道禪修影響。然而，書院多數由文士參與籌畫、經營、建設，令書院學習與佛、道既有競爭，又有融合。書院一般在蒙學（古代對兒童進行之教育）之上，以居學（提供住宿，以隱修的方式學習）為重，讓學子在潛移默化的氛圍中，修身養性，成就人才。由於士人向來追求環境清幽雅致，因而唐詩中多稱頌書院種植的松、竹、泉、石之美 (楊慎初，2002，48-50)。如唐 · 王維的《山居秋暝》是覲廷書室喜歡節錄的詩文，原文為：

空山新雨後，天氣晚來秋。明月松間照，清泉石上流。
竹喧歸浣女，蓮動下漁舟。隨意春芳歇，王孫自可留。

圖 2.8：覲廷書室山牆上山花灰塑的山居圖

北宋時期，由於書院受到朝廷的重視和鼓勵，不少私人讀書講學的場所，都改為書院，當時最著名的書院有岳麓、白鹿、嵩陽、睢陽、石鼓等。及後，書院更成為理學活動的基地，奠定了作為講學、藏書、供祀的功能特點；同時，書院亦建立了自己的學規、學田和學舍等基本規制及建築規模，令往後的發展更穩定及更獨立自主，如可以自由選擇老師和學生。

書院重視藏書，供師生學習研究；有些更把教學與研究結合，舉行講會、文會，以及祭祀紀念地方歷史人物等活動，逐漸成為學派的發展基地和地方學術文化中心。書院的發展到南宋時至為興盛，理學家周敦頤 (1017-1073 年) 被尊為理學的開山祖，他的弟子程顥 (1032-1085 年)、程頤 (1033-1107 年) 兄弟，洛陽人，世稱「二程」，更開創了「洛學」(把佛老思想，融入於儒學中)。南宋理學書院倡導不同學派的交流與爭辯，經常舉行會講，宣揚理學，重視道德修養，不以追求功名利祿為目標的理念；又主張開放門戶，不受地域、門第、年齡等限制；並以自學為主，採用啟發式教學。理學之集大成者朱熹，更到處興院講學，直接從事教育活動凡四十年之久，期間潛心研究典籍，堅持著述和講學 (楊慎初，2002，4-11)。

至元朝時，朝廷容許不願出仕的學者建院隱居和講學，進一步促進了書院的發展，但書院仍受到嚴格的控制。朝廷把程朱理學定為科舉考試的程式，朱熹的《四書集注》成了官定教科書，並作為科舉考試的評核標準。對省城書院，給予資助，地方書院的山長 (書院的教師) 由官府委派，或由其他官員兼任，部分私人聘請的，也由官府認可；同時，撥給書院的學田，仍由官府掌握，以加強經濟控制 (楊慎初，2002，15)。

到明初，朝廷大力發展官學 (官府統轄的學校，學員受地域、身分、學額、年齡等限制)，各府、州、縣、衛、所皆設立官學，並規定科舉考試必須經學校出身，使學校與科舉緊密聯繫起來，以致書院一度沉寂。為了避免政治鬥爭，一些書院轉為專供紀念或祭祀先人的場所，習武書院也於此時出現。然而，由於民間書院的基礎深厚，和得到學者的推動，在這困難時期，書院仍然發展蓬勃，數量甚至超越前代。清朝的科舉考試，以八股取士，仍尊崇程朱理學。雍正十一年 (1733 年) 以後，朝廷更在各省會選定一二所書院作為重點，提供資助，並確立其為全省最高學府的地位，如肇慶端溪書院和廣州粵秀書院，便是當時確定的廣東省書院 (楊慎初，2002，20-25)。由於官方的管制和科舉的束縛，各書院普遍受官學影響，採用考課制度，課程內容為八股時文，一味追求科舉 (同上，38)。光緒二十六年 (1900 年) 八國聯軍入侵，次年慈禧被迫變法，引進西方新學，各地書院陸續改制，建立學堂，書院制度終結 (同上，27)。

書院教育

唐代官學針對科舉的要求，教學內容以儒家經典為主。在這時期，宗族設立的私塾分兩類，一類是蒙學：學生有年齡限制，全年上課的時間有規定，上課的書屋指定位於住宅的西面；另一類是

書堂，設於東面，設備較完善，除了有豐富的藏書外，還有專人打理，對像是族中較聰穎的子弟，也接待外來遊學之士，目標與官學一樣，主要是科舉應試，也著重儒學。

宋元時，蒙學大盛，宋人編撰了《三字經》、《百家姓》、《千字文》、《千家詩》等蒙學教材，並設有鄉校、家塾、冬學等多種學校形式，為書院發展奠下基礎。元代定制：鄉村以五十家為一社，每社設一社學，供十五歲以下幼童入學，教學仍以《四書》、《五經》為主，科舉則以朱熹的《四書集注》為標準。元初程端禮編有《程氏家塾讀書分年日程》，是著名的家塾教學計劃，正好反映元代當時的情況。

明清時，蒙學更普及，種類愈繁多，有地主富商聘請老師在家教育子弟的教館，稱為坐館；有塾師（老師）在家教學生的學舍，稱為私塾；還有宗族為公眾設立，免收學費的學校，稱為義塾。明清科舉均推行八股時文，令讀書學習成為科舉的附庸（楊慎初，2002，41-48)。清 · 唐彪著有《家塾教學法》，內容涵蓋語文教學法，提出適用於農村普及教育的「村落教童蒙法」，把「德、才、學、識、能」納入儒家的「四書」、「五經」、「六藝」[2] 等教育體系中（趙伯英、萬恒德，輯於唐彪，清 /1992，4)。唐彪主張針對鄉村居民的需要，在誦讀、背書前，應先教認字、寫字，然後再學習寫作的基本方法，學習時最好運用唱詩的方式，使學童易於掌握。此外，還要「學算法」，使他們可以學以致用（唐彪，清 /1992，27-39)。若有學生習武，則應針對他們的需要，增加武經的講解，以及指導武略選擇等。另外，最好能把學生按同等學習程度分組教學（同上，8-10)。對於上課用的書本，唐彪提倡以手抄副本給與子弟誦習，原本的則予深藏（同上，159)，可見古人珍惜書本的態度。唐彪的教育主張，算是道出清朝的讀書情況，並針對時弊，提供了一些改善教學內容和方法的建議，部分建議更與現代「學生為本」的教學理念相似。然屏山書室的實際教學情況又怎樣呢？這還要待有更多資料被發掘，有更深入的研究，大家才可進一步瞭解。

圖：2.9 覲廷書室二進偏廳

書院的環境

唐代士人避居山林，寄情山水，以淡泊清高自居，潛心學術；宋代理學重視禮樂思想，追求超脱世俗，修養心性的理想境界，理學家相信自然山水景觀可以陶冶心性；人文歷史環境可以啟迪思想；兩者都極重視書院的環境，尤其環境本身所產生的教育作用 (楊慎初，2002，55-58)。書院的選址，在乎能使人心境平靜、修心養性、發揮思考，對知識學問作深切的領悟，務求人與建築、環境能協調統一。宋代理學在這一方向的發展，形成了書院以講學、藏書、祭祀的基本模式。

書院與藏經閣

中國古代文人素有強烈的使命感和社會責任心，肩負着文化思想的承傳與創新的使命，常以繼承道統、尊經崇聖、法古為己任。藏書是書院的重要標誌和主要功能之一，它為讀書人提供了學習和教學研究的資源。覲廷書室除了設先祖神龕作祭祀之用外，也設立了「藏經閣」，算是承襲了古代書院的文化傳統，可惜現在「藏經閣」內已沒有藏書，加上有關書室教學的內容及方法亦付諸闕如，實難以藉此瞭解古代屏山學子學習的情況。筆者唯有藉其他書院學制的發展以窺探其梗概。

唐大順元年 (870)，陳崇立在《陳氏家法》內提到：

> 「立書堂一所於東佳莊，弟侄子孫有賦性聰明者令修學，稽有學成者應舉。除現置書籍外，須令添置，於書生中立一人掌書籍，出入須令照管，不得遺失。賓客寄止修業者，延待於彼，一一出東佳莊供應周旋。」又
> 「立書屋一所於住宅之西，訓教童蒙。每年正月擇吉日起館，至冬日解散。童子年七歲令入學至十五歲出學，有能者令入東佳。」(楊慎初，2002，2)

圖 2.10：覲廷書室閣樓「藏經閣」

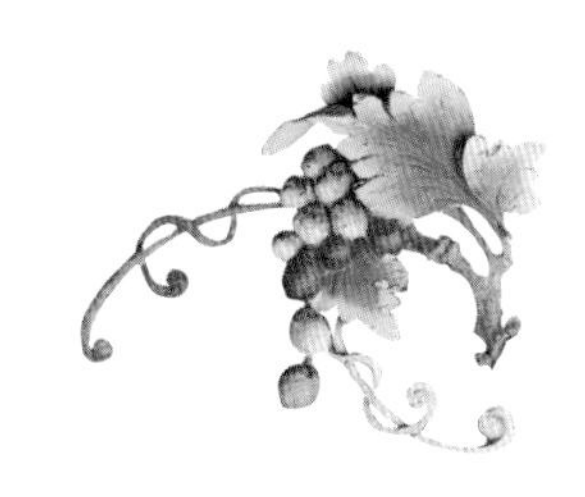

屏山族人的科舉成就

清朝的書院既與科舉有密切關係，屏山的多間書室，正反映了鄧族對科舉取仕的熱熾追求。據族譜記載，早期粵派鄧氏在科舉或官場上均有顯赫成就。如開基祖鄧漢黻被封為承務郎，兒子鄧冠及曾孫鄧符皆登進士第，鄧符更被派任陽春縣令。屏山族人官職最高者，要算是官至「福建方伯」[3]的鄧馮遜（屏山第 5 傳）。由於馮遜的官位顯赫，可以興建具規模的鄧氏宗祠；受封為「寧國府正堂」[4]的鄧彥通（屏山第 7 傳）更興建了香港唯一現存的古塔「聚星樓」（見表四：屏山鄧氏族人考獲的科舉功名及所獲授的官位）。

從鄧氏宗祠和愈喬二公祠裏的神主牌上的資料所見，鄧族自屏山第 20 傳開始，在科舉考試中取得的成就大多為鄉進士（明清舉人的別稱），考獲功名後，再待朝廷頒授官職。除上述職銜外，還包括任職在「衛守府」的「武略騎尉」[5]、「文林郎」[6]、「登仕郎」[7]等（見表五：鄧氏族人獲授的官職）。此外，獲授的其他官職或公職職銜有：「大鵬總司」[8]、「候選儒學訓導」[9]、「奉直大夫」[10]、「鄉飲賓」[11]、「武信騎尉」[12]、「職監」；受封贈的官銜有：「武略騎尉」、「奮武校尉」、「文林郎」、「登仕郎」、「修職郎」[13]等。總的來説，武官較多，官階由六品至九品（見表六：鄧氏族人獲授之其他職銜及官職）都有。另外，明清兩代受賜封為「壽官」（見表八：鄧氏族人獲贈壽官）的有 12 人。「壽官」是明代賜予老人冠帶的頭銜，受頒者須為鄉里所敬服，德壽兼備的老人。

圖 2.11：清暑軒功名牌

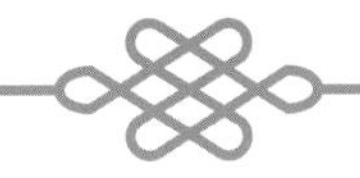

屏山五所建築出資興建者的身分與建築的關係

愈喬二公祠由世昭（號喬林）（屏山第 11 傳）與長兄世賢（號愈聖）興建。世昭與父親翰傑（松波）均被封為壽官。世昭的後人瑞泰（屏山第 20 傳）及瑞泰的子孫在科舉上都有一定成就，他們所考取的功名大多是武舉人。瑞泰任職「即用衛守府武略騎尉」，他的子孫（包括兒子進興和遂懷（屏山第 21 傳）、孫兒宏英（屏山第 22 傳），以及侄兒飛鴻（屏山第 21 傳）皆任「揀選衛守府武略騎尉」，只有瑞泰的孫兒惠育（寶琛號賚臣）（屏山第 22 傳）是循文科，讀書考試晉身仕途。在考獲鄉進士（文舉人）後，惠育被封為「文林郎揀選縣正堂」（見表四：屏山鄧族考獲的科舉功名及所獲授的官位）。述卿書室是惠育與弟大成（郡武庠生）為紀念父親而建的，述卿為邑庠生[14]，被封贈「文林郎」，官居七品，可惜惠育在書室建成前身故，遺願只好由乃弟達成。覲廷（郡武庠生）早逝（享年 23 歲），遺獨子香泉；香泉雖自幼（1 歲時）喪父，及後亦為邑武庠生，他約在 32 歲時興建覲廷書室和清暑軒，紀念逝去的父親。這兩所建築均典雅優美，既具民俗色彩，又富讀書人的氣派。書室以借古鑑今的手法，運用古代的詩詞、古典文學典故，配合畫像或雕刻，教化子孫，使子弟在耳濡目染的環境下投入學習，貫徹鄧氏確立的庭訓——「讀書，起家之本。」（朱熹格言）

據統計，屏山曾參與各種官學的鄧氏族人有很多，計邑庠生約 25 人；郡庠生[15]約 8 人；國學生約 29 人；國子監太學生[16]、博士弟子員[17]、恩貢生、副貢生等共 5 人；例貢生、附貢生（為捐資取得）[18]共 4 人（見表七：鄧氏族人參與官學的情況）。這些資料在祠堂的神主牌都有羅列，顯示後人十分看重祖先的成就及政績，因為「功名」可以給族人帶來名望，引以自豪。書院是一個讓族人讀書進仕的場所，但最重要的還是寄望他們在緬懷先人時，受到激勵而發憤用功，為祖先爭光。

書院建築

一般書院與其他民間建築有明顯差別：書院崇尚樸實、呈現典雅大方、幽靜的格調，與廟宇追求華麗、歡樂、喧鬧的表現手法迥異；祠堂則崇尚宏偉、莊嚴、對稱、平和的格局。書院因為由民間匠人建造，建築的營造法式總會受地方風格影響。現存書院建築多屬清代遺構，造型既簡潔統一，又富起伏參差變化。建築物主體一般採用磚木結構，多為單層，少數二層，屋頂為硬山式；講求材質、色調、體量、虛實的對比表現，較少奢華雕飾或彩繪，展現素雅的自然美。

在意境創造上，書院特別重視自身的學術淵源，每每通過專祠紀念學派宗師、建院功臣、地方名人等，以顯示其地方文化傳統。同時為了滿足教學的規制要求，以及表現讀書人的寓意精神和情趣愛好，在裝飾設計上更有所提煉和取捨，力求清新典雅，無論是命名、題額、楹聯、庭院綠化等，都來自經典，寓意深遠；又着重書法藝術，常以碑銘展示學規箴言、教化內容、修身之道、為學之方，藉此增強其文化氛圍和感染力。

在建築風格方面，書院善用斗栱結構，使材料、功能、裝飾一起結合，寓美觀於實用，營造統一和諧的形式美。書院雖出自民間匠人之手，但因由文士主持修建與構思經營，注入了他們的文化思想，於是能超脫世俗的追求，體現出文人的「美與善同」思想 (楊慎初，2002，15、105-106、112 及 118)。

在建築布局方面，因受禮制約束，書院大多採取中軸或多軸對稱，較為規整的格局。當中以講學、藏書、供祀等主體建築佔據主要位置，透過軸線的層次序列，辨別尊卑、上下、主次、內外，達到「序」，即「敬」的目的；同時通過庭院和天井的空間組合，又達到「和」，即「親」的要求。

在中國古代建築中，宮廷官式建築較重「禮」，用以體現威嚴的等級秩序；而民間世俗建築則較重「樂」，力求切合世俗生活的需要。所謂「禮樂相成」的觀念，即指理性與感情的統一。而書院的建築布局主次分明、區域清晰、井然有序，又聯繫緊密、使用方便，構成一個有機的整體；同時，它的不同建築體量、大小院落、天井空間，以至庭院綠化設施等組合，亦極富變化情趣，是一個和諧統一的組合，恰恰是「禮樂相成」文化理念的具體體現 (楊慎初，2002，103-104)。

書院在中軸主院的外圍，常附有側院，作為山長或學員住宿的齋舍，或為專祠祭祀之所、園林遊息之地、附屬設施等。齋舍與中軸主體建築隔離，但有廊廡與之聯繫，構成實用和安靜的學習生活環境。書院講求景觀庭院建設，常利用院外的空間，構築亭、池、廊橋、洞門、花窗、綠化庭園等，增添空間變化的情趣，成為講堂以外的第二課室 (楊慎初，2002，68)。建築安排靈活，因地制宜，不拘一格。民間建築，追求安樂吉利。書院作為文人建築，具有獨特的主導思想和表現特徵。

屏山書室的特色

屏山覲廷書室和述卿書室是鄉間的私塾 (亦稱卜卜齋)，與上述書院的規模和性質雖不盡同，但在文化精神方面，卻有頗多共通之處。

覲廷書室和述卿書室都是中軸對稱的建築，但述卿書室屬於較高規格的款式，與其他宗族祠堂如上水廖萬石堂相同，都是有前簷廊、鼓台，兩側有石製的門額枋和看樑獅子。根據述卿的後人鄧聖時解釋，述卿書室興建者之一鄧惠育考獲文舉人後，原欲續考進士，他信心十足，於是預先計劃興建較高級別的三進式建築，可惜他在中舉後翌年逝世，乃弟大成唯有修改計劃，把建築改為兩進 (屏子 (鄧聖時)，1993，17)。歷史圖片顯示，述卿書室前另建有一座樓閣，而且大門開在左側，使外人不易看到內裏的情況。可惜述卿書室建築的大部份已於 1977 年拆卸，現今難以分析其實況。

覲廷書室比述卿書室矮小，為凹壽（斗）式建築，有二進一院：第一進和第二進都有耳房和閣樓，一進的閣樓是「藏經閣」，院落有二廂房；第二進用隔扇分隔出二偏廳。所有牆的上端都有壁畫，畫中還題有經過精心細選的詩句，配合畫面內容。建築內所有木構件都運用精美的雕刻作裝飾，美輪美奐，令人目不暇給，與樸實無華的古代書院大相逕庭；又或許是文人提供的粉本，由工匠執筆而成，壁畫上的題字間有缺漏或別字，書法亦不算是上佳之作，而且因為年代久遠，很多部份經已褪色或剝落，難以窺看其原貌。二進閣樓的壁畫損毀嚴重，相信是古人最常活動的地方；一進「藏經閣」的壁畫尚鮮豔如新，可能是受到書架阻擋，得以保存吧！覲廷書室有廊道連接通往旁邊的清暑軒。

清暑軒像古代的齋舍，外型不拘一格，除了地面和閣樓的正廳外，閣樓還有睡房，也附設廚房和浴室等設施，室內滿佈花罩，天井有洞門、漏窗及玻璃洞窗，配以花卉、動物和楹聯灰塑，別有一番情趣。雖然覲廷書室和清暑軒不像古代書院那樣位於山林野地，但此二所建築，卻給人別有洞天之感。

圖 2.12：覲廷書室二進閣樓

圖 2.13：覲廷書室一進閣樓「藏經閣」

圖 2.14：清暑軒門樓

圖 2.15：清暑軒天井

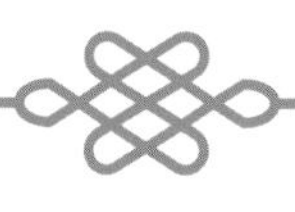

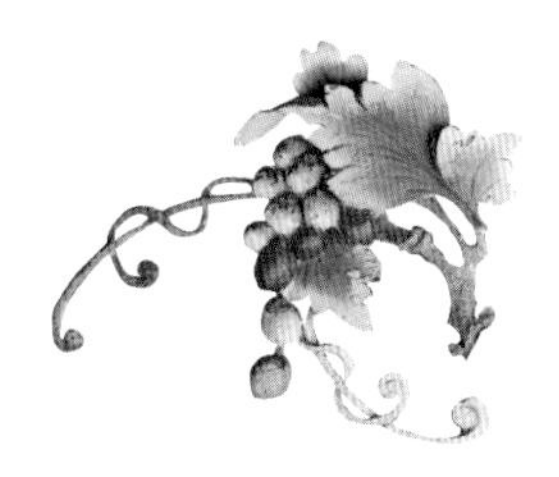

圖 2.16：清暑軒閣樓

圖 2.17：清暑軒閣樓

覲廷書室的詩情畫意

圖 2.18a,b：山水畫（覲廷書室一進後「藏經閣」壁畫）

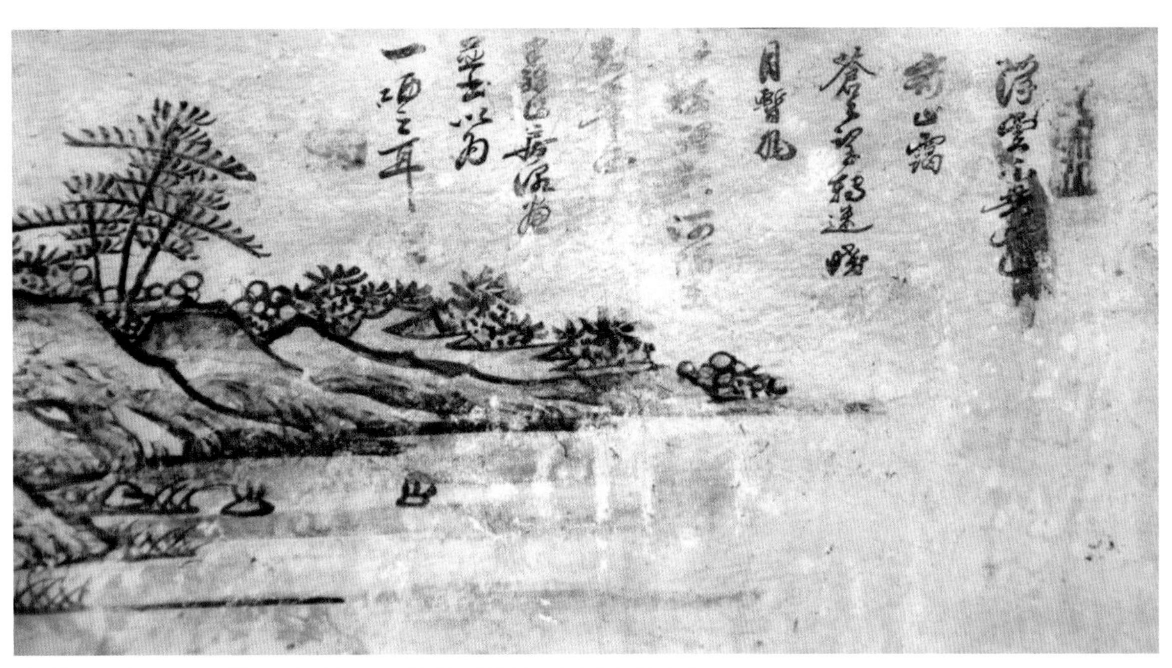

「浮雲不共此山齊，山靄蒼蒼望轉迷。曉月暫飛千樹裡，秋河隔在數峰西。」
「半醉山房偶寫以為一哂之耳」

借景明志

屏山覲廷書室及清暑軒的壁畫，滲透着早期書室追求環境清幽雅致的理想，尤其在各壁畫的題詩中表露無遺。當中以唐詩最多，並以描寫山中景色為主，如唐 · 杜牧《山行》(2 幅)、和唐 · 項斯《山行》(2 幅) 以及唐 · 韓翃《宿石邑山中》等，都是以關注大自然景致變化、流水行雲、日轉星移、村居遼落、飛鳥與鹿群在山野間不經意地留下點點足跡為題。這些例子蘊含唐代讀書人隱居避世的思想。

遠上寒山石徑斜，白雲深處有人家。停車坐愛楓林晚，霜葉紅於二月花。
（唐 · 杜牧《山行》）

青櫪林深亦有人，一渠流水數家分。山當日午回峰影，草帶泥痕過鹿群。
（唐 · 項斯《山行》）

覲廷書室「藏經閣」門窗外的灰塑楹聯書：「無心雲出岫」，「有意月窺窗」。上聯正取自晉代陶淵明的《歸去來兮辭》：「……雲無心以出岫，鳥倦飛而知還。景翳翳以將入，撫孤松而盤桓。歸去來兮，請息交以絕遊。……」好一片悠然自得的隱逸情趣。

陶淵明描寫歸田園居的詩《飲酒》：「採菊東籬下，悠然見南山。」也是壁畫內容之一。建築的構思者似乎對與陶淵明有關的詩特別鍾愛，如宋 · 劉子翬《詠菊》：「輕煙細雨重陽節，曲檻疎籬五柳家」，就出現了兩次。詩中提及的五柳先生是指陶淵明，反映構思者認同他淡泊名利、回歸田園的取向。

除了歸隱，建築構思者也不忘以「清泉」來明志，如唐 · 王維《山居秋暝》：[明月] 松間照，清泉石上流。」和宋 · 蘇軾《題金山寺回文體》：「潮隨暗浪雪山傾，遠浦漁舟釣月明。橋對寺門松徑小，檻當泉眼石波清。」還利用明 · 高啟《詠梅》(《梅花九首》中的第一首)：「雪滿山中高士臥，月明林下美人來。」來暗喻居於山中的是品格清高的賢人。

思鄉情切

壁畫除了顯示對清高品德的堅持，也借孤帆遠景，感懷身世，表達點點鄉愁，如：

客路青山外，行舟綠水前。潮平兩岸闊，風正一帆懸。
（唐 · 宋之問《和趙員外桂陽橋遇佳人》）

寒雨連江夜入吳，平明送客楚山孤。洛陽親友如相問，一片冰心在玉壺。
（唐 · 王昌齡《芙蓉樓送辛漸》）

汀洲無浪復無煙，楚客相思益渺然。漢口夕陽斜渡鳥，洞庭秋水遠連天。
（唐 · 劉長卿《自夏口至鸚鵡洲夕望岳陽寄元中丞》）

中庭地白樹棲鴉，冷露無聲濕桂花。今夜月明人盡望，不知秋思落誰家？
（唐 · 王建《十五夜望月寄杜郎中》）

誰家玉笛暗飛聲，散入春風滿洛城。此夜曲中聞折柳，何人不起故園情？
（唐 · 李白《春日夜洛城聞笛》）

春天或秋天在海邊的孤帆特別令詩人感到傷感，覲廷書室壁畫所選的詩句，滿載遊子孤身在外的寂寞感受，也許都是塾師離鄉別井的寫照吧！

四季有感

民俗藝術喜愛以花卉表達四季，覲廷書室庭院中左右迴廊和四角廊門上的壁畫便具有這種特色：各廊門上分別繪上「月季花和綬帶鳥」、「魚、水草和蓮花」、「菊花和綬帶鳥」及「梅花」，象徵春、夏、秋、冬四季。圖中加上綬帶鳥兼寓長壽，在菊花旁再添上東晉 · 陶淵明《飲酒》詩：「採菊東籬下，悠然見南山」的題字，強調讀書人隱居潛心學問的心態。在各季節中又特別鍾情春天景色，綿綿春雨給予讀書人種種遐想。如：

天街小雨潤如酥，草色遙看近卻無。最是一年春好處，絕勝煙柳滿皇都。
（唐 · 韓愈《早春呈水部張十八員外》）

春城無處不飛花，寒食東風御柳斜。日暮漢宮傳蠟燭，輕煙散入五侯家。
（唐 · 韓翃《寒食》）

江雨朝飛浥細塵，陽橋花柳不勝春。金安［鞍］白馬來從趙，玉面紅妝本姓秦。
（唐 · 宋之問《和趙員外桂陽橋遇佳人》）

春天給人萬象更新，無限生機的印象，令人寄予「飛黃騰達」的厚望。同時，濛濛春雨，氣氛浪漫，在雨中偶遇紅粉佳人，亦使人夢繫魂縈，可惜的是綺夢難圓。春天總帶給騷人墨客點點哀愁。

萬物有情

對於感情洋溢的詩人來説，無論一草一木，盡皆有情。覲廷書室壁畫繪上八哥鳥，並題「花鳥能言咲 [笑]，逢人也不驚。」八哥鳥在柏樹間俯瞰，像有千言萬語，要向人們傾訴。在詩人眼中，各種花朵都有獨特的美態，值得歌頌，例如牡丹花便被喻為是善解人意的解語花，如唐 · 羅隱《牡丹花》：「若教解語應傾國，任是無情也動人。」羅隱另一首關於牡丹的詩：「艷多烟重欲開難，紅蕊當心一抹檀。公子醉歸燈下見，美人朝插鏡中看。」描寫男女觀賞牡丹的不同方式，盛讚牡丹天香國色，人見人愛。建築的構思者也暗喻「富貴榮華」人人追求。除了牡丹，覲廷書室的壁畫也把玉蘭樹和桂花喻為「富貴花」，畫上題有：

木口結子千般口，富貴開花一品仙。

在眾多花木中，蓮花也蘊含多重吉祥意義，因此成為民間常見的裝飾題材。如覲廷書室的一幅蓮花和蘆葦圖，寓意「一路連科」。壁畫上書有「碧沼停寒玉，紅蕖映綠波。」的題字。原文為：

碧沼渟寒玉，紅蕖映綠波，妝凝朝日麗，香逐晚風多，
游戲金鱗出，驚飛翠羽過，納涼依水榭，還續採蓮歌。
（明 · 申時行《蓮花》）

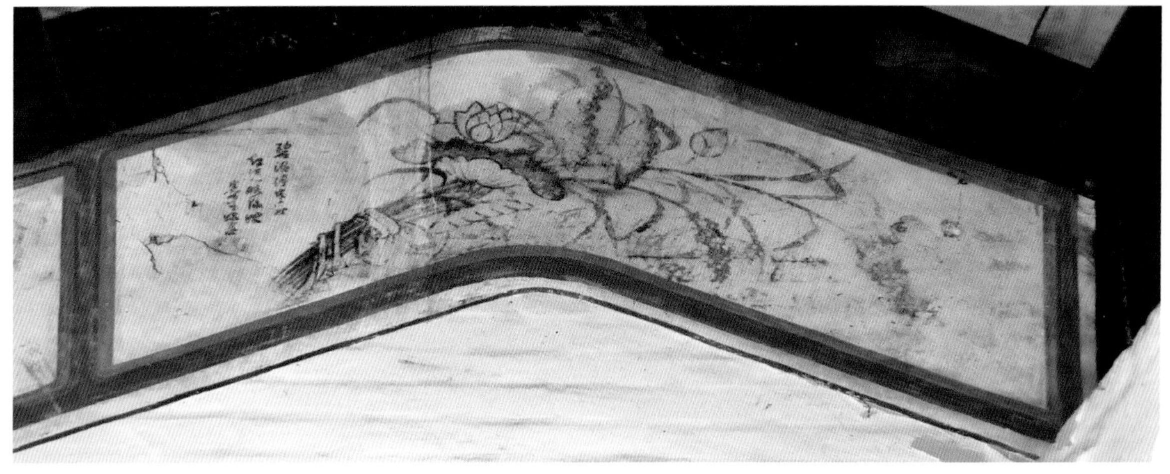

圖 2.19：蓮花及蘆葦；題字：「碧沼停寒玉，紅蕖映綠波。」（覲廷書室廂房壁畫）

建築構思者從古詩中尋找與圖像相關的內容，把適當的部分節錄下來，題在畫上，使畫作增添古雅的文化色彩。同時，古詩的文本意境，又引導讀者向吉祥寓意方面聯想，如

紅口碧玉秋波瑩，綠雲扇擁青搖傾。水宮仙子鬥紅妝，輕步凌波踏明鏡。
（覲廷書室壁畫題字）

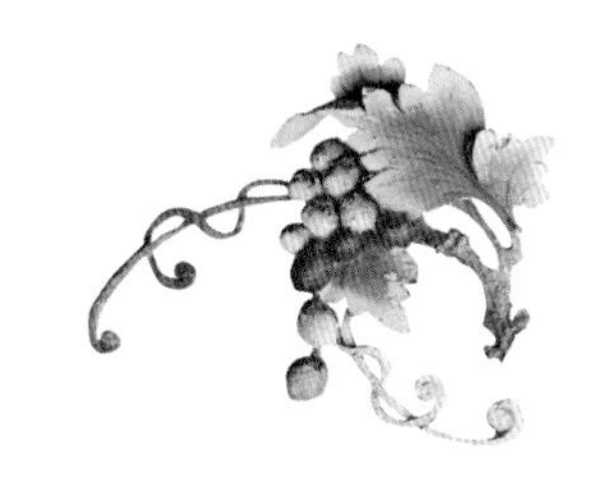

原文為：

平池碧玉秋波瑩，綠雲挪扇青搖柄。水宮仙子鬥紅妝，輕步凌波踏明鏡。
（宋 ・ 張文潛（張耒）《對蓮花戲寄晁應之》）

二詩都強調紅綠的蓮花與蓮葉景象。張文潛更把蓮葉聯想成綠色的雲或扇子，把蓮花比喻成「水宮仙子」輕踏「明鏡」。古時的縣衙多掛上「明鏡高懸」匾額，比喻官員判案公正廉明。這裏除了描寫夏天生氣勃勃的景象外，也暗喻為官須「一品清廉」。「青蓮」諧音「清廉」，暗自渴望成為一品官。

在山茶花和綬帶鳥壁畫中，題上「胭脂染絳群圍，琥珀裝成赤玉盆。」原文為：

臙脂染就絳裙襴，琥珀裝成赤玉盤。似共東風解相識，一枝先已破春寒。
（明 ・ 張新《寶珠茶》）

圖 2.20：山茶花和綬帶鳥；題字：「胭脂染絳群圍，琥珀裝成赤玉盆。」（覲廷書室一進前壁畫）

詩文描寫山茶花紅潤光潔，充滿生命活力。山茶的花期在春天，因而被喻為是迎接春天的花，寓意「春光長壽」。繪圖中配上題詩，令意境更深遠動人。

壁畫上的題字都是經精心挑選的詩句，用以凸顯建築構思者的文化修養，配合建築作為讀書場所的形象。畫工的署名有「半醉山房」、「翠石」、「白雲道人」、「半閒子」和「羅浮懶仙」等，強調畫作是不經意「偶畫」而得，這與山、石或隱世潛修的道教相關，也是承襲了書院文化的一種方式。

對子孫的企盼

覲廷書室的廂房門和側門的門楣上分別刻上「蘭芬」、「桂馥」、「鍾靈」、「毓秀」、「毓德」和「稟道」等題字。建築構思者把蘭花和桂花的香氣，比喻品德美好、優秀的孫子兒子，這即所謂「蘭桂齊芳、蘭桂騰芳、桂馥蘭馨、桂子蘭孫」。毓是「養育、孕育、生長」之意。「鍾靈毓秀」表示名山大川的靈秀之氣可以孕育傑出的人材，「毓德」表示書室是培養有德行的人的地方，這也是遵循大自然之道或承傳先賢道德典範的正確方向，即「稟道」之意。

清暑軒壁畫及題字的主要題材

清暑軒的 60 餘幅壁畫中，繪有花鳥植物伴壽石的 40 餘幅，畫器物的 3 幅，山水畫 22 幅（圖中多有老人持杖，山中也有茅舍，既含避世隱居之意，也暗示山中人能享高壽，寓意祝壽）。器物圖中多有冊頁，在冊頁上多題寫一些文字，如一冊頁上書有唐，王維《山居秋暝》：「明月松間照，清泉石上流」(與覲廷書室的題字相同)，反映書院文化的影響。另一書冊上書「富貴全書」，表示祝福。此外，圖中鋪滿一些書法或文章的殘篇，以此加強讀書寫作的文化氣氛。這種表達手法稱為「錦灰堆」，自元朝畫家錢舜舉開始興起，在清朝時盛行作壁畫裝飾。另一冊頁上書有「未出土時先有節，到凌雲處也無心。」出自宋 · 徐庭筠 (1095-179)《詠竹》。原文：

> 不論臺閣與山林，愛爾豈惟千畝陰。未出土時先有節，便凌雲去也無心。
> 葛陂始與龍俱化，嶰谷聊同鳳一吟。月朗風清良夜永，可憐王子獨知音。
> （成乃丹，2004，355）

強調高風亮節，也承襲了早期書院文化的特質。

圖 2.21：清暑軒閣樓廂房壁畫

圖 2.22：茅舍（清暑軒閣樓廂房壁畫）

圖 2.23：老人持杖（清暑軒閣樓廂房壁畫）

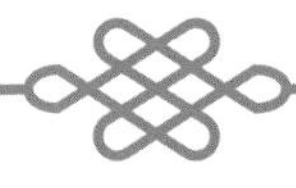

圖 2.24：清暑軒閣樓右偏廳壁畫

圖 2.25：清暑軒閣樓廂房壁畫

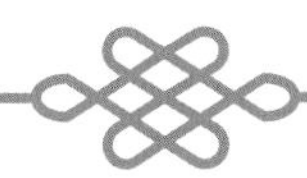

清暑軒的地面門廳內外，塑有「步月」和「率履不越」兩組文字。曹雪芹在《紅樓夢》中描寫一個人在中秋佳節「……卻自己步月至廟中來邀雨村。」在明媚的月色下踏步。在清暑軒越過塑有這二字的月門後，便可到院子中觀賞月色，閒逸雅致。在離開時，看到月門上「率履不越」，想到《詩經 · 頌 · 商頌 · 長發》有關「率履不越」的告誡，指要遵循禮法，不要失誤，須規行舉步，不得有違祖先的教誨。另外「率履不越」旁的塑像，亦象徵多福、多壽、如意和高雅，是祖先向子孫的祝福。

覲廷書室和清暑軒的裝飾，既充滿民間色彩，也盛載着古代文學文化的精神，古人在畫面上的題詩，是經過精心策畫的，目的在讓後人在耳濡目染的環境中掌握詩意。我們若只看到表面的吉祥圖畫，卻忽略它的深層意義，實在浪費了古人的一番心意。

註釋：

1 錦田：(宋) 鄧符在岑田圭角山下創力瀛齋、(清) 周王二公書院、(清) 二帝書院、(清) 泝流園、(清) 長春園；
屏山：(明-清) 仁敦岡書室、(清) 聖軒公家塾、(清) 若虛書室、(清) 五桂堂、(清) 覲廷書室、(清) 述卿書室、(清) 福興書室；
廈村新圍村：(清) 友善書室、(清) 維新堂、(清) 士宏書室；
廈村錫降圍：(清) 太初書室；
龍躍頭：(清) 善述書室；
大埔頭村：(清) 敬羅家塾；
大埔泰坑 (亨)：(清) 善慶書室、(清) 正倫書室、(清) 叢桂書室、(清) 藝沅堂；
大埔碗窰：文瀾書室；
大埔坪朗：六德書室；
大埔大崦村：(清) 育賢書室；
大埔鍾屋村：育德書室；
大埔龍丫排村：茂華家塾；
大埔赤徑：寶田家塾；
上水：(清) 應鳳廖公家塾、(清) 應龍廖公家塾、(清) 允升家塾、(清) 圖南書室、萃英堂；
粉嶺北邊村：(清) 思德書室、寅峰家祠；
沙頭角：(清) 鏡蓉書屋、(清) 靜觀家塾 、(清) 永傑書室；
八鄉：(清) 植桂書室、(清) 蘭芳書室 、(清) 義裕書室、(清) 東園書室、(清) 匯泉書室、(清) 翊廷書室、(清) 大紀家塾；
十八鄉：(清) 五奎書室、兆元書室；
荃灣老圍：(清) 翠屏書室；
荃灣關門口村老圍：(清) 聯芳書室；
荃灣深井：(清) 文通書室；
大嶼山大澳：(清) 保安書室、(清) 協和社學；
大嶼山東涌：(清) 何氏書室；
長洲；寶安書室；
馬灣：(清) 芳園書室
(蕭國健，1990；蕭國健，2006；馮志明，1996；明基全 (編)，1996，86-87)

2 「四書」即《大學》、《中庸》、《論語》、《孟子》；
「五經」即《詩經》、《尚書》、《禮記》、《周易》、《春秋》；
「六藝」即「禮、樂、射、御、書、數」(《周禮 · 地官司徒》)

3 「伯」為一州之長，「福建方伯」即管治福建的長官。(《中國歷代職官辭典》)

4 「寧國府正堂」「寧國府」是南宋乾道二年 (1166 年) 時孝宗的潛邸，即今安徽省宣州市。「正堂」是府、州、縣的正職長官名稱。(《兩漢職官辭典》)

5 「武略騎尉」，官名。清代官制，武階正六品授武略騎尉。(《清史稿 · 職官一 · 兵部》轉引自《中國歷代職官辭典》)

6 「文林郎」，官名。文階官，明為正七品升授之階，清為正七品。(《中國官制大辭典 · 上卷》)

7 「登仕郎」，官名。文階官，清制登仕郎為正九品之階官。(《中國古代典章制度大辭典》)

8 「總司」是宋朝時總領某路財賦軍馬錢糧所的簡稱，或簡稱「總所」。「大鵬總司」即註守大鵬糧所的統領。(《中國歷史大辭典 · 下卷》)

9 「儒學訓導」，學官名。明、清兩朝的府學、州校、縣學都設此官，其責任為輔助本學教官。(《明史 · 職官四 · 儒學》、《清史稿・職官三 · 儒學》轉引自《中國歷代職官辭典》)

10 「奉直大夫」，官名。宋徽宗大觀二年 (1108 年) 由右朝議大夫改置，正六品。清朝為文官，從五品，封贈。(《中國歷史大辭典 · 下卷》)

11 「鄉飲賓」：鄉飲是古代一種慶祝豐收的敬老宴樂活動，每年舉辦一次，一般鄉飲都選年高及德高望重者與當地官吏一起主持酒禮。「鄉飲賓」即鄉飲酒禮的賓介。賢者是賓，次者是介，再次為眾賓。(《中國古代典章制度大辭典》)

12 「武信騎尉」，清代正七品武官階稱號。(《中國歷代職官辭典》)

13 「修職郎」，官名。明代文階官正八品升授修職郎。清代是文階正八品的封贈官。(《中國歷史大辭典 · 下卷》)

14 「邑庠生，「庠」是古代地方學校的名稱，「庠生」是明清兩代府、州、縣學的生員別稱。明清時期，童生入學稱「在庠」，即指有了秀才的身份，縣學為邑庠。「邑庠生」即參與縣學的生員。(《中華文化制度辭典・文化制度》)

15 「郡庠生」，府學為郡庠。「郡庠生」即參與府學的生員。(《中華文化制度辭典 · 文化制度》)

16 「國子監太學生」是中國古代中央掌管教育的官府和最高學府。是政校合一的機構。生徒有貢生與監生兩類。清代國子監又稱「太學」，修讀太學、國子學、武學、律學、小學、州縣學等，學生可被薦應舉。(《教育辭典》、《中國大百科全書 · 中國歷史卷》)

17 「博士弟子員」原是漢代太學博士教授的學生。簡稱「弟子」、「諸生」或「太學生」。博士弟子每年考試，優秀者可任郎官、秀才或其他官職。(《中華文化辭典》)

18 明清科舉制度，凡地方儒學生員 (秀才) 取得升入國子監肄業的身份，稱為貢生。分為歲貢、恩貢、優貢、拔貢、副貢、例貢六種。每年從府、州、縣學中選送的歲貢；遇皇室慶典而加貢一次的恩貢；每三年由各省學政從儒學生員中考選一次的優貢；每十二年一次由各省學政從生員中考選的保送入京的稱為拔貢，應鄉試而取在副榜的為副貢，此五種貢生均屬正途出身。例貢和附貢均由捐納而得，不算正途。(《孔子文化大典》)

表四：屏山鄧氏族人考獲的科舉功名及所獲授的官位

	鄧氏世系		年代	功名	官位
	粵派	屏山			
鄧漢黻	1		宋開寶年間 (969-976 年)		承務郎
鄧冠	2		宋天聖三年 (1025 年)	進士	
鄧符	4		宋雍熙乙酉年 (985 年)	進士	陽春縣令，權南雄府
鄧馮遜	11	5	元朝		福建方伯
鄧彥通	13	7	明洪武十五年（1382 年）		寧國府正堂
鄧翰傑	16	10			壽鄉士爵公
鄧喬林	17	11			授冠帶，壽官
鄧瑞泰	26	20	嘉慶甲子科 (1804 年)	鄉進士第 15 名	武略騎尉揀選衛守府
鄧培泰	26	20	道光壬辰年 (1832 年)	恩貢生	
鄧飛鴻	27	21	乾隆己亥年 (1779 年)	鄉進士第 8 名	武略騎尉揀選衛守府
鄧遂懷	27	21	道光壬辰年 (1832 年)	鄉進士第 15 名	武略騎尉揀選衛守府
鄧勳猷	27	21	道光丁酉科 (1837 年)	鄉進士第 4 名	武略騎尉揀選衛守府
鄧述卿	27	21		邑庠生	贈文林郎
鄧覲廷	27	21		邑武庠生	
鄧喜吉	27	21		邑武庠生	
鄧惠育	28	22	同治甲子年 (1864 年)	鄉進士第 41 名	文林郎揀選衛正堂
鄧宏英	28	22	同治庚午科 (1870 年)	鄉進士第 9 名	武略騎尉揀選衛守府
鄧惠成	28	22		郡武庠生	
鄧香泉	28	22		郡庠生	

(只節錄屏山鄧族及早期粵派鄧族有功名者，資料採自屏山鄧氏族譜，由鄧昆池先生提供)

*「壽官」是明代賜予老人冠帶的頭銜，受頒者須為鄉里所敬服，德壽兼備的老人。

表五：鄧氏族人獲授官職（同列藍色為同一人）

鄧氏宗祠					愈喬二公祠				
福建方伯		馮遜	元	5					
寧國府正堂		彥通	明	7					
文林郎		長修	明	15					
鄉進士即用衛守府		瑞泰	清	20	鄉進士即用衛守府	六品	瑞泰字獻可	清	20
鄉進士揀選衛守府		勳猷	清	21	鄉進士例授武略騎尉	六品	勳猷	清	21
鄉進士揀選衛守府		屏石	清	21	鄉進士揀選衛守府		遂懷號屏石	清	21
鄉進士揀選衛守府		飛鴻	清	21					
例授登仕郎	正九品	華漢	清	20	登仕郎		敬屏	清	20
例授文林郎	七品	寶琛號賚臣	清	22	鄉進士例授武略騎尉		宏英號樸石	清	22

表六：鄧氏族人獲授之其他職銜及獲贈官職

鄧氏宗祠					愈喬二公祠				
鄉飲賔		仁所	明	14	鄉賓		懷德	明	14
飲賔		師儉	清	17	鄉飲賔		師儉	清	17
鄉飲賔		武受號岐峰	清	19	鄉舉正賓		鳳翔	清	19
鄉飲賓		卓軒	清	20	鄉飲賓		卓軒	清	20
職監		聘客	清	18					
大鵬總司		家聲字朝鏞	清	21					
附貢生候選訓導		朝器號礪巖	清	21	附貢生候選儒學訓導	八品	朝器字懿猷號礪巖	清	21
例贈武略騎尉		夢月	清	19	例贈武略騎尉		夢月號敦齋	清	19
					例贈武略騎尉	八品	芝蘭號國香	清	19
					例贈武略騎尉	六品	允升	清	19
誥封奮武校尉		維城	清	20	例贈武略騎尉		鉉泰號鼎軒	清	20
武信騎尉		字嘉猷號楚崖	清	21	例贈武略騎尉		萬發字錫几號楷亭	清	20
					例贈文林郎	七品	作猷號述卿	清	21
					恩賜登仕郎	八品	元貴字華漢	清	20
奉直大夫		謨猷	清	21	奉直大夫		朝輔字謨猷號弼卿	清	21
例贈修職郎	八品	集矩	清	22	例贈修職郎	正八品	集矩	清	22
					明經進士例授修職郎	正八品	步衢	清	23

表七：鄧氏族人參與官學的情況

	鄧氏宗祠			愈喬二公祠		
邑庠生	南屏	明	13 傳	時中號南屏	明	13 傳
	宵羽	明	14 傳	宵羽	明	14 傳
	珩號來皇	明	16 傳	來皇	明	16 傳
	國賓	明	16 傳	國賓	明	16 傳
	劼臣	清	17 傳	劼臣	清	17 傳
	素其	清	17 傳	勷臣	清	17 傳
				勉臣	清	17 傳
				潔臣	清	17 傳
	若愚	清	18 傳	應舉號若愚	清	18 傳
	朝客	清	18 傳	瑋客	清	18 傳
	樂圃	清	18 傳	懷珍	清	18 傳
	樂水	清	19 傳	沖一	清	19 傳
	位榮	清	19 傳	兆月字萃芳	清	19 傳
				庚字誥一	清	19 傳
	維城	清	20 傳			
	鷹揚號渭卿	清	21 傳	鷹揚號渭卿	清	21 傳
	作猷號述卿	清	21 傳	作猷號述卿	清	21 傳
	楷垣	清	21 傳	林芳字士彥號香泉	清	22 傳
邑武庠生				鳴岐	清	24 傳
			共 15			共 18
郡庠生	星閣	清	19 傳			
	逢泰號賡堂	清	20 傳	賡堂	清	20 傳
郡武庠生	朝聘號覲廷	清	21 傳	朝聘字經猷號覲廷	清	21 傳
	家聲字朝鏞	清	21 傳			
	大成	清	22 傳	鍾良號秀川	清	22 傳
				驥良	清	22 傳
			共 5			共 4

（藍色：相同人物）

表七：鄧氏族人參與官學的情況（續）

	鄧氏宗祠			愈喬二公祠		
國學生	國臣	清	17 傳			
	若虛	清	18 傳	德光號若虛	清	18 傳
	仁山	清	18 傳	仁山	清	18 傳
	呼愚	清	18 傳	字應果號呼愚	清	18 傳
	素謙	清	18 傳	聘客	清	18 傳
	武受號岐峰	清	19 傳	鄉舉正賓鳳翔	清	19 傳
	蔚峰	清	19 傳	煜宇	清	19 傳
				位熊字渭升	清	19 傳
	勉齋	清	20 傳	公德	清	20 傳
				見漢	清	20 傳
	菲亭	清	21 傳	瑞章	清	21 傳
	朝憲字秩猷	清	21 傳	鐸聲字貽猷	清	21 傳
	揀士	清	21 傳			
	梓良號芸臺	清	22 傳	志良號惠泉	清	22 傳
	葆元	清	22 傳	珍良號玉如	清	22 傳
	興和	清	23 傳	汝鋤號英生	清	23 傳
	俊衢	清	23 傳	汝誠字品重號鏡芙	清	23 傳
	梅品	清	23 傳			
				禮山	清	24 傳
				楚石	清	24 傳
			共 16			共 17
博士弟子員	聖軒	清	17 傳			
國子監太學生				貴良字秀彥號楚材	清	22 傳
貢生				芝蘭號國香	清	19 傳
恩貢生	栽圃	清	20 傳	培泰字際可	清	20 傳
副貢生				枝蕃號長修	明	15 傳
例貢生	兆麟	清	19 傳	兆麟	清	19 傳
	集岐	清	21 傳			
	梯雲	清	23 傳			
附貢生				朝器字懿猷號礪巖	清	21 傳
			共 5			共 6

（藍色：相同人物）

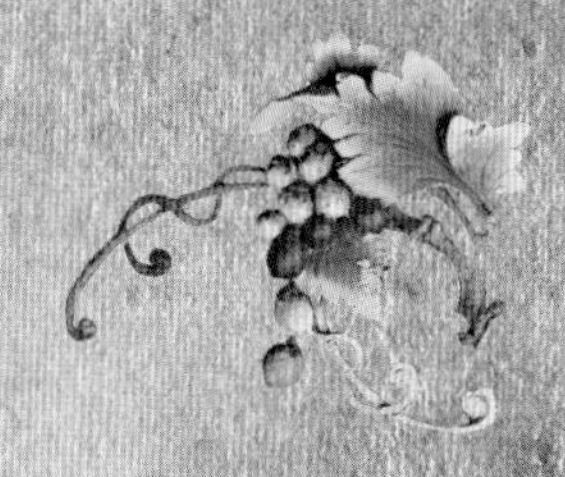

表八：鄧氏族人獲贈壽官

	鄧氏宗祠			愈喬二公祠		
壽官	松波	明	10 傳			
	喬林	明	11 傳	喬林	明	11 傳
	璧山	明	12 傳	國材號璧山	明	12 傳
	敦復	明	15 傳	敦復	明	15 傳
	鳴岡	明	16 傳	來儀	明	16 傳
	次荆	清	18 傳			
				宅升	清	19 傳
				旭茂	清	20 傳
				帝毓	清	20 傳
				卓斯	清	20 傳
	憲邦	清	21 傳	光宗	清	21 傳
	榮光	清	22 傳	榮光	清	22 傳
			共 8			共 10
壽員				煒宇號光垣	清	19 傳
	輯美	清	20 傳	達仁	清	20 傳
	品芳	清	21 傳			
	聲芳	清	22 傳			
	凌雲	清	22 傳			
	裕天	清	22 傳			
	越恒	清	22 傳			
			共 6			共 2
壽冠				階升	清	19 傳
				國祥	清	21 傳
				朝棟字壯猷	清	21 傳
				朝槐號植三	清	21 傳
				世彥	清	22 傳
						共 5

（藍色：相同人物）

和順滿門添百福

屏山古建築常見的裝飾題材

五福

屏山古建築常見的裝飾題材，可以用「五福」來概括。根據《尚書 · 洪範》記載，所謂「五福」是指：「一曰壽、二曰富、三曰康寧、四曰攸好德、五曰考終命。」，但民間流行的「五福」是另一版本：「福、祿、壽、財、喜」(喬繼堂，1993，53)。「五福臨門」是民間最常見的揮春題字，鄧氏宗祠正脊也有「五福如意」的吉祥圖案。

圖 3.1：「五福如意」：五蝙蝠、如意祥雲 (鄧氏宗祠二進後正脊)

福

民間對「福」的概念與子嗣相關，因為每個家庭基本上要有子「繼後香燈」，才算有福，若無子，可以由兄弟的兒子過繼作嗣子，使其「有後」，令香燈不絕，如述卿和覲廷的父親瑞泰，便是過繼成為夢月嗣子的。據族譜記載，愈聖也是因為沒有後代，而指定由喬林的子孫「袝祭」（代為祭祀，即在春秋二祭時，由喬林的子孫到愈聖的墓前拜祭）。由此可見，古人最關心的是自己身故後，有人能持續供奉的問題。於是，象徵子孫世代綿長的「蔓草」(卷草) 紋，成為古建築常見的裝飾之一。「蔓」是蔓生植物的枝莖，由於它滋長延伸不斷，因此寓意茂盛、長久之意 (李祖定，1998，48)。卷草裝飾多位於祠堂正脊兩端、山牆上的博縫、建築內的山牆角、女兒牆和封簷板上。最常與蔓草組合的花卉是「寶相花」，「寶相」是佛教徒對莊嚴佛像的稱呼。「寶相花」是隨佛教東傳而來的花卉圖案，它從蓮花演變而成，具有子孫萬代之意，是理想的象徵性花型。「博古」紋有相同作用，因而在建築的多個部位都可以看到它的踪跡。

圖 3.2：「繼後香燈」：香爐、上升祥雲；「福到眼前」：蝙蝠、蝴蝶、松鼠；錢 (清暑軒閣樓正廳封簷板)

圖3.3：蔓帶/卷草（鄧氏宗祠一進前正脊）

圖3.4：蔓帶/卷草（愈喬二公祠一進前正脊）

圖3.5：蔓帶/卷草（述卿書室一進前正脊）

圖 3.6：寶相花及蔓草 / 卷草（裝飾於封簷板上的寶相花，多放在卷草紋的中央）(鄧氏宗祠二進後封簷板)

圖 3.7：博古：內有瓜果、飛鳥、獅子（覲廷書室一進後正脊）
博古紋有連繫到古代的意思，造型又連綿不斷，寓意子孫萬代

除了要有子嗣，古人還希望多子多孫，因為這樣才可以令家族開枝散葉，人丁興旺。於是在封簷板、門扇、正脊、牆上灰塑都可見到石榴、瓜、豆、葫蘆、蓮蓬、葡萄、玉米等種子頗多的植物，藉此寓意「榴開百子」、「連生貴子」、「瓜瓞綿綿」等。

圖 3.8：「連生貴子」、「榴開百子」：蓮葉、石榴（鄧氏宗祠三進駝峰）
裝飾圖像中，石榴多為紅褐色，常裂開一角，露出漿果。由於種子眾多，因此象徵多子。
據《北史》卷五十六〈魏收傳〉記載『齊安德王延宗，納趙郡李祖收女為妃。後帝幸李宅宴，而妃母，宋氏薦二石榴於帝前，問諸人莫知其意，帝投之。收曰「石榴房中多子，王新婚，妃母欲其子孫眾多。」帝大喜……』。後世以石榴祝多子成為習俗（野崎誠近，1991，65）。

圖 3.9：「瓜瓞綿綿」：瓜及蔓草（覲廷書室一進後封簷板）
大者曰「瓜」，小者曰「瓞」。「瓜瓞」喻繁衍發展，世代綿長、子孫萬代之意。

與「子」相關的還有干支曆法中十二地支之首的「子」，十二生肖中以「鼠」作「子」年，建築多以「松鼠」而非「老鼠」作為裝飾，松鼠常與葡萄配合在一起。此外，獅子也與子嗣相關，常以滾繡球方式顯示此意，鄧氏宗祠二進前簷廊樑架上的駝峰（「駝峰」是位於兩樑之間作支點的構件）有二隻含綵帶的獅子，應象徵子嗣。

圖 3.10：「松鼠葡萄」(覲廷書室一進前封簷板)

古人對子孫有更高的期望，在鄧氏宗祠的墀頭(硬山式建築中延伸超出簷柱之外的山牆，靠近屋簷的部分稱「墀頭」)，有「麟吐玉書」的灰塑裝飾。此典故載於《拾遺記》卷三〈周靈王〉，故事敍述孔子出生時，闕里有一麒麟出現，並吐出玉書，玉書上題有：「水精之子，繫衰周而素王。」因此，「麟吐玉書」象徵賢能之士的出生，由此衍生至「麒麟送子」之意。此外，麒麟與鳳凰一對，也是常見的題材，如述卿書室正脊和覲廷書室駝峰，都有這例子。麒麟和鳳凰是四靈之二，《宋書 · 符瑞誌》說麒麟是仁獸：「含仁而戴義，……不飲洿池，不入坑阱，不行羅網。」；對於鳳凰的描述：「食有節，飲有儀，往有文，來有嘉，遊必擇地，飲不忘下。……唯鳳能究萬物，通天祉，象百狀，達王道，率五音，成九德，備文武，正下國」(喬繼堂，1993，48-49；63)，麒麟與鳳凰都是指賢能子孫，即「麟子鳳雛」，也可指美好姻緣，即「麟鳳呈祥」。

圖 3.11：「麟吐玉書」、「旭日初升」、「鳳凰來儀」、「麟子鳳雛」：二兔、麒麟、書、鳳凰、博古(清暑軒閣樓正廳封簷板)

對優秀子孫的期望亦可透過花卉的香氣作出聯想，如蘭花、桂花和玉蘭花等。蘭因其香而象徵優秀的資質，人們希望子孫秉賦如蘭之質，東晉謝安把子侄比喻為芝蘭，故有「芝蘭幽香」之詞。五代竇鈞的五個兒子被稱為「五桂」，皆能科舉取仕，故蘭與桂合稱優秀的子孫，有「桂子蘭孫」、「蘭桂齊芳」、「蘭桂騰芳」等詞。玉蘭花的枝幹遒勁，身軀偉岸，在吐葉前便開花，晶瑩清麗，猶如玉樹於雪山排空而出，氣勢壯觀。因而有「玉樹臨風」的美喻(喬繼堂，1993，164-165)。《世

説新語 ‧ 言語》記載，『謝太傅問諸子侄：「子弟亦何預人事，而正欲使其佳？」諸人莫有言者，車騎答曰：「譬如芝蘭玉樹，欲使其生於階庭耳。」』車騎將軍謝玄把培養優秀子弟，比喻為「芝蘭玉樹」。覲廷書室的封簷板便有「芝蘭玉樹」一組裝飾。

圖 3.12：「芝蘭幽香」、「芝蘭玉樹」、「玉樹臨風」、福（覲廷書室一進前封簷板）

以有子為「福」的體現可以從福神的形象反映出來。述卿書室的「三多九如五星圖」中的「福星」身旁，便帶有男孩子。與「福」字諧音的事物也與「福」扯上關係，如蝙蝠便是常見的「福」象徵物，蝙蝠常是倒飛的，寓意「福到」，蝙蝠與金錢配對，寓意「福到眼前」；蝙蝠與祥雲，寓意「福星高照」或「福自天來」，蝙蝠含桃子或蝙蝠與壽字牌，寓意「福壽雙全」。蝴蝶的「蝴」字也與「福」音相諧，有時候也象徵「福」。佛手柑的「佛」字也是「福」的諧音，因此也是象徵「福」；最耐人尋味的是封簷板上常見一幅幅的卷軸，有些畫卷上畫有風景或花卉，有些題上吉祥句語或詩句，但也有沒繪寫上任何東西的，不過各幅卷軸旁都配有壽字牌或其他吉祥圖案，顯然不是為了純粹欣賞繪畫或書法詩詞藝術而設，相信是「幅」與「福」同音有關。而空白卷軸配壽字牌應是「福壽雙全」之意。

圖 3.13：「福」：一幅卷軸、蝙蝠（愈喬二公祠一進前右正脊末端墊點）

圖 3.14：「福壽」：佛手柑（愈喬二公祠二進前右正脊末端墊點）

圖 3.15：「鴻福齊天」：紅色蝙蝠（鄧氏宗祠三進前右正脊末端墊點）

圖 3.16：鰲魚；「福到」：倒轉蝙蝠、祥雲（鄧氏宗祠二進前封簷板）

圖 3.17：「福到」：倒轉蝴蝶（覲廷書室一進前封簷板）

圖 3.18：「福自天來」、「福星高照」：蝙蝠、祥雲；「福到」：倒轉蝴蝶（覲廷書室二進前封簷板）

圖 3.19：「福壽雙全」：蝙蝠、壽字牌（愈喬二公祠一進前封簷板）

圖 3.20：「福到眼前」(清暑軒西外牆漏窗)

圖 3.21：「福到平安」、「福到眼前」：蝙蝠、花籃、花卉、錢(覲廷書室二進左山牆灰塑)

祿──功名和官祿

古時候人民想改變自己的社會地位，讀書進仕是唯一的途徑，因此他們對考取功名特別嚮往。科舉考試要跨過鄉試、縣試和殿試多關，因此蓮花 / 荷花，寓意「喜得連科」；而蓮花和蘆葦，則寓意「一路連科」，是常見的裝飾題材。能在各階段的科舉考試中考獲第一名，即解元、會元和狀元及第，稱為「連中三元」，吉祥圖像以圓形果實象徵這三「元」，如荔枝、龍眼(桂元)和核桃等。

圖 3.22：「一路連科」：蓮花、蘆葦(鄧氏宗祠南(左)廂廊封簷板)

科舉考試分三甲取錄，一甲有三名，第一名為狀元、第二名榜眼、第三名探花，稱賜「進士及第」；入二甲者有百餘人，賜「進士出身」；三甲百餘人，賜「同進士出身」(野崎誠近，1991，461)。進士第四名稱為「傳臚」。清代俗稱二甲一名為「金殿傳臚」，三甲一名為「玉殿傳臚」。科舉制度中，在殿試後皇帝宣佈登第進士名次的典禮稱為「傳臚」。古代以上傳語告下為「臚」，即唱名之意(中國歷史大辭典編纂委員會，2000，1069-1070)。屏山裝飾中象徵「二甲」的圖像頗多，如鄧氏宗祠和愈喬二公祠的壁都畫有二隻水鴨（因「鴨」與「甲」諧音）；述

卿書室正脊和覲廷書室正脊畫上具有甲殼的兩隻蟹和一蟹一蚌，都是寓意「二甲傳臚」。「傳臚」也可解作天子在御案前讀畢殿試的文章後，宣讀及第者姓名，再經侍衛齊聲傳呼。唐朝韋肇及第後，人們開始在長安慈恩寺的雁塔上題上及第者的姓名，稱為「雁塔題名」(野崎誠近，1991，477-479)。鄧氏宗祠二進中央樑架的駝峰有塔和二隻水鴨的造像，就是象徵進士及第。

圖 3.23：「二甲傳臚」：二水鴨、蘆葦(覲廷書室一進後正脊)

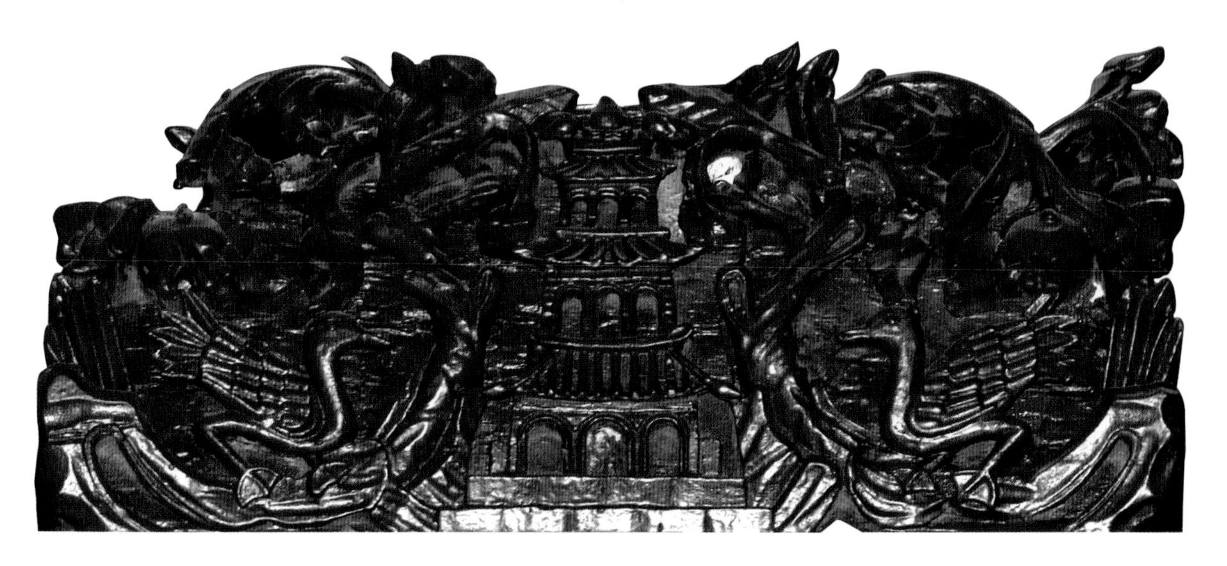

圖 3.24：「雁塔題名」、「二甲傳臚」：三層塔、二鴨 / 雁(鄧氏宗祠二進中央右樑架七架樑西駝峰)

進士科舉考試通常在杏花盛放時進行，因此，杏花有「及第花」之稱，象徵科舉高中。「一色杏花三十里」的句子，在屏山三所古建築的壁畫中都有出現。愈喬二公祠的門額枋上刻有燕子，而杏花配燕子則寓意「杏林春燕」，也是登科及第之意。另外，古代神話傳說月宮有玉桂樹，考中狀元亦稱為「蟾宮折桂」(李祖定，1998，44)。因此清暑軒的灰塑便有頌揚桂花的楹聯。獲得狀元及第是光宗耀祖之事，自然要大肆宣傳，眾人齊賀，因而有「狀元遊街」的場面出現，愈喬二公祠的駝峰就刻有這個場面。

考取官祿不只是兒子個人的奮鬥目標，更是一家老少，世世代代奮鬥的目標，因此，在慶祝新科狀元高中的同時，也是慶賀代代為官的目標得以達成，述卿書室封簷板正傳遞這個「官帶傳流」的訊息。

圖 3.25：「杏林春燕」：四燕子、祥雲、杏花；麒麟 (愈喬二公祠一進前右額枋)

圖 3.26：「官帶傳流」：三獅，中央獅含綵帶，兩端各繫雙錢 (連錢)、「旭日初升」：彩雲、太陽 (清暑軒地面正門封簷板)

族人因為渴望功名成就，於是特別在神主牌和族譜中強調先人考獲的功名成就和官職紀錄；這令未能以實力取得功名的，也以捐獻形式博取閒官之位，從神主牌上各種例贈的官位名目，可看到族人對功名是何等重視！如謨猷 (屏山第 21 傳) 的奉直大夫和集矩 (屏山第 22 傳) 的例贈修職郎便是其中的例子。屏山古建築中，與官祿有關的吉祥圖像很多，如與「祿」諧音的有「鹿」；馬與鹿一起，寓意「馬上授祿」；鄧氏宗祠有一對駝峰，分別展示一位騎馬官員，旁邊有喜鵲；另一位戴相貂（戲曲服飾，為宰相的官帽，官帽的兩翅幼長及向上屈曲）的騎馬官員，寓意「馬上報喜」和「馬上封侯」。另外，古代皇帝宴請群臣嘉賓，稱為「鹿鳴宴」(喬繼堂，1993，53)。

圖 3.27：「馬上授祿」、「喜上眉梢」：鹿、橋、馬；二喜鵲、梅花 (愈喬二公祠一進前左額枋)

圖 3.28a：「馬上封侯」：戴相貂騎馬官員、僕人 (鄧氏宗祠二進右樑架下層駝峰)

圖 3.28b：「馬上報喜」：騎馬官員、僕人、喜鵲 (鄧氏宗祠二進左樑架下層駝峰)

與「官」字諧音的還有「蟈蟈」和公雞的「冠」(如鄧氏宗祠的「官上加官」圖)，「蜻蜓」諧音「清廷」，「潮水江牙(崖)」(「江牙」即波浪紋，「潮水江牙」又叫「海水江崖」或「水腳」，是戲中帝王將相所穿蟒服或官服補子下端的圖案，象徵江山社稷(趙之碩、張耀笳、于瑛麗，1992，10))花紋則象徵官員「上朝」。當官的象徵物還有官扇；一品以上官員才可配戴的孔雀毛冠飾，稱為花翎，孔雀毛與珊瑚寓意「翎頂輝煌」；孔雀毛與蓮花寓意「一品清廉」。

圖 3.29：「潮水江牙(崖)」(下層)；柿蒂紋(上層)(清暑軒地面正廳前迴廊(南)穿插枋)

圖 3.30：「官上加官」：樹上和樹下各有公雞(有雞冠)共二隻(鄧氏宗祠一進前壁畫)

圖 3.31：「官」：蟈蟈；「清廷」：蜻蜓；「杏林春燕」：燕子(清暑軒閣樓右廂房封簷板)

圖 3.32：官扇(鄧氏宗祠一進前封簷板)

圖 3.33：「一品清廉」/「翎頂輝煌」：蓮花、孔雀毛（覲廷書室廂房隔扇門）

在官服的補子（舊時有品級官員官服上的繡章）上，文官以雀鳥為標誌。屏山古建裝飾只見鶴、孔雀、雁和鷺鷥，但這些圖像所處的情景與官位無關。武官的補子繡獸類。建築的駝峰與花罩裝飾多刻有鳥與獸（多為獅子或雙尾熊）的組合，稱為「英雄會」，即文、武官之意。覲廷書室的李白和郭子儀壁畫，都顯示希望族中子弟能達致文武全才。周朝的官職把太師、太傅、太保稱為三公；少師、少傅、少保為三孤，太師和少師是三公和三孤之首，都是輔弼皇帝的高官，官位顯赫。建築的正脊常塑大小獅子，寓意「太師、少師」的官位，覲廷書室的正脊便有實例。述卿書室的封簷板和花罩裝飾都以唐朝大將為主題，表示族人對唐朝盛世武官的欽崇。

圖 3.34：「英雄會」：鳥（鷹）、熊（有雙尾）（清暑軒閣樓迴廊中央向迴廊花罩）

圖 3.35：「英雄會」、「旭日初升、「青雲直上」（覲廷書室一進後右閣樓駝峰）

壽

有關長壽的象徵物很多，一般以花卉、樹木為主。寓意長壽的花卉有月季花、山茶花、桃花、菊花、玉蘭花、萬年青等。月季花是四季常開的花，因而又稱「長春花」，寓意「四季平安」、「萬代長春」。山茶花在正月開花，常用來表示春意，即生機勃勃、蔥鬱長青，寓意「春光長壽」。玉蘭花在早春開花，又名「望春花」和「木筆花」，「筆」與「必」諧音，玉蘭花配壽石，寓意「必得其壽」(喬繼堂，1993，166)(見於清暑軒閣樓花罩及覲廷書室廂房壁畫)。清暑軒有南瓜和蝴蝶正脊裝飾，南瓜有地瓜之稱，寓意「天長地久」。此外，葡萄枝葉蔓延，果實累累，也可寓為豐收、富貴及長壽(李祖定，1998，47)。葡萄常與松鼠一起，既喻長壽，也喻多子(見於覲廷書室封簷板)。仙桃的傳說從西王母瑤池所植的蟠桃而來，傳說此桃三千年開花，三千年結果，食之可增壽六百年，漢武帝亦曾得西王母贈此仙桃。後人故以桃用作祝壽(喬繼堂，1993，141)。松和柏都是生命力極強的常青樹，因此也成為長壽的代表。

圖 3.36：菊花、綬帶鳥、蝴蝶(述卿書室一進前封簷板)

圖 3.37：「春光長壽」：山茶花(覲廷書室與清暑軒間迴廊門後封簷板)

圖 3.38：「必得其壽」：玉蘭花(鄧氏宗祠二進前封簷板)

圖 3.39：「天長地久」、「天地長春」：南瓜、蝴蝶(清暑軒閣樓正廳上正脊)「南瓜」又稱「地瓜」，「蝶」與「耋」諧音，「耋」指八十歲，即指長壽。

圖 3.40：桃(鄧氏宗祠二進前封簷板)

圖 3.41：松樹(清暑軒閣樓正廳簷牆壁畫)

古時傳説靈芝有長生不老的奇效，因而寓意長壽(李祖定，1998，41)。麻姑便是能把靈芝釀酒的神仙，她曾攜靈芝酒往賀西王母的壽辰，而其他一同前往賀壽的神仙，如八仙，亦與長壽扯上關係。加上傳説中的南極仙翁和壽星，長壽的神仙真不少(覲廷書室和述卿書室的壁畫，清暑軒的駝峰都有這些神仙的造像)。此外，愈喬二公祠壁畫上的「爛柯圖」也是與長壽有關的題材(有關「爛柯圖」的故事參看仙道人物部分)。

歷史上，郭子儀(697-781)終年八十四歲，是得享長壽的著名人物代表，覲廷書室壁畫上有「郭子儀祝壽」圖；郭子儀除了高壽，還有七子八婿當官，自己既是四朝宿將，又被封為汾陽王，官至太尉中書令，更是唐朝皇帝代宗的尚父，可算位極人臣，因而成為常見的建築裝飾題材。

與長壽有關的圖像還有貓、蝶和綬帶鳥，因貓、蝶與耄、耋同音，耄指八十或九十歲，耋指八十歲；耄耋是指八十和九十歲高壽的老人(見鄧氏宗祠的「富貴根苗圖」壁畫)；至於綬帶鳥(鳥名，即白頭翁)，因「綬」與「壽」同音，象徵夫妻長壽；其他動物如鶴、鹿也都象徵長壽。《相鶴經》稱鶴的「壽不可量」，《淮南子》謂「鶴壽千歲，以極其遊。」鶴被喻為長壽之王。《述異記》中紀載：「鹿一千年為蒼鹿，又五百年化為白鹿，又五百年化為玄鹿」，即指鹿為長壽之物。吉祥圖像中，鹿常伴在壽星旁(喬繼堂，1993，69；53)(見愈喬二公祠的「富貴白頭」、「劈石栽松」、松樹和二鶴圖及述卿書室的「三多九如五星圖」)。此外，博古、古琴、古陶瓶、壽字牌皆象徵長壽。

圖3.42：綬帶鳥(述卿書室一進前封簷板)

圖3.43：仙鶴、桃(鄧氏宗祠二進左樑架下層西端駝峰)

圖3.44：「耄耋」(貓諧音耄)(鄧氏宗祠一進壁畫)

除了壽石或南山以其年代久遠作為長壽的象徵外，山水畫也寓意「海屋添壽」。故事源自《太平御覽》：「有三老相遇問年，其一曰：海水變桑田，吾輒下一籌矣。」《韻府》記載：『海上老人曰：「滄海變桑田，吾以一籌記之；桑田變滄海，又以一籌記之。」』(野崎誠近，1991，235-236)，「添籌」即「添壽」之意，在覲廷書室山牆灰塑和清暑軒的壁畫上中，都可以找到相關的例子。

財

宋代周敦頤的《愛蓮説》曾把牡丹描述為「花之富貴者也」，因而被稱為「富貴花」。另一種同樣象徵富貴的花是芙蓉花，因花絢麗燦爛，正好是欣欣向榮的生命力的寫照。加上「芙」與「富」，

「蓉」與「榮」均諧音相近，往往被用作榮華勃發的象徵(喬繼堂，1993，161)。牡丹與芙蓉組合，即寓意「富貴榮華」，二者在建築裝飾中又以牡丹較為普遍(如鄧氏宗祠的「富貴根苗圖」)。

述卿書室有「劉海戲蟾」壁畫，畫中三腳蟾蜍正舉頭吐出一物，象徵吐金，是獻財的標誌(覲廷書室的封簷板也有口吐上升祥雲的三腳蟾蜍(故事內容見仙道人物部分)。

圖 3.45：牡丹花(覲廷書室一進前封簷板)

圖 3.46：三腳蟾蜍口吐上升的如意祥雲(覲廷書室一進前封簷板)

喜

裝飾中常見長尾的飛鳥，在花間翩翩起舞，又或在梅枝間歇息；梅花在嚴寒中開花，獨自迎着春天的來臨，圖意被詮釋為「傳春報喜」(李祖定，1998，23)。喜鵲和梅花又因常與喜事連在一起，寓意「喜鵲登梅」或「喜上眉梢」。喜鵲常以一雙出現，成為「雙喜/囍」或「喜相逢」之意。

圖 3.47：喜鵲(愈喬二公祠一進前封簷板)

圖 3.48：「喜上眉梢」、「喜鵲登梅」(述卿書室一進前封簷板)

圖 3.49：「喜相逢」、「雙喜/囍」：二喜鵲(述卿書室一進後壁畫)

圖 3.50：「喜相逢」、「雙喜/囍」：二喜鵲(覲廷書室一進前封簷板)

仙道人物

早期書院發展的據點，曾與佛道相爭，後來由於受到歷代統治階級的重視和利用，主張「儒以治世，佛以修心，道以養身」，逐漸形成儒、釋、道「三教合一」，因而一些廟宇，同時供奉三教的神祇及聖人。雖然祠堂、書室與寺廟的結構、布局類似，但格調完全不同，「書院適應文士的學習、生活需求，體現一派斯文氣習，與寺廟突出神的威嚴反映出的神秘色彩，形成鮮明對比。」(楊慎初，2002，49-51)。而祠堂則追求莊嚴、對稱、穩重、寧靜的環境氛圍。古時，萬物有靈的觀念十分流行，人民不受正統教派的影響，於是，祠堂和書室除了祭祀祖廟外，在建築物各處，都設有靈物以保護族人平安。一般書院祀文昌或魁星，以祈求功名利祿，但覲廷書室所供奉的，卻是一般民居所祀的門官，門官穿黑色官服，安放在一進內的小神龕內。神龕兩側刻上「門興官賜福」和「土旺地生金」楹聯。屏山的兩所祠堂除了先祖，並沒有另外供奉佛道神像。

圖 3.51：覲廷書室門官

門神

大門作為建築的主要入口，自然最受古人重視，尤其是大門的裝飾。在鄧氏宗祠、愈喬二公祠、述卿書室和覲廷書室的大門，都繪有門神。門神是守衛大門的神靈，防範鬼魂入侵。東漢時期王充《論衡 · 訂鬼》引《山海經》：「滄海之中，有度朔之山，上有大桃木，其屈蟠三千里，其枝間東北曰鬼門，萬鬼所出入也。上有二神人，一曰神荼、二曰鬱壘。主閱領萬鬼。惡害之鬼，執以葦索，而以食虎。」(樓慶西，2000，111)。神荼、鬱壘是最早的門神。他倆居於度朔山，度朔山上住着各種妖邪鬼怪。山上有一棵桃樹，神荼和鬱壘負責把守桃樹下的鬼門，並監察那些鬼的行為，若發現有惡鬼害人，他們便會把惡鬼用蘆葦捆起來，扔到山下餵老虎。後來人們為了辟邪驅鬼，便把神荼和鬱壘的造像畫在門上。據考古資料顯示，神荼和鬱壘的畫像在漢代已出現。神荼和鬱壘的形像，於明刊本《三教搜神大全》中看到的是頭生兩角，上身赤裸，頸繫三角巾；及後經歷不同朝代的演變，神荼和鬱壘的造型漸由粗莽的原始人轉變為將軍模樣，清代的，更大多身披鎖子鎧甲，頭戴倒纓帥盔，足蹬戰靴，帔帛繞身。神荼五綹美髯，腰懸弓和箭壺；鬱壘猬然鬍鬚，腰掛箭壺。兩神都手執大錘(殷偉，2009，34-37)。

隨着歷史的發展，門神的形象亦漸起變化，不同人物也可以成為門神：有太監和宮女(如台北淡水福祐宮)、加官晉爵(如大澳天后廟)和天官賜福等。坊間最流行的門神版本是唐朝大將秦叔寶和尉遲敬德。在《説唐全傳》中，秦叔寶和尉遲敬德慣用的兵器分別是鞭和二鐗，長山古寺便有此例。鄧氏宗祠、愈喬二公祠和覲廷書室的門神，所持的兵器卻是斧和槌(在戲曲中稱金瓜)，

是因受《西遊記》的故事所影響，於民間廣泛流傳。據《西遊記》第十回敍述：涇河龍王，犯了天條，該由魏徵處斬，但龍王在唐太宗夢中請求他相救，太宗許諾。後太宗宣魏徵入朝，君臣在宮中對奕，下棋時魏徵竟呼呼大睡，在夢中將龍王處斬。當晚太宗回宮，睡間，見那涇河龍王呼號，秦叔寶和尉遲恭奉召，披掛整齊，執金瓜鉞斧，在宮門外把守。是夜，太宗在宮，安寢無事，太宗感二將徹夜辛苦。便令人把二將畫像貼於門上，令秦叔寶和尉遲恭「千年稱戶尉，萬古作門神」。《西遊記》把秦叔寶和尉遲恭慣用的兵器，由鞭、鐧轉為金瓜和鉞斧。

覲廷書室的門神在 1990 年代復修時，仿照廣州陳氏書院的形像繪畫，同是手握金瓜和鉞斧。香港古建築的門神，一般只佔大門的一半面積，與廣東省及台灣常見的門神滿鋪大門的做法不相同。覲廷書室的門神全身甲胄，穿靠肩，有靠腿，袖口窄；頭戴倒纓盔；足穿方靴；領上結有三角巾；胸前有護心鏡，護心鏡側飾暗八仙，鼓腹；腹部中央有獸首含着腰帶；背上插了四面方形靠旗，上面書有「壽」字；束腰，腰前掛箭壺，腰後見數箭（相傳為桃木製成，用作辟邪治鬼）。右面人物青面，掛虬髯（表示性格粗豪），應是尉遲恭；左面人物紅面，掛五綹黑鬚（表示其人文雅、清秀），應是秦叔寶；兩者肩部都垂風帶，顯示其為神仙。

鄧氏宗祠、愈喬二公祠、覲廷書室三者的門神款式均差不多，只是二祠堂的門神改穿斜披蟒服（俗稱左文右武），表示元帥閱兵點將。鄧氏宗祠的門神，背上插方形靠旗，靠旗上分別書有「福」、「祿」字和「富」、「壽」字。愈喬二公祠門神的靠旗則是三角形，靠旗上書有「帥」字，腰下靠甲中央飾八仙圖像。二祠堂門神的肩部垂風帶，顯示其神仙身分；鄧氏宗祠和愈喬二公祠的兩個門神中，每一門神各拿一件兵器，一個拿著斧，一個拿著春秋刀（大刀）。覲廷書室的兩門神分別握金瓜和鉞斧。至於他們另一隻手的動作：愈喬二公祠的兩個門神都按著劍柄，鄧氏宗祠和覲廷書室的門神則作佛手印。以上種種特徵，顯示佛、道和中國傳統戲曲文化的融合：既有佛手印，又有道教的八仙和戲曲中的神仙風帶；香港民間門神更棄用鞭、鐧，改為手持《西遊記》描述中碩大的鉞斧，又把關雲長擅用的青龍偃月刀取代金瓜，令形像更顯威武，並漸漸脫離古典小說對秦叔寶和尉遲恭的特徵描述。然而，述卿書室的門神卻與上述三者的截然不同，這二門神的形像與常見的不一樣，沒有明顯展示兵器，腰間亦不配弓箭，沒有風帶。二人斜披蟒服，穿龍蟒（龍蟒是帝王將相的官服），其一為綠色，象徵忠勇；另一為紅色，是強國的帝王、狀元、駙馬和其他高官所穿用，氣派非凡。二人臉上均掛五綹黑鬚（表示其人文雅、清秀），並非一黑面一白面，一虬髯一長鬚的組合；同時，二人均一手撚鬚，一手按背後的劍，且面帶笑容，不像辟邪治鬼的神將，反像迎迓嘉賓的大使或上朝面聖的大臣。這對門神的畫工精細，款式獨特，是難得的精品。

圖 3.52：鄧氏宗祠門神

尉遲敬德和天將的融合　　秦叔寶或其他大將融合天將造型

圖 3.53：愈喬二公祠門神

尉遲敬德和天將的融合　　秦叔寶或其他大將融合天將造型

圖 3.54：覲廷書室門神

尉遲敬德和天將的融合　　秦叔寶和天將的融合

圖 3.55：述卿書室門神

綠色的蟒服是忠勇的官員穿用　　紅色的蟒服是強王、狀元、駙馬和其他高官穿用

八仙

「八仙」是最普遍的古建築裝飾人物。

八仙的圖像，大多置於大門前的裝飾構件中，如簷牆上的壁畫（愈喬二公祠、述卿書室、覲廷書室）、封簷板（覲廷書室）、駝峰（愈喬二公祠、鄧氏宗祠）和中門上的橫披（覲廷書室）都有。八仙的出現，象徵有神仙庇佑，除了保家宅平安，也兼作賀壽之用，和寓意困難能迎刃而解。各八仙都有自己的法器，可以除魔之餘，又可以帶來好運，因此甚受民間愛戴。

有關八仙的傳説，歷代版本不一，近代流行的內容於宋代開始形成。元代的雜劇作者常以八仙為題材，編寫劇本，因而令八仙故事深入民間。元人馬致遠雜劇《呂洞賓三醉岳陽樓》中，八仙一起出現：鍾離權掌著「群仙錄」，是八仙中地位最高的；鐵拐李拿拐杖，頭髮蓬亂，身穿綠袍「板撒雲陽木」；張果老「趙州橋騎倒驢」；徐神翁背着藥葫蘆；韓湘子攜花藍，是「韓愈的侄兒」；曹國舅穿紅袍，是「宋朝的眷屬」（趙杏根，2002，3）。

於元雜劇中，以《爭玉板八仙過海》流傳最廣，所謂「八仙過海，各顯神通」亦源於此。元雜劇的內容與今日流行的版本略有出入，當時的故事指八仙赴牡丹會後經東海回家，各自用自己的法寶浮海而過。東海龍王的兒子見藍采和的玉板發出神光萬道，便捉了藍采和，搶了玉板；及後，八仙與龍王大戰，最終由釋迦牟尼出面調解。這個故事後來被明人吳元泰改編成《八仙出處東遊記》，作為故事的結局。自這書開始，八仙人物開始定型，包括有鍾離權、呂洞賓、曹國舅、張果老、藍采和、韓湘子、鐵拐李、何仙姑等。這套仙班角色眾多，以象世間諸相。上述人物的象徵順序為將軍、書生、顯貴、老、幼、民間藝人、殘疾和婦女（趙杏根，2002，4-6）。這劇把八仙渡海的原因改為往瑤池向西王母賀壽，因而成為祝壽的象徵。

各八仙畫中以述卿書室的「八仙圖」壁畫最為精彩，場面熱鬧，人物生動。帶頭的是鐵拐李，他背着拐杖和葫蘆，騎在龍背上，並握着龍角。在禦龍的過程中，感到一點驚愕，口部張開，頭上的金箍也掉歪了（一説在他成仙的過程中，他手中的鐵拐變成龍，跟着乘龍而去）。傳説他的葫蘆內藏丹藥，能起死回生。在渡海時，藍采和為了保護花卉，把花籃頂在頭上，一副天真爛漫的模樣。張果老掛黑鬚，手持魚鼓，騎在驢子上前進。（與此不同的是：常見的張果老是掛白鬚，為一老態龍鍾的長者，而且倒騎驢子，傳説在他休息時，還可以把驢子摺疊如紙，需用時才以水潠之，使還原成驢。）鍾離權位列各仙中央，是八仙中最尊貴者，除了張果老外，其他大多受他點化成仙，圖中不見他拿着芭蕉扇，相信在這圖中，飄於半空的蕉葉是他的法器，表示與龍王鬥法中，他是關鍵人物。呂洞賓持劍，背有拂塵，傳説呂洞賓遊廬山時，遇火龍真人傳授天遁劍法，可以斬妖除害。此像與常見的呂洞賓不同，常見的呂洞賓一般戴橋樑巾（又稱純陽巾），穿道袍。何仙姑拿着荷葉柄、韓湘子正吹橫笛，曹國舅垂頭下望，響板（陰陽板）卻飛到天空中。（古本中另一説是韓湘子持花籃、藍采和吹橫笛）。

兩相對決，要雙方積極互動，戰爭的場面才會精彩。愈喬二公祠、覲廷書室和其他常見的八仙過海圖，都只展現八仙一方，忽略了敵方的描繪，使畫面欠缺戲劇氣氛。述卿書室八仙圖的可貴之處，是一併表達東海各成員的回應，令畫面更具感染力。圖中蝦丞相（有蝦鬚及蝦鉗）看見主人被擄，急得耍手求情，陣中的夜叉、鯰魚卻仍勇往直前，忠心護主，吹響戰號，奮勇殺敵。沒有對壘的場面，不能顯示過海的艱辛困難；沒有敵人的求饒，不能反映實際的勝利，這幅畫使八仙過海的解決困難體驗，顯得更實在，更富生命力。

八仙的各種傳説，使八仙的法寶成為驅邪禳災的象徵物，這些法寶，稱為「暗八仙」。覲廷書室的封簷板和橫披，便是把暗八仙與其他吉祥物編排在一起，使其既是裝飾，又具鎮宅的作用。愈喬二公祠駝峰上的八仙中央，另有一仙人騎鶴，把八仙從海中轉到天上。在鄧氏宗祠二進的額枋上，八仙排列在西王母和東王公的左右；覲廷書室壁畫更清楚列明「瑤池安樂」和「瑤池燕樂永無休，蓬萊洞裏甚幽遊［優悠］。□□□□仝唱和，不□□唱數千秋。」使八仙與賀壽的關係更為明顯。

圖 3.56：「八仙過海」（述卿書室一進前右簷牆壁畫）

圖 3.57：愈喬二公祠一進前右駝峰八仙及騎鶴仙人
上層：韓湘子、鍾離權、仙人騎鶴（中央）、呂洞賓、藍采和
下層：張果老、何仙姑、一盤壽桃（中央）、曹國舅、鐵拐李

圖 3.58a,b,c,d：覲廷書室一進前封簷板暗八仙

笛子（韓湘子）、葫蘆有仙氣溢出（李鐵拐）

扇子（鍾離權）、魚鼓（張果老）、瓜、二綬帶鳥（象徵多子、長壽）

花籃（藍采和）內盛佛手柑（福）、寶劍（呂洞賓）

荷花（何仙姑）、響板（曹國舅）

南極仙翁

南極仙翁是天上的神仙，是古代二十八星宿之一，南極星出現於夜空中，表示天下太平。古人相信南斗主生，北斗主死。南極星可以幫助人延長壽命，按此理延伸，國人長壽，即國家太平。因此，長壽的人得到禮待，朝廷把長壽的人封為壽官。根據鄧氏宗祠和愈喬二公祠神主牌的資料，屏山族人歷代被封為壽官的有 27 位之多。民間常見的壽星形象受明代小說《西遊記》影響，《西遊記》第七回描述南極老人

> 「……手捧靈芝飛藹繡。葫蘆藏蓄萬年丹，寶籙名書千紀壽。洞裡乾坤任自由，壺中日月隨成就。遨遊四海樂清閑，散淡十洲容輻輳。曾赴蟠桃醉幾遭，醒時明月還依舊。長頭大耳短身軀，南極之方稱老壽。」

常見的壽星是一長鬚、白髮的老翁，額頭高隆、大耳、彎背弓腰，一手握着拐杖，一手托着仙桃。述卿書室的南極仙翁禿頭，額頭沒有隆起，衣服上飾有壽字花紋，握着拐杖。覲廷書室南極仙翁束白髮，長鬚，倚着書几，上有數卷軸及木拐杖。二者均與常見的壽星公形象截然不同。

圖 3.59：「壽星」：門上有壽字裝飾，老翁衣服上飾有壽字花紋，旁有一鷺鷥。（述卿書室一進前中央簷牆壁畫）

圖 3.60：「南極仙翁」（覲廷書室一進前中央簷牆壁畫）

麻姑

麻姑是道教神仙，又稱麻姑元君。有關麻姑的傳説很多，最流行的是晉代葛洪《神仙傳》的版本。《神仙傳》描述東漢時，王遠得道後到東吳探訪蔡經，並引見麻姑。麻姑出現時像個十八九歲的姑娘，頂有髻，髮長至腰，手爪長得像鳥爪。二仙問好，説已分別五百餘年之久，麻姑還説曾見東海三次變為桑田，可見其享仙齡之長。自明代開始，麻姑成為女性的壽星(葛洪，1987，270；禾三千、吳喬，2006，178-182)。另傳麻姑在危難時被西王母所救，並收為弟子，西王母安排麻姑在南方一座山修道。這山有十三泓佳泉，麻姑一邊修煉，一邊用山泉釀造靈芝酒，十三年後麻姑修煉成仙；麻姑往赴瑤池壽宴時，以此酒向西王母賀壽(完顏紹元、郭永生，1997，72)。常見的麻姑都是年青的女子，一手拿着靈芝草，旁邊有一柄斧頭，斧上掛有一盛滿靈芝的籃子，與覲廷書室的「南山雙壽」圖相符。清暑軒的麻姑手執拂塵（古代神話中神仙手持的寶物，具有神威，象徵神仙），地上有兩棵靈芝草，又有鹿兒背着瓶子，相信瓶內盛滿靈芝酒，寓意「麻姑獻壽」。

圖 3.61：「麻姑獻壽」：一仙女手持靈芝草，旁邊有斧，斧上掛有一盛滿靈芝的籃子。(覲廷書室一進前中央簷牆壁畫)

圖 3.62：「麻姑獻壽」：一仙女、鹿兒背有一瓶子、地上有二棵靈芝草、樹上有蝙蝠(清暑軒閣樓正廳左樑架下層東端駝峰)

覲廷書室有兩幅壁畫都題上詩句：

「羅浮仙子飲流霞，醉倒孤山處士家。
幾度東風吹不醒，至今顏色似桃花。」

此詩句的來源暫不可考。宋 · 蘇軾《松風亭下梅花盛開》描述羅浮山景致時，提及麻姑，詩文如下：

羅浮山下梅花村，玉雪為骨冰為魂。紛紛初疑月桂樹，耿耿獨與參橫昏。
先生索居江海上，悄如病鶴棲荒園。天香國豔肯相顧，知我酒熟詩清溫。
蓬萊宮中花鳥使，綠衣倒掛扶桑暾。抱叢窺我方醉卧，故遣啄木先敲門。
麻姑過君急灑掃，鳥能歌舞花能言。酒醒人散山寂寂，惟有落蕊黏空樽。
(蘇軾，楊家駱(編)，1998，471)

相信「羅浮仙子」即麻姑。二畫中都有綬帶鳥，一幅有山茶花和壽石，另一幅有杏花和雞冠花，山茶花和杏花皆是春天的花，寓意「春光長壽」，即像麻姑那樣，長春不老。另外，愈喬二公祠壁畫書有：「能言鳥代[舞]歌為骨，花不語因無力詩，朗潤松風詠仙。」畫中用擬人法描述花

鳥松風，以烘托如仙家似的生活境界。

羅浮山位於廣東省博羅縣西北，有羅漢、伏虎、滴水、通天等七十二個石室，有桃源、夜樂、蝴蝶、水簾等十八洞天，也有山泉、飛瀑，道教稱之為「天下第七洞天」，「第三十一泉源福地」。羅浮山瑰麗靈秀，山勢雄偉奇特，雲浪洶湧，像仙境般，傳説葛洪和妻子鮑姑曾在山上煉丹製藥，很多神仙也曾到訪，如八仙、麻姑、盧眉娘、黃野人、安期生等。歷代騷人墨客，如蘇東坡、祝枝山、屈大均等均曾到此地遊覽吟詩 (謝華，1984)。

壺中仙

與羅浮相關的，還有覲廷書室的「壺裏乾坤」圖。明 · 朱有燉《神仙會》第一折云：

> 「羅浮道士誰同流，草衣木食輕諸侯，
> 世間甲子管不得，壺裏乾坤只自由。」

「壺裏乾坤」描述東漢時期，一個管理市場的小吏費長房在樓上看見一位賣藥的老翁，在市集人散後，跳入掛在門頭的葫蘆中。次日，費長房得老翁允許，一起進入壺中。二人同遊壺中仙境，暢飲後才出來 (《後漢書 · 費長房傳》轉引自尹奎友，1996，77)；晉 · 葛洪《神仙傳 · 壺公》(引自王建平 (編)，2005，100)。「壺中天地」是指神仙超凡脱俗的境界，「壺裏乾坤」、「壺中日月」是道家悠閑、清静無為的生活。覲廷書室的「壺裏乾坤」，畫有二長鬚老人，一持葫蘆，一探視葫蘆內、一童僕和一酒罈，與上述故事情節脗合。相信建築構思者嚮往道家無為的生活，與早期書院隱世的取態相同，此圖亦表示期望仙人庇佑。這些神話，令嚴肅的書室氣氛，增添一點生活趣味。另一方面，我們讀書時，不也是從想像中，進入書中另一個世界嗎？覲廷書室的「壺裏乾坤」現已剝落褪色，坑尾村 148 號古建築有另一清晰的「壺裏乾坤」圖，可供參考。

圖 3.63：「壺裏乾坤」(可供參考的坑尾村 148 號古建築的壁畫)

「爛柯圖」

根據梁代任昉《述異記》記載，晉時浙江信安郡 (今衢州市) 有一座石室山，樵夫王質到這裏伐木，見童子正在弈棋，王質在旁觀看，童子邊下棋邊吃棗子，有時也把棗子遞給王質。不久，王質欲回家，俯身拾斧，見斧柄已爛成灰，只餘下鐵斧，王質告別童子回家，發覺已過了快近百年。後

來王質被道家封為赤松子的弟子，成為道家的神仙。有關王質「爛柯圖」的故事，也見於南宋 ‧ 李逸民的圍棋古籍《忘憂清樂集》。愈喬二公祠的「王質爛柯圖」(此圖應是近代繪上)還有以下題字：「人説僊[仙]家日月遲，僊家日月轉堪悲。誰將百歲人間事，只換山中一局棋。」詩句出自明 ‧ 張以寧(1301-1369年)的「衢州詠爛柯山效宋體」二首之第一首(全明詩編輯編纂委員會，1991，338)。「爛柯圖」與另一端「劈石栽松」圖相配，該圖題有「松已蒼山中，歲月去來長。烹餘一束靈芝草，分與僊禽作道糧。」二者均寓長壽和與仙道生活相關。

圖 3.64：「王質爛柯圖」
(愈喬二公祠一進前壁畫)

「劉海戲蟾」

翟灝的《通俗編》記載：『《湖廣總志》云：劉元英，號「海蟾子」，廣陵人，仕燕王劉守光為相。一日，有道人謁，索雞卵十枚，金錢十枚，置几上，累卵於錢，如浮屠。海蟾驚歎曰：「危哉！」道人曰：「人居榮樂之場，其危有甚於此者？」盡擲之而去。海蟾由是大悟，易服從道，歷遊名山。』(野崎誠近，1991，593)

據説，點化劉海的道人是正陽子鍾離權。清人黃斐默在《集説詮真》中，敍述劉海之後遍遊山水，求仙訪道，並遇到呂純陽教授金液還丹之術，修煉成仙。查歷史上五代至宋都沒有劉海為相的紀錄(趙杏根，2002，212-213)。元世祖忽必烈封劉海為「明悟弘道真君」，至元武宗時，又加封為「帝君」(劉秋霖(等)，2008，201)。人們熟悉的劉海蟾，是一個胖乎乎、蓬頭赤腳、一臉笑嘻嘻、一片天真爛漫，正捉了一隻三足蟾蜍在戲弄的頑童模樣(趙杏根，2002，216-218)，也有一些圖像展示劉海手執串有金錢的彩繩，在逗弄一隻三腳蟾蜍，所以亦可稱作「劉海耍錢」。這種無憂無慮，活潑可愛的散仙神態，被認為是祥和之兆。也因為他淡泊名利，人們把他「耍錢」改為「撒錢」，因而成為財神的象徵(完顏紹元、郭永生，1997，118)。

述卿書室一進前簷牆兩側有二幅「劉海戲蟾」的畫像，劉海頭有二髻，即掛孩童髮，其中一幅畫像中劉海赤腳，正坐在地上吹奏笛子，一派悠然自得的模樣，蟾蜍在其後，口吐一線。另一幅的劉海是站立的，腳下穿上鞋子，手中拿着一串錢，在逗弄一隻三腳蟾蜍，蟾蜍口吐如意雲。這兩幅劉海像，與上述象徵意義脗合，前者寓意生活無憂，一片祥和；後者耍錢，暗喻「撒錢」，即求財之意。

圖 3.65a,b：「劉海戲蟾」(述卿書室一進前簷牆壁畫)

一赤腳童子正吹奏笛子，三腳蟾蜍，口吐一線

一童子手提一串錢，三腳蟾蜍，口吐如意雲

和合二仙

在宋代以前，民間的和合神是唐代一位僧人「萬回」。自宋代開始已祭祀和合二仙。根據翟灝《通俗篇》的記載，雍正十一年，敕封天台山寒山大士為「和聖」，拾得為「合聖」(野崎誠近，1991，350)。寒山與拾得是唐代的高僧，根據唐 · 閭邱胤所撰《寒山拾得詩序》：

> 詳夫寒山子者，不知何許人也。自古老見之，皆謂貧人風狂之士，隱居天台唐興縣西七十里，號為「寒巖」，每於茲地時還國清寺。寺有拾得，知食堂，尋常收貯餘殘菜滓於竹筒內。寒山若來，即負而去，或長廊徐行，叫噪凌人，或望空獨笑，時僧遂捉罵打趁，乃駐立撫掌，呵呵大笑，良久而去，且狀如貧子，形貌枯悴，一言一氣，理合其意，沉思有德，或宣暢乎道情，凡所啟言，洞該玄默，乃樺皮為冠，布裘破敝，木屐履地，是故至人遯迹，同類化物，或長廊唱詠，唯言「咄哉咄哉」。三界輪迴，或於村墅與牧牛子而歡笑，或逆或順，自樂其性，非哲者安可識之矣。……(野崎誠近，1991，347-348)

上面描述二僧的行為神奇怪異，符合民間對高僧的一般印象。另有一說為二人同愛一女子而未知，寒山遂出家為僧，臨婚前拾得也捨女而去，往尋寒山。拾得折一荷花作見面禮，寒山捧飯盒出迎 (喬繼堂，1993，244)。這故事沒有古書作佐證。民間把和合二仙當作結婚神，古時婚禮場面上常懸掛畫有和合二仙的畫像。常見的和合二仙不像和尚模樣，而是兩位蓬頭笑面，逗人喜愛的孩童形象，一人持荷花，一人捧圓盒。「荷」「盒」兩字諧音「和合」，寓意同心和睦、合家團圓或夫妻和睦 (劉秋霖 (等)，2008，203-206)。

鄧氏宗祠的和合二仙像手持禾稻與盒，「禾」與「和」諧音，與「荷」字的作用相同，二人掛孩兒髮，穿茶衣，坐在地上談天。這裏與「和合二仙」配對的，是伯牙和子期的「攜琴訪友」圖，寓意友情及兄弟和睦。述卿書室的「和合二仙」也是持禾稻及盒子，畫面有四人，另二人像隨行的侍者，肩負擔挑，上掛果籃及花籃，像拜訪親友的模樣。其畫面另加二人，應是為了對應另一端的「風塵三俠」圖的四人 (其一人為侍衛)。此二圖寓意兄弟和睦，夫妻恩愛。

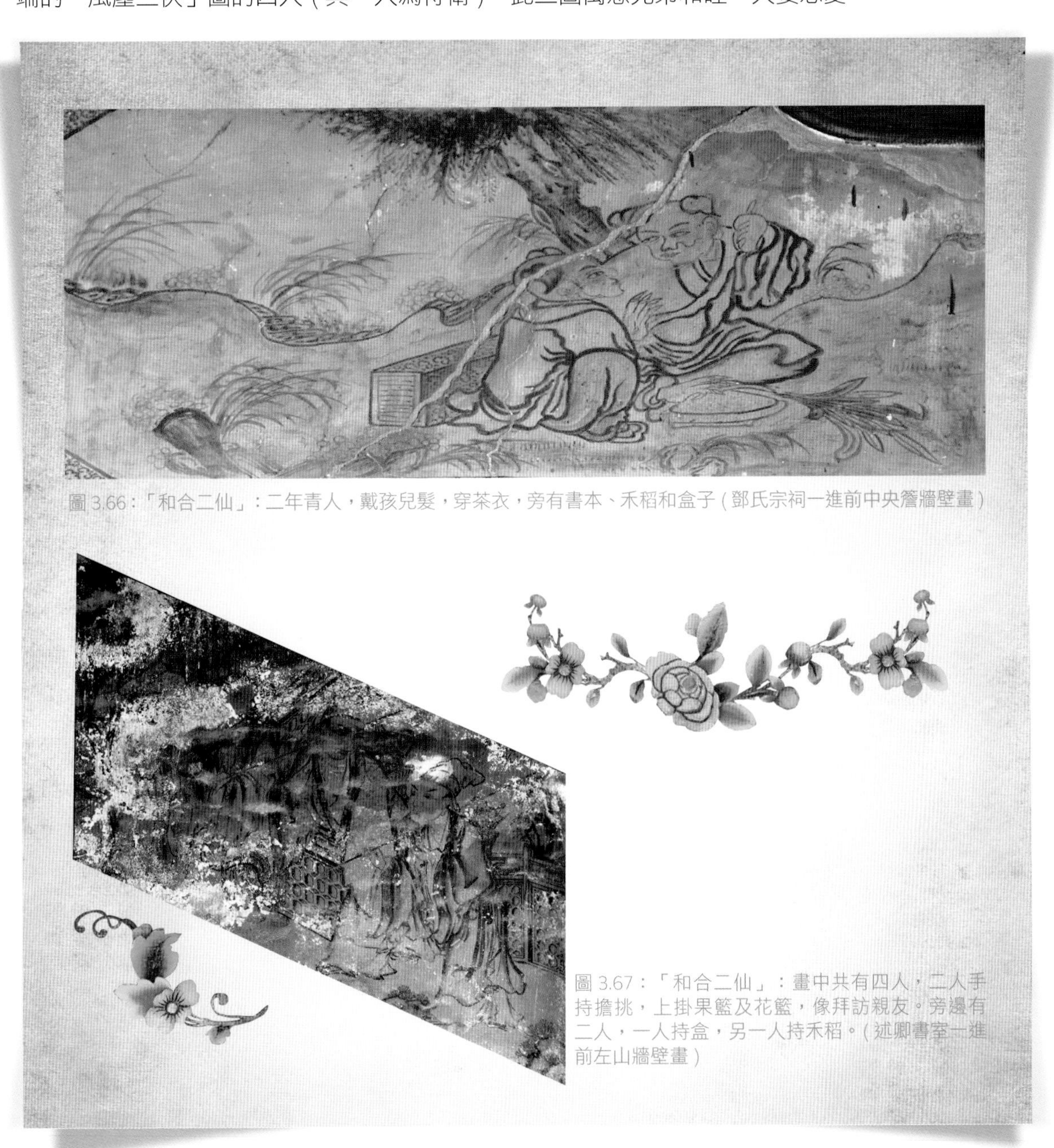

圖 3.66：「和合二仙」：二年青人，戴孩兒髮，穿茶衣，旁有書本、禾稻和盒子 (鄧氏宗祠一進前中央簷牆壁畫)

圖 3.67：「和合二仙」：畫中共有四人，二人手持擔挑，上掛果籃及花籃，像拜訪親友。旁邊有二人，一人持盒，另一人持禾稻。(述卿書室一進前左山牆壁畫)

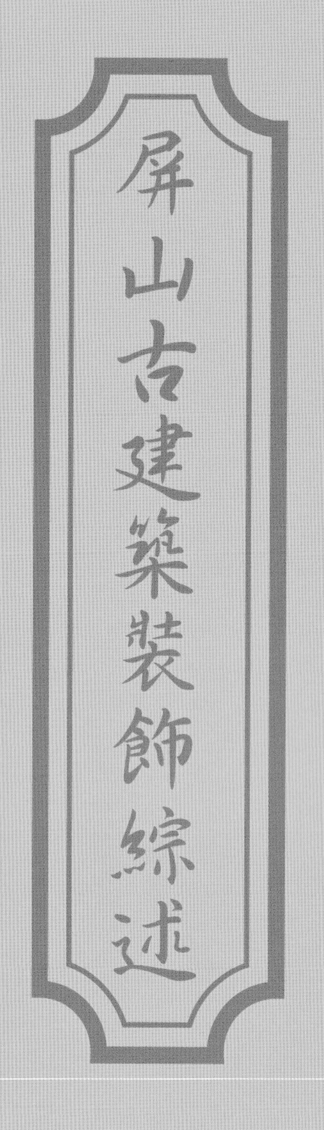
屏山古建築裝飾綜述

五所建築構件的裝飾比較

屏山古建築的裝飾種類繁多，有圓雕、浮雕和繪畫等。它們大多分佈在屋頂、大門前和屋樑等位置。圓雕有石雕和陶塑兩類不同材質的裝飾構件，如柱礎和看樑獅子是石雕；簷角獅子和屋脊上的鰲魚等多為陶塑。浮雕類裝飾則包括在山牆、女兒牆、墀頭和屋脊上的灰塑，大門上的石刻匾額和門框的線腳，與及在樑架上和門扇上的各種木刻浮雕和透刻等。平面裝飾主要是繪畫，包括壁畫和門神彩畫，主要集中在大門前。此外，一些金屬構件，如門鈸，也具裝飾作用，令人目不暇給。

比較各個不同位置的裝飾，當中以位於大門前的最為講究，除了壁畫、門神，還有封簷板、門鈸、門簪、門枕石、門線腳、匾額等，都是最見巧思和精工的。至於屋頂上的裝飾，包括正脊、垂脊及正脊墊點更具特色，是廣東建築文化的標誌。由於鄧氏宗祠和愈喬二公祠屬於大型建築，觀者可從門外看到建築物內外的樑架結構和木雕工藝。樑枋的正面、底部、樑頭、駝峰等木雕均造工精美，題材別具一格。覲廷書室和清暑軒內的隔扇門、花罩、橫披等，一一展現古人卓越的工藝成就和古代民間的藝術文化素養。

色彩

屏山五所古建築的用色都嚴守朝廷的規範：屋頂上的瓦當，採用綠色或藍色，沒有使用黃色（黃色象徵土，為帝王專用）。屋脊灰塑均以黑色為底色，卷草紋為白色，博古紋用紅色，花鳥走獸敷上彩色。門、柱全不用紅色，門作深棕色，石柱保留原材料的灰色。樑架主要採用棕、黑、紅等顏色：鄧氏宗祠的是棕色，愈喬二公祠的為黑色，述卿書室的用棕、紅及黑三色，覲廷書室的是棕色，清暑軒的是棕色和黑色。各建築的主樑均為紅色，駝峰、封簷板、隔扇門雕刻則全部髹上彩漆。

階級

中國傳統社會一向重視等級關係，建築當不例外。屏山五所古建築的大小、高度、進深等，都與興建者的階級地位有關。鄧氏宗祠和愈喬二公祠皆為三進，屬前簷廊式建築，兩側有鼓台，地位較只有二進和採用凹斗（壽）式建築結構的覲廷書室高。二所祠堂在一進後均設有紅砂岩（紅粉石）甬道，為一般祠堂所無，顯示地位顯赫。鄧氏宗祠是一所地方宗族建築，等級較屬於支祠的愈喬二公祠高，而且是五所古建築中最高的一所。此外，鄧氏宗祠一進大門下有台階三級，愈喬二公祠有二級，覲廷書室一級，反映三者地位的差別。上述三所建築的二進皆有台階五級，二祠堂的三進則有七級，顯示進深與建築單元的階級高低分配。祖先的神龕（「寢室」）安放在三進中央，凸顯對先祖的尊崇。台階側的垂帶有兩款，二祠堂的為簡單長方形，有二弧角，二書室和清暑軒的是祥雲形，前端有鼓形，覲廷書室的鼓形側有金錢紋，述卿書室的鼓形側還有整齊排列的鼓釘。

圖 4.1a.b：鄧氏宗祠二進台階和垂帶：五級台階和垂帶，垂帶為方形，有二弧角

圖 4.2：鄧氏宗祠三進台階和垂帶：七級台階（沒有垂帶）

圖 4.3a.b：覲廷書室二進台階和垂帶：五級台階和垂帶，垂帶上有祥雲、鼓形上飾金錢紋

圖 4.4：清暑軒的台階和垂帶：五級台階，每級的高度不同，垂帶上有祥雲及鼓形裝飾

圖 4.5：述卿書室的垂帶：台階已被填平，垂帶上有祥雲及鼓形裝飾，鼓形上見鼓釘

梁頭、朝階和挑簷石

二所祠堂均為前簷廊式的大型建築，簷廊上露出抬樑式的樑架，斗栱層層疊疊；一進前樑的出挑處（即樑頭）雕刻了龍頭造像；二進前的樑頭為草龍，其他位置的樑頭多為卷草或如意祥雲造型。龍首正面朝外，似在門前迎迓嘉賓，令建築增添豪華貴氣。述卿書室一進前的樑頭以石材製成，稱為「朝階」，是廣東建築常見的構件。這裏的朝階特別宏大，而且以兩組造型構成，上層為石獅子，下層為童子，左右朝階的童子都手持卷軸，上書「三田和合」和「招財進寶」，以二組構件為朝階的形式頗為罕見。覲廷書室的一進為凹斗（壽）式，大門前沒有設置斗栱和樑頭，但在封簷板後，中央兩側的隔斷牆前，露出雕成鰲魚形的挑簷石，以挑簷石承托屋簷和鰲魚形的挑簷石，都是香港少見的例子。

圖 4.6a-d：樑頭、朝階和挑簷石

回顧草龍（頭向內）（鄧氏宗祠一進前中央右樑頭）

回顧龍頭形（頭向內）（愈喬二公祠一進前中央左樑頭）

回顧草龍（頭向內）（鄧氏宗祠二進前中央左樑頭）

草龍（頭向前）（愈喬二公祠二進前中央右樑頭）

圖 4.6e-h：樑頭、朝階和挑簷石

上層：獅子
下層：童僕，持「三田和合」卷軸
（述卿書室一進前朝階）

上層：獅子
下層：童僕，持「招財進寶」卷軸
（述卿書室一進前朝階）

鰲魚
（覲廷書室一進前右隔斷牆挑簷石）

卷草
（覲廷書室一進前右山牆挑簷石）

柱和柱礎

關於柱和柱礎，二所祠堂的簷柱和角柱都呈八角柱形；柱礎則分數層，款式有二層八角柱體、八角花瓶、二層八角覆蓮和蓮花座等，都是上小下大，粗厚穩重的造型。金柱全為圓柱，柱礎為圓柱體或上層圓柱下層八角形柱體。

述卿書室、覲廷書室和清暑軒都是清代的建築，它們的柱和柱礎造型與二所祠堂有着明顯差異。簷柱均為方形或表面有凹層的方形柱，柱礎凹凸距離差異甚大，束腰，外觀纖巧輕盈。覲廷書室的款式有上下纖細的方形層疊，鼓腹；中央八角瓶形，方底座。述卿書室的有四方瓶形，方底座，下層蝙蝠形；和有多度直凹槽的花瓶形，廣州陳氏書院也有相同的款式。所有古建築的金柱皆為圓形柱，金柱的柱礎有以上下圓形柱，中央圓柱、圓鼓或圓瓶形，下層為八角和方形底座的組合；也有上下圓形，中層圓花瓣形和方底座的組合。

圖 4.7a-h：鄧氏宗祠及愈喬二公祠的柱和柱礎款式

柱：八角
柱礎：二層八角、方形底座（鄧氏宗祠一進前左簷柱（二層八角））

柱：八角
柱礎：蓮花座、下八角、方形底座（鄧氏宗祠一進前左角柱）

柱：八角
柱礎：二層八角覆蓮、下八角、方形底座（愈喬二公祠二進前右簷柱及柱礎）

柱：八角
柱礎：八角瓶形、下八角、方形底座（愈喬二公祠一進前左角柱及柱礎）

柱：圓柱
柱礎：凸圓柱、凹圓柱、凸圓柱、下八角、方形底座（鄧氏宗祠二進前右金柱柱礎）

柱：圓柱
柱礎：圓柱、圓鼓、圓柱、下八角、方形底座（愈喬二公祠二進後左金柱及柱礎）

柱：八角
柱礎：多層束腰八角、下八角、方形底座（愈喬二公祠二進後右簷柱及柱礎）

柱：八角
柱礎：凸八角柱、束頂八角、方形底座（愈喬二公祠三進前右簷柱及柱礎）

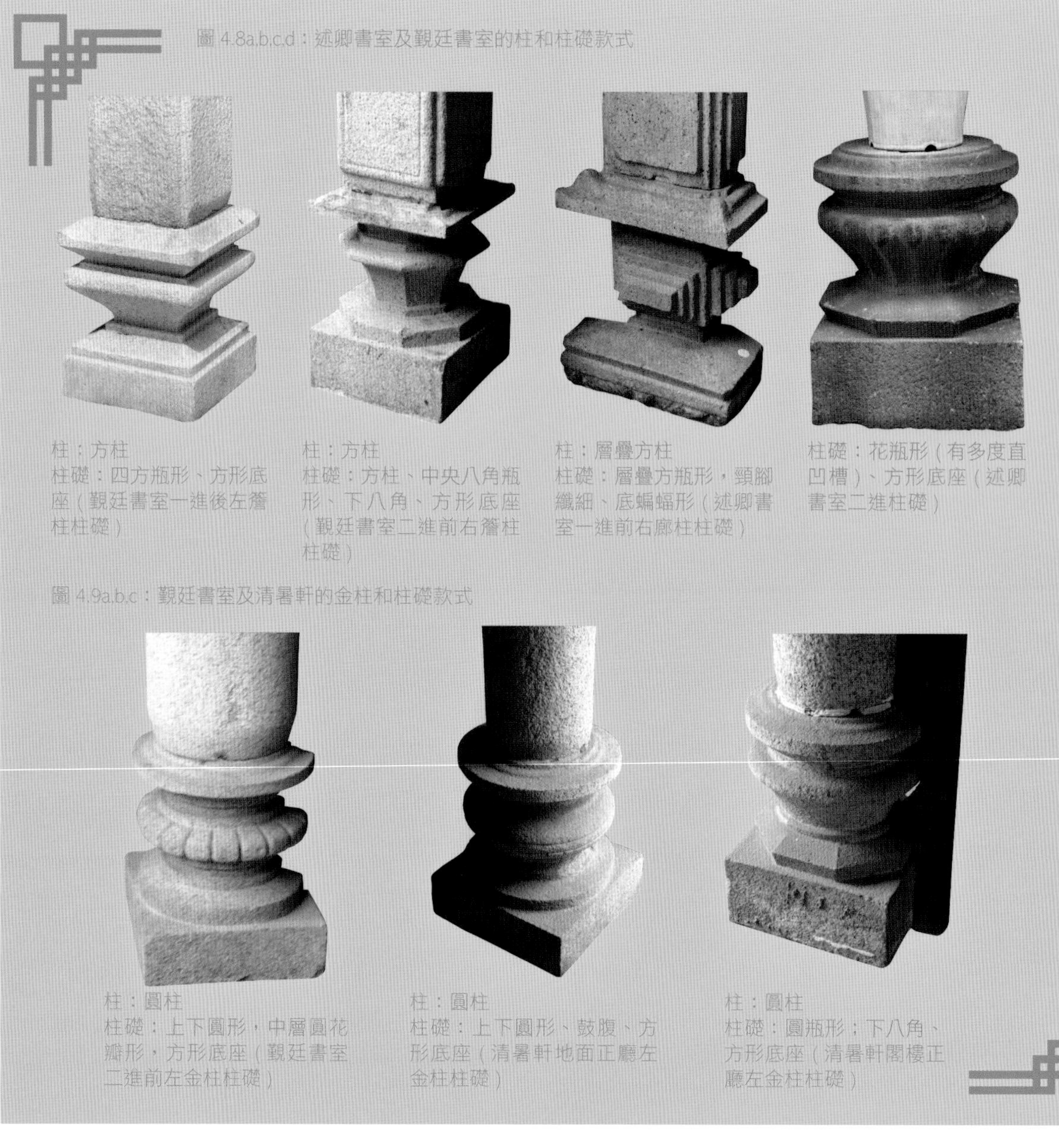

圖 4.8a,b,c,d：述卿書室及覲廷書室的柱和柱礎款式

柱：方柱
柱礎：四方瓶形、方形底座（覲廷書室一進後左簷柱柱礎）

柱：方柱
柱礎：方柱、中央八角瓶形、下八角、方形底座（覲廷書室二進前右簷柱柱礎）

柱：層疊方柱
柱礎：層疊方瓶形，頸腳纖細、底蝙蝠形（述卿書室一進前右廊柱柱礎）

柱礎：花瓶形（有多度直凹槽）、方形底座（述卿書室二進柱礎）

圖 4.9a,b,c：覲廷書室及清暑軒的金柱和柱礎款式

柱：圓柱
柱礎：上下圓形，中層圓花瓣形，方形底座（覲廷書室二進前左金柱柱礎）

柱：圓柱
柱礎：上下圓形、鼓腹、方形底座（清暑軒地面正廳左金柱柱礎）

柱：圓柱
柱礎：圓瓶形；下八角、方形底座（清暑軒閣樓正廳左金柱柱礎）

墀頭

愈喬二公祠一進前的墀頭飾有數行連續的葉紋（一說為反花、一說為貝葉，尚待考證），這一款灰塑花紋常見於華南建築，如香港廣愈鄧公祠兩側牆頭灰塑。鄧氏宗祠一進前的墀頭飾有「麟吐玉書」灰塑，畫面上有麒麟、石上置有繫繩的書本，這一款式的墀頭在香港十分普遍。一般墀頭只佔墀頭角柱近屋頂的小面積，述卿書室一進前的墀頭雕刻卻覆蓋大部分墀頭角柱，一邊角柱飾有鳳凰和牡丹花，另一邊飾有龍、魚化龍和牡丹花，象徵「龍鳳呈祥」和一朝顯貴的「鯉躍龍門」，是香港少有的例子。

圖 4.10a：墀頭

墀頭（愈喬二公祠一進前左墀頭灰塑）

圖 4.10b,c,d：墀頭

麟吐玉書（鄧氏宗祠一進前右墀頭灰塑）

鳳凰、牡丹花（述卿書室一進前右墀頭角柱）

龍、魚化龍、牡丹花（述卿書室一進前左墀頭角柱）

外牆灰塑

二所祠堂的外牆和山牆的博縫都以卷草（蔓帶）灰塑作裝飾。其他古建築外牆的灰塑裝飾較複雜，除了在博縫，山牆的山尖位置也有裝飾，稱為「山花」。覲廷書室二進的倒轉蝙蝠與吉祥物組合的款式較為常見，述卿書室的博古與古瓶組合的山花款式較為少見。在各建築中，以清暑軒擁有最多灰塑，這些灰塑除了民間吉祥圖案裝飾，還加上題字，使民間藝術滲透古典文學之美，提升了藝術的意境。有關個別灰塑的特色，將在各建築的專頁中介紹。

圖 4.11a,b：卷草外牆灰塑

（鄧氏宗祠三進右山牆博縫灰塑）

（愈喬二公祠二進山牆及二三進間側牆西灰塑）

屋頂

福建古建築動感澎湃，意態撩人，而且色彩斑斕，繁花似錦。屏山古建築卻溫文爾雅，平實中見風韻，耐人尋味。這一印象，主要來自二者屋脊裝飾的差異。屏山五所古建築的正脊分為兩款：二所祠堂和述卿書室均採用翹角形正脊，亦稱船形正脊，多為宗祠及住宅所採用。翹角形正脊的兩端翹起，末梢塑成卷浪或卷草形，屏山的二所祠堂採用卷浪形，述卿書室用簡單錐形。正脊表面分段塑上灰塑裝飾，中央的一段最長，是整個屋脊的焦點所在，兩側裝飾的面積、序列及塑造物的數量均作對稱安排，而且題材互相關連。每段以花紋、外框或鏤空造型來分隔。翹角形正脊兩端多塑白色的卷草（蔓帶）紋，象徵子孫世代綿長；其他塑像使用彩色，配合整脊的黑底色，令裝飾效果清晰易見。

正脊墊點

正脊末端以外至山牆間的空間另塑獨立的灰塑裝飾，成為正脊墊點，對正脊起畫龍點睛作用。一般前後墊點的題材和造型相同，如鄧氏宗祠各進的墊點分別採用博古如意、石榴和蝙蝠等簡單圖像；述卿書室的墊點以博古、佛手柑、花、瓶、桃、鹿、三腳蟾蜍、蝙蝠等較複雜的組合作為裝飾；愈喬二公祠的墊點造型及題材則前後迥異，在同一輪廓線下的墊點各進前後的組合分別是一幅卷軸、蝙蝠配另一面的石榴墊點、佛手柑配桃、博古配花瓶、鰲魚等，饒富趣味。

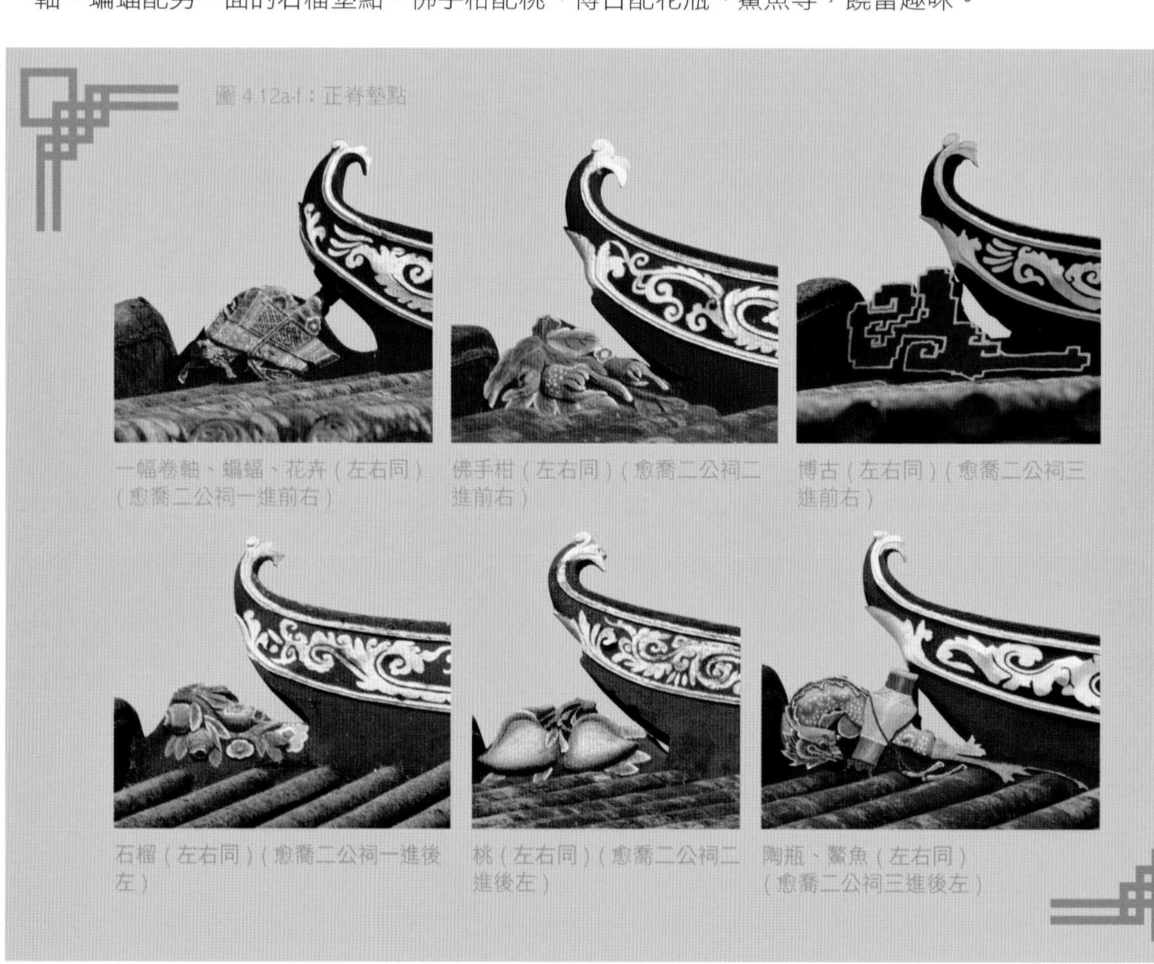

圖 4.12a-f：正脊墊點

一幅卷軸、蝙蝠、花卉（左右同）（愈喬二公祠一進前右）

佛手柑（左右同）（愈喬二公祠二進前右）

博古（左右同）（愈喬二公祠三進前右）

石榴（左右同）（愈喬二公祠一進後左）

桃（左右同）（愈喬二公祠二進後左）

陶瓶、鰲魚（左右同）（愈喬二公祠三進後左）

圖 4.12g-k：正脊墊點

博古（左右前後同）（鄧氏宗祠一進前右）

石榴（左右前後同）（鄧氏宗祠二進前右）

蝙蝠（左右前後同）（鄧氏宗祠三進前右）

博古、佛手柑、花、瓶、桃、鹿、三腳蟾蜍、蝠（左右前後同）（述卿書室右正脊墊點）

紅色祥雲（述卿書室一進前右垂脊墊點）

鰲魚

如前述，二所祠堂正脊上的鰲魚應是 1980 年代以後加設的。現在的鰲魚有兩款，鄧氏宗祠鰲魚的魚尾以兩面泥塊貼成，後面以一橫條連接，愈喬二公祠二進的鰲魚造型相同，應為較早期的款式。愈喬二公祠的第一進和第三進的鰲魚已改為四瓣圍攏的魚尾，從後方觀察時，魚體更覺完整，屬後期款式。鰲魚的頭像龍，有角，頭在下方，尾向上翹。述卿書室的正脊沒有加設鰲魚。

圖 4.13a,b,c,d：正脊上的鰲魚

兩面魚尾（鄧氏宗祠三進前）

兩面魚尾（鄧氏宗祠一進前）

兩面魚尾（愈喬二公祠二進後）

四瓣魚尾（愈喬二公祠一進前）

簷角獅子

二所祠堂的翹角形垂脊前，即簷角位置都設有一隻陶製的獅子。鄧氏宗祠簷角獅子都是綠色，頭上都長有一角（是石灣陶獅的特色），大耳、獸爪，張口，口含綵帶，頭向中央，一腳踏球或小獅。愈喬二公祠簷角獅子有綠色的和藍色的，口含的綵帶繫花卉裝飾， 部分還有土黃色的方底座，應是不同時期的產物。

圖 4.14a,b：簷角獅子

綠色獅子（底座非陶製）
（鄧氏宗祠一進前右）

藍色獅子（陶製底座）
（愈喬二公祠一進前右）

覲廷書室與清暑軒採用另一款平直正脊，正脊兩端飾鏤空的紅色博古紋，博古紋間隙中藏有瓜、果、鳥和蝙蝠。垂脊前端同樣飾以紅色的博古紋或博古龍紋。正脊上沒有鰲魚，兩側沒有墊點，垂脊前簷角也沒有獅子。

瓦當和滴水

二所祠堂和述卿書室的瓦當和滴水多是綠色並飾牡丹花浮雕圖案（覲廷書室和清暑軒的瓦當為藍色，述卿書室、覲廷書室和清暑軒卻沒有滴水），此外，在鄧氏宗祠還有蝙蝠和壽字構成「福壽雙全」瓦當，覲廷書室的方形「福到」瓦當（上有倒轉蝙蝠，中央方框內書「富」/「福」字），清暑軒的「金玉滿堂」瓦當，相信是不同時期的產物。

圖 4.15a,b,c,d,e：瓦當和滴水

瓦當：中央：壽字；上下：蝙蝠；外圈：回紋
滴水：中央：壽字；左右：蝙蝠；下：如意
（鄧氏宗祠一進前瓦當及滴水。一、二進前後同；二進前與綠色牡丹花間隔排列）

瓦當：綠色牡丹花
滴水：綠色牡丹花
（愈喬二公祠三進瓦當及滴水。一、二、三進前後同；鄧氏宗祠二進後、三進前後同；述卿書室一進前瓦當同，沒有滴水）

藍色，方形凹角，上有倒轉蝙蝠，中央方框內書「富」/「福」字（覲廷書室一進前瓦當。一進前後同；清暑軒迴廊門有 2 個）

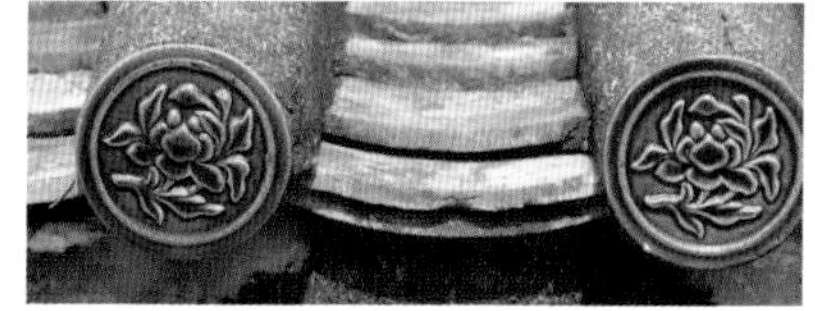

藍色牡丹花
（覲廷書室二進後瓦當。二進前後同；（清暑軒一進前後、地面門廳、閣樓同）

中央「金玉滿堂」、回紋邊飾（瓦當沒有釉，沒有滴水）（清暑軒地面廚房瓦當）

大門前的裝飾

匾額

鄧氏宗祠的匾額為金漆木板，匾上題字用陰刻（即文字凹陷）；愈喬二公祠、述卿書室和覲廷書室的匾額卻用石製，建築名稱的題字用陽刻（即文字凸出）製成，其他題字則為陰刻。全部題字均髹上金漆或紅漆，部分有題字者的姓名和印章；有些刻有興建或重修的年月資料，是珍貴的歷史紀錄。從愈喬二公祠的重修時間紀錄「光緒元黓敦牂葭月」，從皇帝年號及對太歲天干地支和月的稱謂（天干在「壬」稱為「元黓」[1]，地支在「午」曰「敦牂」[2]，「葭」即初生的蘆葦，指十一月），讓今人窺見古人對曆法的觀念和以自然界事物作引喻的風俗習慣。

圖 4.16a.b.c.d.：匾額

木製，黑底，金漆凹字（陰刻）；題字：「鄧氏宗祠」、「曾景充題」；紅印章（陰刻）、紅漆雷紋花邊（陰刻）（鄧氏宗祠一進前）

石製，原色，紅漆凸字（陽刻）；題字：「愈喬二公祠」、「光緒元黓敦牂葭月重修」。四周沒有裝飾（愈喬二公祠一進前）

石製，原色，金漆凸字（陽刻）；題字：「述卿書室」；陰刻「黃敬佑書」、印章、「同治甲戌仲冬之月」，框邊中央刻有「福祿壽」三字。有卷草紋邊飾（陽刻）（述卿書室一進前）

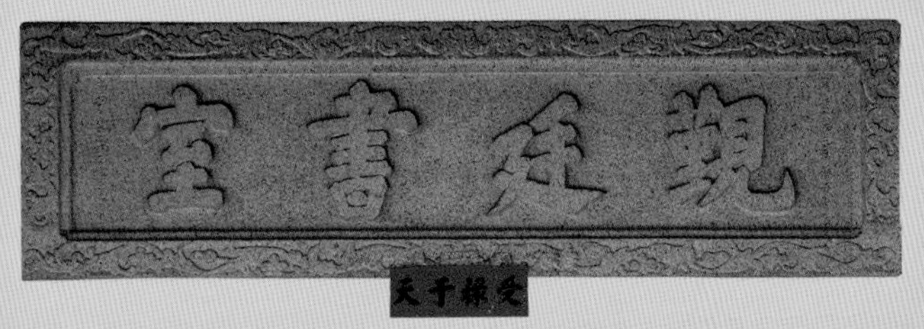

石製，原色，沒有髹漆，凸字（陽刻）；題字：「覲廷書室」；兩側有陰刻文字（不清晰）。四周邊飾為卷草紋（陽刻）（覲廷書室一進前）

除了建築名稱，建築內還懸掛了親友送贈的木製匾額，如鄧族元英祖之後人鄧蓉鏡，便分別送了兩塊刻有相同題字的匾額予二所祠堂，由於鄧蓉鏡在同治十年考獲科舉進士「第二甲」，而且被選作「翰林院庶吉士」[3]，因此，匾額放在二進中央二門之上的顯著位置，以示光耀門楣。「崇德堂」是鄧氏族人管理覲廷書室等祖業的機構，其紅色匾額像店舖的金漆招牌那樣，橫放於二進中央的額枋上。

圖 4.17a,b,c：匾額

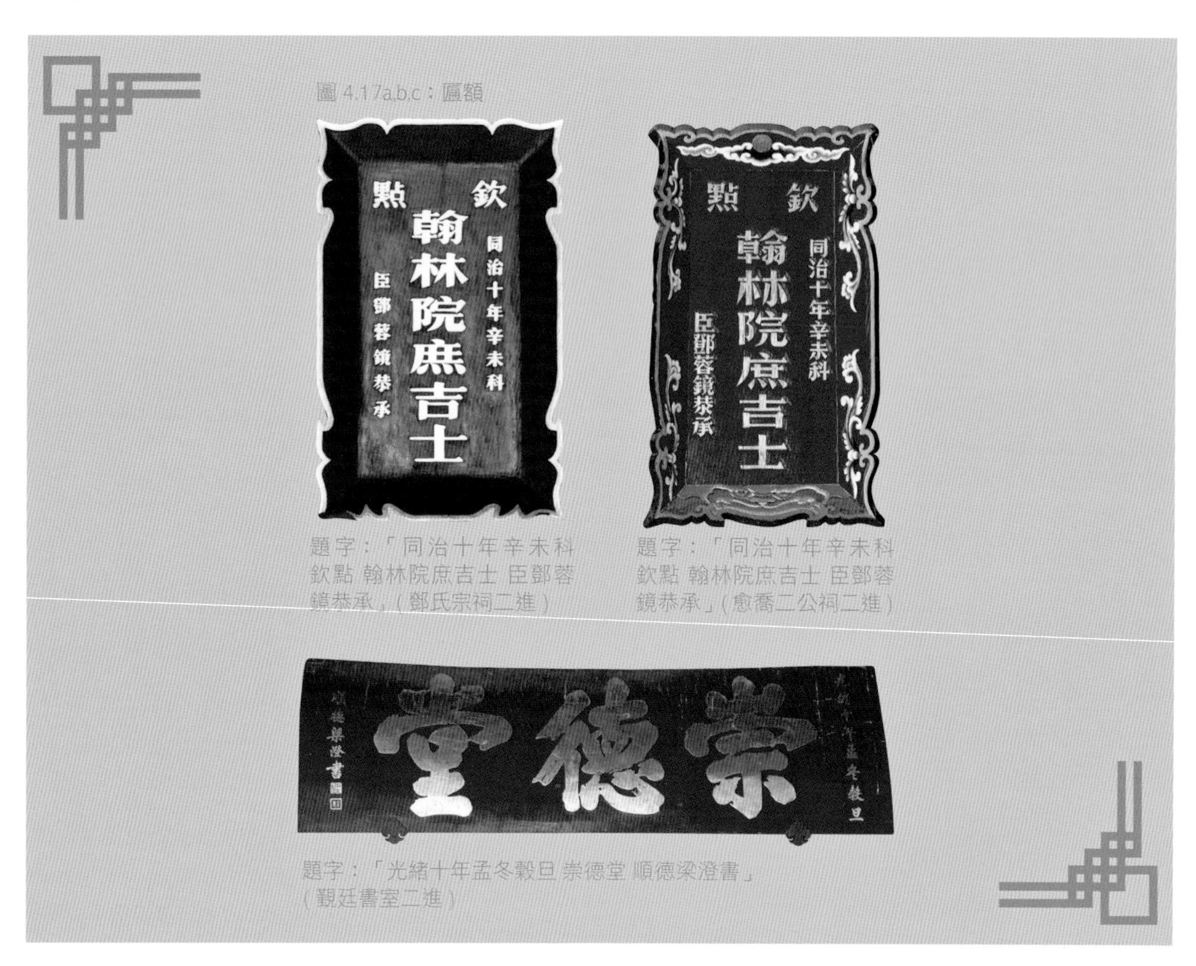

題字：「同治十年辛未科 欽點 翰林院庶吉士 臣鄧蓉鏡恭承」（鄧氏宗祠二進）

題字：「同治十年辛未科 欽點 翰林院庶吉士 臣鄧蓉鏡恭承」（愈喬二公祠二進）

題字：「光緒十年孟冬穀旦 崇德堂 順德梁澄書」（覲廷書室二進）

門簪

二祠堂的門楣上有二條凸出門框的木方，切面上刻有文字，儼如兩顆金漆方印，這構件稱為「門簪」，又稱「門印」。雖是小巧裝飾，卻令建築增添不少文化趣味。鄧氏宗祠的「門簪」分別書上「福、壽」二字，愈喬二公祠的左右則全是「福」字，其他三所古建築卻沒有這構件。

圖 4.18a,b,c,d：門簪

方形凹角，金漆陽刻「壽」（右）、「福」（左），棕底色，全字以夔龍作筆劃構成。（鄧氏宗祠一進前）

門簪背面

方形凹角，金漆陽刻「福」字，左右同，綠底色（愈喬二公祠一進前）

線腳

其他容易忽略的小節，還有石刻轉角的修飾，如鼓台和門柱線腳。門柱線腳裝飾造型有圓柱加柱礎形、尖角如意形和獸面形；鼓台線腳有圓柱形和竹節等。

圖 4.19a,b,c,d,e：轉角線腳的位置及造型

轉角：圓柱形；平面：凸長方塊，弧形凹角（鄧氏宗祠右鼓台線腳）

轉角：竹節；平面：凸長方塊，弧形凹角（愈喬二公祠右鼓台線腳）

有雙眼、鼻子，張口，只見上顎的牙齒，雙耳，耳後見鬃毛的獸面形。（述卿書室一進前左門柱線腳）

圓柱及柱礎形（覲廷書室一進前門柱石線腳）

尖角如意形（覲廷書室廂房門柱石線腳）

門枕石

門枕石是用來支撐大門的門扇。二所祠堂都置有大型的長方形門枕石。這二組門枕石均表面平滑，沒有裝飾。述卿書室的門枕石則裝飾繁密，大長方形分三層凹入，轉角線腳為竹形，前面為官扇形，側面方框內有圓形果實，包括荔枝和桃子等。覲廷書室和清暑軒的門枕石為如意形，是一般古代宅第常用的款式。

圖 4.20a,b,c：門枕石

方柱體（鄧氏宗祠一進前右）

方形，分三層凹入，轉角線腳為竹形，前面為官扇形，側面方框內有荔枝和桃子等。（述卿書室一進前左）

如意形（覲廷書室一進後正門左）

門檻、伏兔和連楹榫眼

二所祠堂都沒有門檻，但門框左右下方有榫口可以讓木栓杆插入，以阻隔牲畜進入祠堂。在覲廷書室和清暑軒的門內地上有方形的凹槽，稱為「伏兔」，門楣上有圓形的「連楹榫眼」，以便在關門後裝置直栓杆，加強防衛。

圖 4.21a,b：連楹榫眼、伏兔

門框、連楹榫眼（圓形）（覲廷書室一進後）

門檻、伏兔（方形）（覲廷書室一進後）

門鈸

五所古建築的門鈸有兩款，其一為愈喬二公祠的八瓣蓮花形，中央有「囍」字；另一款是獸頭形，額上有一角，閉口含環，底部為六瓣蓮花形。述卿書室的在花瓣上有六顆釘子，覲廷書室的有三顆釘子。這獸頭應為傳說龍生九子之一的「椒圖」。椒圖形似螺蚌，性好閉，故立於門作鋪首（明朝人穫的《堅瓠集》及胡承之的《珍珠船》，轉引自，野崎誠近，1927/2000，408)。清暑軒及鄧氏宗祠的大門均沒有門鈸。

圖 4.22a.b.c：門鈸

八瓣蓮花，多層，中央有「囍」字）（愈喬二公祠一進前門鈸）

椒圖：獸頭，額上有一角，閉口含環，底部為六瓣蓮花形，花瓣上有六顆釘子。（述卿書室一進前門鈸）

椒圖：獸頭，額上有一角，閉口含環，底部為六瓣蓮花形，花瓣上有三顆釘子。（覲廷書室一進前門鈸）

漏窗、直欞窗和欄杆

五所建築的漏窗以「如意海棠」最多，這款漏窗為方形，四角以如意紋構成，中央為海棠花；次為「福到眼前」，四角為蝙蝠，中央作金錢形；也有以如意形連成井字形圖案的「年年如意」或以磚砌成十字空間。用陶竹筒砌成的窗稱為直欞窗，由於在這裏的窗是封閉的，所以又稱「盲窗」。同樣的方形漏窗（鏤空陶磚）也有作欄杆用途，款式有「萬事如意」（中央八角形框內鑲萬字紋、四角如意）和「長壽如意」（中央菊花、四角如意），也有以陶瓶形砌成的。所有陶製的單元大多是綠色的，只有鄧氏宗祠（新製）和覲廷書室的漏窗為藍色。

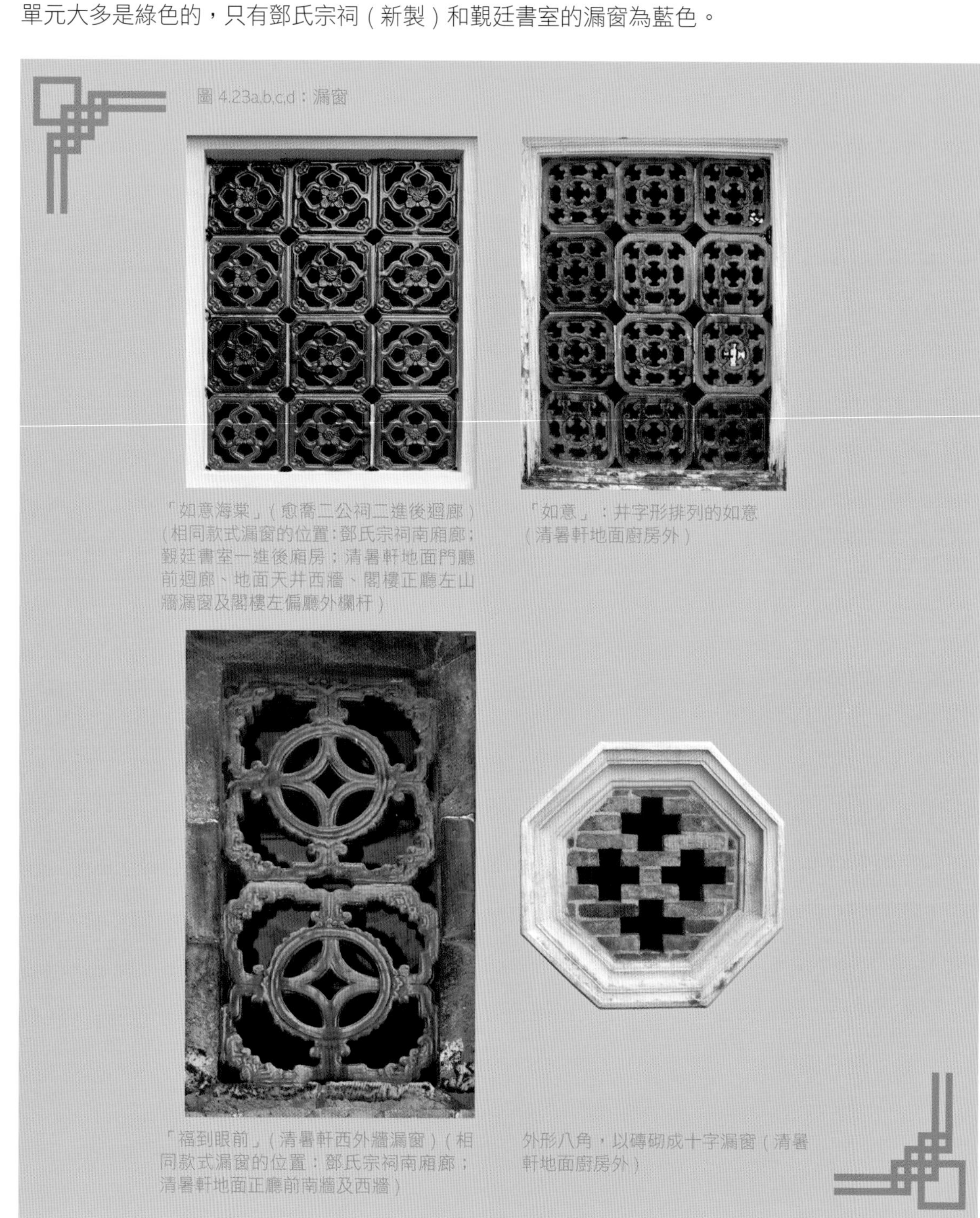

圖 4.23a,b,c,d：漏窗

「如意海棠」（愈喬二公祠二進後迴廊）（相同款式漏窗的位置：鄧氏宗祠南廂廊；覲廷書室一進後廂房；清暑軒地面門廳前迴廊、地面天井西牆、閣樓正廳左山牆漏窗及閣樓左偏廳外欄杆）

「如意」：井字形排列的如意（清暑軒地面廚房外）

「福到眼前」（清暑軒西外牆漏窗）（相同款式漏窗的位置：鄧氏宗祠南廂廊；清暑軒地面正廳前南牆及西牆）

外形八角，以磚砌成十字漏窗（清暑軒地面廚房外）

圖 4.24a,b,c,d：欄杆

中央菊花、四角如意（清暑軒與覲廷書室間廻廊上廊道內欄杆）

中央八角形框內鑲萬字紋、四角如意（清暑軒閣樓左偏廳外左端欄杆）

竹筒（清暑軒閣樓右廂房前欄杆）

陶瓶（清暑軒閣樓露天西迴廊內欄杆）

橫披

二祠堂的二門上都設置橫披以助通風，這些橫披皆為風車紋：鄧氏宗祠的風車紋作垂直和斜向排列，愈喬二公祠的為斜排。清暑軒閣樓右廂房門上的橫披以瓶形木條砌成。各橫披中，以覲廷書室一進後的三對中門上的橫披最為精緻，骨架以十字、博古和如意形組成，木條交界處以塊面狀的浮雕作點綴，中央飾以倒轉的蝙蝠形，上書「如意吉祥」，下有寶相花。其他位置綴以暗八仙及其他吉祥物。

圖 4.25a,b,c,d：橫披

風車紋（鄧氏宗祠二進二門上橫披）

風車紋（喬喬二公祠二進二門上橫披）

暗八仙及吉祥物（覲廷書室一進後中門上披）

瓶形（清暑軒閣樓右廂房門上的橫披）

花罩

鄧氏宗祠的隔扇式落地罩相信是在 1991 年新製的，因此與本書其他古建築的款式不同。隔扇分頂板、格心（隔心）、腰板（絛環板）及裙板四部份，頂板繪山水畫，格心刻鏤空吉祥圖案，腰板繪花鳥畫，裙板刻浮雕菱形圖案。繪畫上書「辛未年黃超畫」，是少有的具落款的裝飾物。愈喬二公祠的花罩以博古紋為骨架，裝飾題材包括桃、瓜、佛手柑、卷草和寶相花等，寓意子孫繁衍、多福、多壽。上層鏤空裝飾有柿蒂、十字和如意，寓意「事事如意」。覲廷書室的中央和兩側偏廳隔扇門上都有花罩。中央的花罩在博古架上飾有瓜、桃、桃花、葡萄、石榴、蓮花、蓮蓬、牡丹花、菊花和一幅卷軸，上書「吉祥如意」，寓意多子（即多福）、多壽、富貴和「吉祥如意」。述卿書室二進正廳及簷廊兩側的花罩已毀，已毀的花罩飾牡丹花和玉蘭花，寓意富貴和長壽。有關簷廊中央的花罩，將在述卿書室的專頁介紹。清暑軒的花罩數量特別多，地面和閣樓的正廳、偏廳和簷廊都有，共 8 個，款式也多樣。地面正廳的一款更運用了玻璃物料製作，相信是晚清的時尚，有關這些花罩將在清暑軒的專頁介紹。

圖 4.26a,b,c：花罩

鄧氏宗祠三進中央隔扇式落地罩／隔扇罩

愈喬二公祠三進花罩

覲廷書室二進花罩

壁畫

五所建築的壁畫風格各異，鄧氏宗祠的壁畫較重訓誡，內容嚴肅。壁畫繪製的年份不一，分別是甲子年和己巳年，己巳年的部分相信是1989年新製，落款有靜生（甲子年）、興仁「青道人」（己巳年）。愈喬二公祠的壁畫落款有「浮山道人」和「西軒主人」，都只是稱號，不是真實姓名。在山牆上記有「海豐鄭漢鈞」、「於癸酉初冬寫」。最近的癸酉年有1873/1933/1993，由於畫面效果頗新，相信是1993年的近作。壁畫上的題字多為唐宋詩詞，但出自晉朝王羲之作品的亦有三處，即《蘭亭集序》兩段和《旦夕帖》，顯示當時人對王羲之作品特別鍾愛。此外，也多選擇描繪漁港景色和夜景作題材，繪畫內容亦多水禽、蝦、蟹等，較鄧氏宗祠的畫題輕鬆寫意。

述卿書室的壁畫以人物居多，除了神仙題材，也著重天倫之樂，畫風古樸細膩。然而，門前與門後的壁畫風格迥然不同，畫上指出於光緒年間繪成（實際紀年文字不清晰），與匾額所紀錄的興建年份——同治十三年不同。由於翌年是光緒元年，不知壁畫是否後來加繪或經過修改。落款有「春圃」、「余芳」、「余清園」等。

覲廷書室的壁畫很多已呈剝落及褪色，但畫中的題字仍隱約可見。整座建築處處是畫，畫畫有詩，令人更易瞭解其畫意，並可藉詩文內容，推論其他建築中同類畫像的題材和寓意。壁畫的構思與製作，應是當時文人與畫工緊密合作的成果，例如各花卉側都有相關的古詩作襯托。在建築的不同方位，又繪上不同季節的花卉，讓觀者可以一面欣賞畫作，一面吟誦詩詞，體驗古人的文化素養，實在是賞心樂事。壁畫中，同為「同治九年」落款的有「翠石」、「翠石道人」和「半醉山房」等，相信是繪畫者的外號。其他沒有書寫年份的落款有「白雲道人」、「半閒子」、「羅浮懶仙」等，不知是否同期或同一人的不同稱號，又或不同畫工共同合作而成。

清暑軒的壁畫全部沒有紀年，只有一幅落款「正堂」。壁畫大多為山水作品，並加插「攜琴訪友」的內容，似標榜閒逸意趣為理想境界。除了清暑軒，四所建築的大門以上位置都有黑白的「蒼龍教子」圖，二所祠堂的蒼龍畫在門前，二所書室的蒼龍繪在門後，它們的內容已於前章介紹，在此不贅。有關畫作的詳細資料將於各建築的專頁中作介紹。

樑架

二所祠堂對於木刻結構的細節十分講究，樑末端的小小點綴，如草龍、鹿、鰲魚和卷草等，都令建築物生色不少。樑的正面和底部有豐富的雕刻，駝峰上的畫題以動物為主，間中加插人物，色彩單一。述卿書室、覲廷書室和清暑軒的建築規格都較祠堂低，樑架結構自然較簡單，樑木的正面和底部的雕刻都不多。駝峰以人物為主，內容多源自古典小説、民間戲曲和神仙傳説，不局限於嚴肅的教化題材，兼有娛樂成分和抒發情感的作用，而且色彩繽紛，令人愉悦，當然也滿載民間的盼望。

圖 4.27a,b,c,d：門額枋末端及樑托

鹿（中央額枋末端）；卷草（樑托）（愈喬二公祠一進後）

草龍（右額枋末端）：卷草（樑托）（愈喬二公祠一進前）

草龍（門額枋末端）；卷草（樑托）（鄧氏宗祠一進前）

鰲魚（主樑左末端下裝飾）（愈喬二公祠一進後）

封簷板

五所建築的封簷板裝飾內容差不多，都是透過花、鳥、蟲、魚、瑞獸、人物作福、祿、壽、財、喜的願望展示，愈喬二公祠一進前封簷板內的畫軸節錄了詩句的部分，十分耐人尋味，愈喬二公祠的其他封簷板都是如意紋，可能是過往火災中被毀的封簷板的替代品。述卿書室封簷板加插了人物題材，令該封簷板充滿活力和歷史感。覲廷書室的封簷板以暗八仙為主，手法清麗。清暑軒在各位置的封簷板風格各異，在閣樓的例子中，小小的昆蟲造像也能令整個畫面生色不少。有關各封簷板和樑架構件雕刻的特色將在以下章節中詳細介紹。

註釋：
1　「元黓」即「玄黓」，「太歲在壬曰玄黓。」《爾雅 · 釋天》
2　「敦牂歲：歲陰在午」，出自司馬遷《史記》〈天官書〉（白話史記編輯委員會主編，1985，356）
3　「庶吉士」，明、清時期的官名。據《明史》職官志翰林院條說：「庶吉士，自洪武初有六科庶吉士。十八年以進士在翰林院、承敕監等近侍者，俱稱庶吉士。永樂二年始定為翰林院庶吉士。選進士文學優等及善書者為之。三年試之，其留者，二甲授編修，三甲授檢討；不得留者，則為給事、御史，或出為州縣官。」（黎傑，1982，289-290）

屏山五所古建築裝飾的特色

本章只概括介紹這五所古建築裝飾的總體資料和相關圖片，如想瞭解整體內容細節及圖像，請參閱《香港屏山古建築裝飾圖鑑》一書

作為最高規格的宗族建築，鄧氏宗祠的規模於屏山古建築中最宏大，門楣上的門簪，像兩顆官印，標誌着它顯赫的地位。建築裝飾亦別具氣派，凸顯超然地位，建築多處以龍鳳作裝飾題材，如額枋、穿插枋、樑的底部、樑頭以及壁畫，都可見到龍鳳的圖像。古時對龍圖像的採用有嚴格規範，不是普羅百姓可以自由選用的。由於法規所限，民間的建築裝飾多以草龍或「魚化龍」等經過變異的龍形出現，在豪華的氣派中蘊含一點神秘感。鄧氏宗祠的裝飾題材變化多端，人物也不少。各構件的裝飾，以樑架上的雕刻最精彩——作品嘗試從不同角度刻畫動物，部份更以動物的腹部示人，是中國畫中少見的繪畫角度。一進前的壁畫，雖因年代久遠而褪色，但仍可見畫風純樸古雅：畫出來的花鳥魚蝦，不用重彩，水墨味濃；線描的人物，亦一派悠然自得的模樣。不過，鄧氏宗祠最大的特色，是在壁畫上題寫家訓，盡顯溫馨的家族情懷。

正脊

與香港其他祠堂一樣，在鄧氏宗祠一進前的正脊中央，可以找到常見的「鯉躍龍門」灰塑裝飾，該主題象徵理想實現，一朝顯貴，反映族人對官祿的企盼。主體裝飾一側配以獅子、飛鳥、海馬、蝙蝠的組合，暗喻從下而上的擢升階梯，即從九品官位（海馬是九品武官補子的圖案）升至二品（獅子是二品武官的補子圖案）或更高的「太師」之位；或寓意「英雄會」，即當文、武官（見第三章釋義）；同脊另一端的一組，有獅子與麒麟以繫綵帶的金錢連繫起來，即寓意「官帶傳流」，世代為官之意。其他各進的正脊均以花、鳥、壽石作中央裝飾（月季花、桃花、綬帶鳥、壽石均象徵長壽），配以瓜、蝙蝠和錢眼，即寓意「福壽雙全」。向外的裝飾以希望得官祿的題材為主，對內則以福壽為主。對族人來說，長壽和享受福樂是普遍願望，族人與外界的關係，以家族的社會地位區分，因而有此安排。正脊大多末端飾以黑底白色的灰塑卷草（蔓草），寓意子孫世代連綿不絕。第三進後的正脊末端以蕉葉作為裝飾，是少見的例子。

圖 5.1a,b：鄧氏宗祠一進前正脊

「步步高升」或「加官晉爵」：獅子、飛鳥、海馬、蝙蝠（由九品武官晉升至二品武官或太師的職位）；或「英雄會」：當文、武官

「官帶傳流」：麒麟（有角）（武一品官）、獅子（無角）（武二品官）、綵帶連錢

圖 5.2：蕉葉（以蕉葉作為正脊末端裝飾是少見的例子。象徵子孫世代綿長 / 大業 / 招來福氣）（鄧氏宗祠三進後正脊）

表九：鄧氏宗祠正脊

一進前	卷草	花紋	獅子	飛鳥	海馬	蝙蝠	花紋	**鯉躍龍門**	花紋	獅子	金錢繫繩	獅子	花紋	卷草
一進後	卷草	花紋	瓜	**杏花**	**月季花**	**壽石**	**杏花**	瓜	花紋	卷草				
二進前	卷草	錢眼	桃	錢眼	**月季花、綬帶鳥、壽石**	錢眼	佛手柑	錢眼	卷草					
二進後	卷草	錢眼	瓜	錢眼	**五蝙蝠、如意雲**	錢眼	瓜	錢眼	卷草					
三進前	卷草	月季花、綬帶鳥	**壽石**	佛手柑、花、喜鵲	卷草									
三進後	蕉葉	月季花、綬帶鳥	**壽石**	月季花、綬帶鳥	蕉葉									

封簷板

鄧氏宗祠的封簷板以福、祿、壽、喜、財、如意為主，福即多子，寓意福的自然物有蝙蝠、蝴蝶、瓜、松鼠、石榴、佛手柑、蓮花和一「幅」卷軸；寓意祿的有獅子、熊、官扇；寓意壽的有蝴蝶、博古、綬帶鳥、壽桃、壽字牌、月季花、山茶花、古書；寓意喜的有喜鵲；寓意財的有牡丹花等。卷草、寶相花象徵子孫繁衍；蕉葉是八寶之一，象徵大業或子孫繁衍；玉蘭花象徵長壽或美好子孫。不論選材、造型、排列、用色等視覺表達方式，鄧氏宗祠的封簷板都與其他香港常見的古建築裝飾風格差不多。如一進前封簷板以一幅畫軸置於中央，上書「福、壽、祿」三字，兩側有花卉和飛鳥，花鳥的姿態各異，但排列對稱。這種表達形式，是建築裝飾的一貫傳統。在建築物背面，封簷板的裝飾較簡單，題材組合也較少。

圖 5.3：福：福（「福」字、一「幅」卷軸）；祿（「祿」字）；壽（「壽」字、「壽」字牌、綬帶鳥）；財（牡丹花）（鄧氏宗祠一進前封簷板）

表十：鄧氏宗祠封簷板

一進前右	博古	書本	如意	海棠花	蝴蝶	牡丹花	三蝴蝶	二蝙蝠	蝴蝶	海棠花	**壽桃**	**祥雲**	**二獅子**	瓜	蝴蝶	牡丹花	倒轉蝴蝶	蝴蝶	瓜
一進前中	瓜	如意	花籃	牡丹花	二蝙蝠	祥雲	豆	二綬帶鳥	牡丹花	**一幅卷軸「福、壽、祿」**	牡丹花	二綬帶鳥	佛手柑	二蝙蝠	祥雲	官扇	月季花	拂塵	瓜
一進前左	牡丹花	蝴蝶	蝙蝠	蝴蝶	祥雲	喜鵲	石榴	祥雲	二獅子	**一幅卷軸**	壽字牌	海棠花	松鼠	蝴蝶	瓜	博古			
一進後	卷草	**寶相花**	卷草																

表十：鄧氏宗祠封簷板（續）

二進前右	博古	卷草	瓜	**蝙蝠**	**青雲**	**蝙蝠**	蕉葉	蝴蝶	石榴	博古													
二進前中	博古	石榴	蝴蝶	蓮花	喜鵲	熊	拐子龍	倒轉蝙蝠	瓜	芙蓉花	**倒轉蝙蝠**	祥雲	倒轉蝙蝠	牡丹花	蝴蝶	桃	蝴蝶	熊	博古龍	玉蘭花	喜鵲	瓜	博古
二進前左	佛手柑	蝴蝶	**玉蘭花**	蝴蝶	山茶花	卷草	博古																
二進後	卷草	**寶相花**	卷草																				

三進前	卷草	寶相花	瓜	熊	祥雲	**牡丹**	**綬帶鳥**	**壽石**	**牡丹**	**綬帶鳥**	祥雲	蝙蝠	石榴	寶相花	卷草

樑架

鄧氏宗祠的建築裝飾，以樑架雕刻最精彩。樑架為棕色，全部單色不敷彩，令雕刻的立體感更強、形象更清晰、效果更統一和諧，氣氛更莊嚴雅致。這裏的雕刻大多集中於樑的底部，只要參觀者進入建築時舉頭仰望，即會看到樑上處處龍翔鳳舞，百鳥朝鳳，令人目不暇給。在一進前左額枋底，三隻仙鶴就如一品官員那樣，向「鯉躍龍門」的魚龍朝奉；另一端則有杏林春燕，敬賀諸君科舉高中，得享榮華滿堂。中央額枋有鳳凰來儀，太平有象，福祿壽全（象徵意義由右至左為：長壽、鴛鴦貴子、一路連科、榮華、福）。一進前後和二進前都滿佈鳳凰的踪影，二進後和三進則有龍坐鎮。龍的款式多樣，有「雙龍戲珠」、「鯉躍龍門／魚化龍」、雲龍、草龍和拐子龍等。在二進前右額枋底鳳凰的姿態和角度最有趣：最外的一對採回望姿勢，中間一對側身面向中央，太陽兩側的一對見腹部。以俯瞰、仰視、左側、右側等不同角度來表達物象是中國藝術少有的表達方式，但在這建築中，卻有多處以這種方式表達，如二進前簷廊樑架最下一層穿插枋底部和二進中央樑架左九架樑底都有相關的例子，使人聯想到天地間運轉乾坤的法力。

圖 5.4：「雙龍戲珠」（鄧氏宗祠二進中央右樑架七架樑底部）

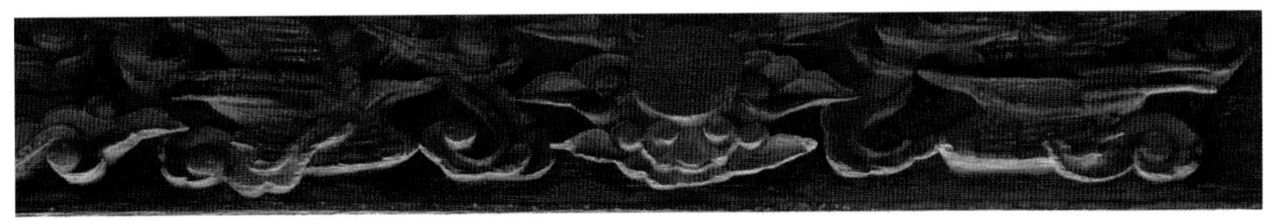

圖 5.5：「丹鳳朝陽」：太陽兩側的一對鳳凰見腹部、祥雲（鄧氏宗祠二進前右額枋底部）

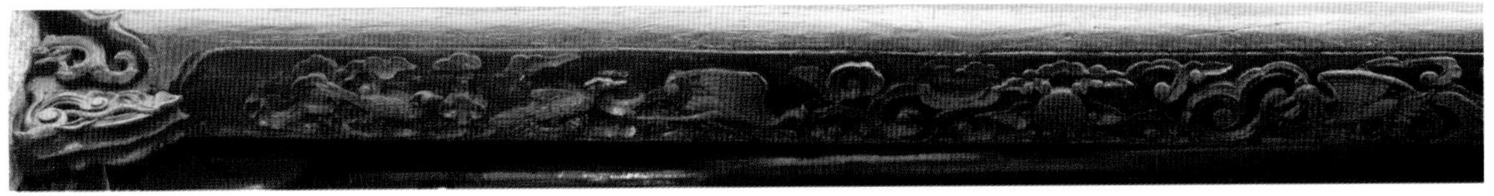

圖 5.6：「百鳥朝王」：三隻鳥朝向太陽、太陽祥雲（太陽在中央）、一隻長尾鳳凰（鄧氏宗祠二進前左額枋底部）

圖 5.7：不同角度的飛鳥及走獸：獅子（背面）、鳥（側面）、獅子（側面）、鳥（背面）、獅子（側面）（鄧氏宗祠二進前簷廊樑架最下一層穿插枋底部）

表十一：鄧氏宗祠額枋底部

一進前右	燕子	海棠	燕子	芙蓉花	長咀鳥	芙蓉花	長咀鳥								
一進前中	二綬帶鳥	月季花	鴛鴦	蓮花	蓮蓬	蘆葦	鳳凰	芙容花	太陽	芙容花	鳳凰	海棠	二仙鶴	玉蘭花	寶相花
一進前左	三仙鶴	祥雲	二鯉魚	禹門	魚化龍	行龍	祥雲								
一進後中	纏枝花卉	鳳凰	寶相花	鳳凰	纏枝花卉										
二進前右	三鳳凰	祥雲	太陽	祥雲	三鳳凰										
二進前中	草龍	梅花、喜鵲	梅花、喜鵲	草龍											
二進前左	三鳥朝向太陽	祥雲	太陽	一長尾鳳凰向太陽	一青蛙（朝外、見背部）	一青蛙（向內、側面）									
三進前中	祥雲	雙龍戲珠	祥雲												

二進前中央額枋正面的雕刻繁密，擠滿了仙道人物，有八仙賀壽、三星報喜，麻姑獻壽等。人間和天界的官員濟濟一堂：猴子、鹿、老虎和龍都來湊熱鬧，巨蟹敬賀一甲一名，狀元及第；船兒彎彎，以喻事事順境；天上的王公、王母，在額枋上的駝峰中安坐，撫慰眾生，兩側眾仙齊賀，氣派非凡。這處駝峰與額枋的題材互相配合，整體效果統一連貫。

圖 5.8a.b：鄧氏宗祠二進前中央額枋和駝峰

上層右駝峰：建築中有三人（一人坐下，可能是西王母，二人站立，可能是侍從）
下層額枋：二人物站於在屋的左右，二層屋的兩端另有建築物，內有人物探頭向外。

上層左駝峰：建築中有一有鬚人物端坐其中（可能是東王公），左右各站一官員。
下層額枋：中央建築左右有兩人物。兩側另有建築，內有人物探頭向外。

至於其他駝峰，卻多為獨立組件，並以對稱形式組合一起。第一進及部分二三進的駝峰和背面，都以簡單的卷草或如意祥雲作裝飾。二進前後樑架上的駝峰，主要寓意福祿壽。各駝峰中，又以二進前簷廊樑架下層，戴相貂的騎馬官員和戴清官帽的騎馬官員兩幅最為特別。象徵「馬上封侯」和「馬上報喜」。與此呼應的有二進樑架駝峰的二鴨和三層塔，它們象徵「二甲傳臚」和「雁塔題名」，都是對「祿」的企盼。樑架頂端承托着斜屋頂的是連續的鰲魚形「貓栱」，「貓栱」是台灣予這構件的名稱，國內稱「穿」。鰲魚形「穿」是廣東建築的獨特形式。

圖 5.9a,b,c,d：鄧氏宗祠二進樑架上的駝峰

戴相貂騎馬官員及僕人（前簷廊右樑架下層）

騎馬官員及僕人、喜鵲（前簷廊左樑架下層）

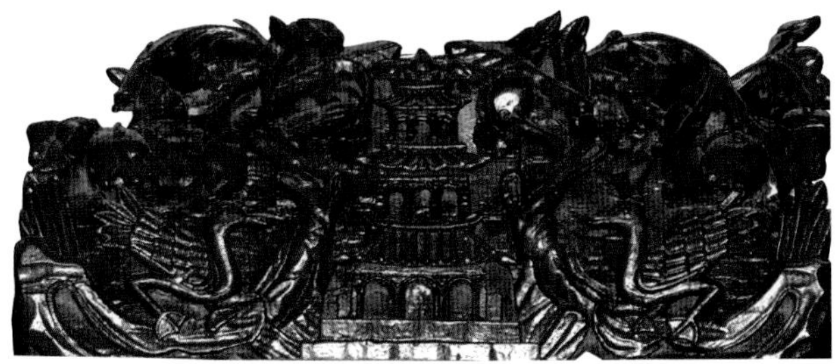

二鴨、三層塔（右樑架七架樑西）

鰲魚（右樑架頂部）

表十二：鄧氏宗祠穿插枋底部

	一進前簷廊		二進前簷廊		二進後簷廊	
	右	左	右	左	右	左
第一層	花葉	花葉	菊花	菊花		
第二層	花葉	花葉	花卉	花卉	二草龍	二草龍
第三層	花葉	花葉	二獅（回望）、鳥（中央）、花卉、樹枝、鳥	獅子（背面向內）、鳥（側面向內）、獅子（側面向內）、鳥（背面向內）、獅子（側面向外）	卷草、如意	卷草、如意
第四層	喜鵲、玉蘭花	喜鵲、玉蘭花				
第五層	二喜鵲、梅花	二喜鵲、石榴				

表十三：鄧氏宗祠二進中央樑架底部

	右	左
	(鰲魚)	(鰲魚)
三架樑	響板(曹國舅)、綵帶；仙鶴、祥雲；葫蘆(鐵拐李)、綵帶	扇(鍾離權)、綵帶；仙鶴、祥雲；錢、綵帶
五架樑	六隻對望的拐子龍	六隻對望的拐子龍
七架樑	「雙龍戲珠」	二鯉魚在中央禹門之下、左右二龍於祥雲之中
九架樑	卷草、芙蓉花、二鳳凰(見腹部)、卷草	卷草、寶相花、鳳凰(見腹部，從下向上望的角度)、卷草、寶相花、鳳凰(見腹部，從下向上望的角度)、卷草

表十四：鄧氏宗祠二進前中央額枋正面和駝峰

額枋	人物	桌子、茶壺	卷草	鳥	韓湘子	藍采和	何仙姑	張果老	猴子捧桃
右駝峰	三屋頂	(坐)西王母	(站)侍從	(站)侍從					
額枋	屋頂下有洞門	洞門內人物探頭向外	一人手持扇及拿棒狀物	二層屋頂	一人拿布狀物	屋頂下有如意門	如意門內人物探頭向外		
額枋	官員	巨蟹	官員	三人閱讀卷軸「三星報喜」	彎船載二人	彎船載三人			
左駝峰	一屋頂	(站)官員戴侯帽持牙笏	(坐)東王公	(站)官員戴相貂					
額枋	屋頂下有八角形洞門	洞門內女士探頭向外	一人持旗	二層屋頂	一人舉手	屋頂下有月門	月門內男士探頭向外		
額枋	老虎	龍	鹿	麻姑挑一籃子桃	有鬚人物	鳥	桌子、茶壺		

表十五：鄧氏宗祠駝峰

	右	中央左右	左
一進前額枋上	卷草	卷草	卷草
一進後額枋上		如意祥雲	
二進前額枋上	如意祥雲		如意祥雲

	右	左
一進後簷廊樑架上層	如意祥雲	如意祥雲
二進前簷廊樑架上層	二含綵帶獅子	二含綵帶獅子
二進前簷廊樑架下層	騎馬官員（戴相貂）、僕人	騎馬官員（戴清官帽）、僕人、喜鵲
二進後簷廊樑架上層	石榴、二喜鵲	二綬帶鳥、蓮葉、石榴
二進後簷廊樑架下層	鹿、二喜鵲	鹿、二喜鵲

	右西	右東	左西	左東
二進中央三架樑上	如意、卷草	如意、卷草	如意、卷草	如意、卷草
二進中央五架樑上	如意、卷草	如意、卷草	如意、卷草	如意、卷草
二進中央七架樑上	三層塔、二鴨	對稱的二龍、祥雲	三層塔、二鴨	二龍
二進中央九架樑上	二仙鶴、桃	一大一小龍	二仙鶴、桃	一大一小龍
三進前樑架上層	蓮葉、石榴	如意祥雲	蓮葉、石榴	如意祥雲
三進前樑架下層	瓜	鰲魚、瓜	瓜	鰲魚、瓜

壁畫

一進前簷牆上的題字，有四幅是家訓，其中兩幅是在甲子年所題。主要訓勉子孫要盡孝及兄弟間要和睦共處，達致合族的理想境界。

壁畫題字：「書云：孝乎惟孝，友于兄弟，施於有政。」[1]

壁畫題字：「故君子因睦以合族。詩云，此令兄弟綽綽有裕。」[2]

壁畫的詩句來自古籍《尚書》、《論語》、《禮記》和《詩經》等，反映古代對儒家禮教的尊崇。對於子弟行為的指引，鄧氏宗祠壁畫引用了古聖賢陳文恭和朱熹的治家格言，訓勉子孫。如應珍惜現有的福份，包括衣物和食物，而名利應由自身努力去取得；子孫應努力讀書，勤勞儉樸，和諧安順，遵循法紀，家族才可以昌盛，家業得以承傳。

壁畫題字：「惜食惜衣，非為財緣惜福。求名求利，但須求己勿［莫］求人。陳文恭公格言」

壁畫題字：「讀書，起家之本；勤儉，治家之本；和順，齊家之本；偱［循］理，保家之本。朱文公格言也。」

有關和順的願景，鄧氏宗祠以「和合二仙」和「攜琴訪友」兩幅壁畫具象地展現出來。圖中不論伯牙和鍾子期，寒山和拾得，均情同手足，儼如兄弟；朋友交往，也不忘讀書樂。

古人嚮往讀書的風氣，在「曲水流觴」壁畫中展露無遺。畫中描繪古人參與「曲水流觴」的風俗習慣。在三月上巳節，人們坐於溪水兩旁，讓杯隨流水而下，杯停到誰的面前，誰便要舉杯飲酒，一起把酒作詩 (高衛紅，2009，250)。東晉王羲之著名的《蘭亭集序》，便是在這種情況下結集而成，成為讀書文化交流的佳話。牆的另一端配以「姜太公釣魚」，姜太公最終得周文王賞識，聘任為右靈台丞相，即著名的「渭水聘賢」故事。他也享高壽，因此是祿和壽的象徵人物。「曲水流觴」和「渭水聘賢」兩畫，前者歌頌讀書樂，後者表出對官祿的企盼。此外，壁畫所展示的海中魚蝦，翻騰跳躍，生動活潑，生生不息，與建築中運轉乾坤的各靈物遙相呼應，饒富趣味。

圖 5.10a,b：鄧氏宗祠一進前中央簷牆壁畫

「和合二仙」：二年青人，戴孩兒髮，穿茶衣，旁有書本、禾稻和盒子

「攜琴訪友」：二人坐於樹蔭下，一人抱古琴，一人倚於書本旁，另有酒罈在側

圖 5.11a,b,c：鄧氏宗祠一進前中央簷牆壁畫

「曲水流觴」：二人同坐於松樹下，四周有蜿蜒的溪水。一人舉杯暢飲，旁有酒杯數隻及酒罈，一人倚於書本旁，正細讀文章。

「姜太公釣魚」：釣魚老翁，持魚杆；童僕正檢視魚簍。

二尾張口的鯉魚，一見背部，一反身；蘆葦

圖 5.11d：鄧氏宗祠一進前中央簷牆壁畫

二蝦、水草

表十六：鄧氏宗祠壁畫

一進前右山牆	一進前左山牆
花瓶、牡丹；果盆、佛手柑、瓜；如意；花貓 題字：富貴根苗圖；己巳春月青道人畫	石榴、牡丹、壽石
三喜鵲，其中一隻站在梅枝上，其餘二隻相對地飛；二公雞站在梅花樹上，一在上，一在下；菊花、竹葉 題字：時在己巳春三月摹梅道人筆法青口口畫	鳳凰、芙蓉花、壽石

一進前右簷牆		
二水鴨、蘆葦	二人同坐於松樹下，四周有蜿蜓的溪水。一人舉杯暢飲，旁有酒杯數隻及酒罈，一人倚於書本旁，正細讀文章。	二尾張口的鯉魚，一見背部，一反身；蘆葦 二蝦、水草

一進前左簷牆		
竹（二紅印章）； 二瓜（二紅印章）	釣魚老翁，持魚杆；童僕正檢視魚簍。	蘭花（水墨畫） （二紅印章）

一進前中央簷牆		
二人坐於樹蔭下，一人抱古琴，一人倚於書本旁，另有酒罈在側	水墨畫。以較抽象的手法描繪大小二龍，大龍採由上而下的姿勢，小龍朝上，有二直線連繫二龍，輔以圓點增加二者交流的氣勢。	二年青人，戴孩兒髮，穿茶衣，旁有書本、禾稻和盒子

一進後中央簷牆	一進後左右隔斷牆	二進左右山牆內	二進北牆	二進南牆	三進左右山牆	三進中央左右隔斷牆內
牡丹花、鳳凰、壽石	卷草 / 蔓帶	卷草 / 蔓帶	鷹、熊、太陽	松樹、鹿、鳥	卷草 / 蔓帶	祥雲、棒狀物（在中央）；卷草、海棠、石榴、瓜果

註釋：

1 原文出自《尚書 · 君陳篇》：「惟孝，友于兄弟，克施有政。言善父母者必友于兄弟，能施有政令。」孔子在《論語 · 為政第二》中引用。

2 原文出自《詩經 · 小雅 · 桑扈之什 · 角弓》：「子云：睦于父母之黨，可謂孝矣。故君子因睦以合族。」出自《禮記，坊記》。「詩云：此令兄弟綽綽有裕。不令兄弟交相為瘉。」

因為同屬祠堂建築，愈喬二公祠的裝飾與鄧氏宗祠的既有相同之處，也有相異的地方，例如在這裏也可以找到以不同角度表達的動物造型，不同位置的樑頭會有刻意的安排，所不同的是：這裏的駝峰人物眾多，樑架雕刻所採用的動物較多樣，壁畫上有較多題字，而且對王羲之的文章特別鍾愛，但沒有明顯的家訓內容。

正脊

愈喬二公祠大多數建築物的正脊，末端均飾以黑底白色的灰塑卷草（蔓草），寓意子孫世代連綿不絕；正脊中央都置壽石，兩側伴以花鳥或瓜果的組合，包括佛手柑、石榴、月季花、玉蘭花、牡丹花、綬帶鳥和喜鵲等，全是常見的吉祥物，象徵福、壽、財、喜，只有一進後的正脊採用蓮花、蓮葉和蓮蓬作中央裝飾。每一進的正脊左右，都有兩組鏤空的錢眼，用來分隔各組吉祥圖案，但這建築的正脊卻與別不同，特別採用山、橋和摺曲的綬帶（帶狀物）營造層次感，並以書與劍（寓意「書劍江山」）、鰲魚與陶瓶的組合作裝飾，這在香港脊飾中極為少見。參考粉嶺龍躍頭天后宮外牆的灰塑「山橋景色圖」，上有「高山尋橋過」的題字，表示在高山間往來，既耗時，又廢力，若有橋，便易於登彼岸，相信這些山橋圖是用來表達克服困難的心志，與第一進的跨過障礙物的飛魚圖像有異曲同工之妙。據族譜紀載，喬林曾受鄰居騷擾，要奏上朝廷，才得以解除大患：

「居鄰逆盛之為公患。不啻虺蛇之肆恣，公無奈論奏，討除一方，賴以安晚年。」

因而暗示要靠「書劍江山」，即文功武備俱全者，才可安身立命。「書劍江山」也可寓意希望子孫能在文武官祿方面有所發展。

另外，中國傳統藝術喜愛用自然形，如描繪帶狀物，多採曲線形，很少用上如界畫一類的直線表達手法。愈喬二公祠的正脊上卻多次採用筆直的帶狀物、方形的平台、直線形的書劍組合（二者一般分別以花卉點綴，與這裏的不同），如此種種，都與普遍的傳統建築裝飾風格大相逕庭。

至於屋脊墊點的造型更是變化多端，就算是相同的墊點外形，前後墊點的題材及造型均不同，在符合對稱的原則下，各墊點的造型和構圖仍有少許變化，如一進前的墊點是「一幅卷軸」，一進後的是「一束石榴」，在小小的空間中，以寓意「福」的吉祥物最多，「壽、祿」次之。三進前是簡單的幾何博古龍形，三進後卻是花瓶與鰲魚的組合，鰲魚曲身纏繞花瓶，層次分明，與前面的平面博古龍有粗細之別，這鰲魚與花瓶的組合，又與一進前正脊的圖像呼應，趣味盎然（見圖 4.12）。

圖 5.12a,b,c,d：愈喬二公祠正脊

錢眼、飛魚，似跨過障礙物、綬帶、錢眼（一進前）

錢眼、鰲魚、海浪、陶瓶（古物）、錢眼（一進前）

錢眼、「書劍江山」：書、寶劍、蝙蝠、錢眼（二進前）

錢眼、二高山、中央拱橋、錢眼（三進後）

表十七：愈喬二公祠正脊

一進前	卷草	錢眼	飛魚，似跨過障礙物	錢眼	月季花	佛手柑	**壽石**	石榴	月季花	錢眼	鰲魚、海浪、陶瓶	錢眼	卷草			
一進後	卷草	錢眼	花瓶及花卉（方角形帶狀物，上飾斜紋）	錢眼	**蓮花、蓮葉、蓮蓬**	錢眼	花瓶、獅子、蝙蝠、祥雲	錢眼	卷草							
二進前	卷草	錢眼	書	寶劍	蝙蝠	錢眼	牡丹	**壽石**	牡丹	錢眼	古琴	書	福字	如意	錢眼	卷草
二進後	卷草	錢眼	山、石、樹	錢眼	牡丹花	綬帶鳥	**壽石**	玉蘭花	喜鵲	錢眼	山、石、樹	錢眼	卷草			
三進前	卷草	錢眼	瓜、葉	錢眼	月季花、綬帶鳥	**壽石**	月季花、綬帶鳥	錢眼	瓜、葉	錢眼	卷草					
三進後	卷草	錢眼	二高山、中央拱橋	錢眼	花卉	**壽石**	花卉	錢眼	山、中央拱橋	錢眼	卷草					

封簷板

愈喬二公祠第一進封簷板的裝飾，內容和形式均與鄧氏宗祠的差不多，只是二者底色不同。愈喬二公祠封簷板上的花卉，枝莖較纖幼細長，彎彎的枝葉，如浪接浪地活潑跳躍於板上，並且增添了芭蕉葉、磬、蜻蜓和鯰魚等圖像，令造型及題材更豐富。封簷板的畫軸上，除了一般的吉祥語「吉祥如意」，還題上「文章……風流……千古」和「芳草地……夏……綠荷……秋飲」。前者參照《孟頫行書集字楹聯》：「文章千古事，得失寸心知」(聶文豪，2008，24)。後者與北宋汪洙的《四季》詩相關，原文：「春遊芳草地，夏賞綠荷池；秋飲黃花酒，冬吟白雪詩。」由於面積的限制，封簷板上沒有錄寫整首詩的內容，只列出部分文字，讓人思考探究，增添不少雅趣。其他各進的封簷板採用綠色、藍色或紅色如意紋作裝飾，廂房的封簷板則用迴紋作裝飾。然而，鑑於愈喬二公祠曾遭火災，不能確定它們有否在復修時重新雕製。

圖 5.13a,b：愈喬二公祠一進前封簷板

菊花、古琴、蝙蝠、一幅卷軸，上書「文章…風流…千古」、拂塵

蝴蝶、如意；一幅卷軸，上書「芳草地…夏…綠荷…秋飲」；芙蓉花、三蝴蝶

表十八：愈喬二公祠封簷板

<table>
<tr><td>一進前右</td><td>卷草</td><td>寶相花</td><td>二喜鵲</td><td>石榴</td><td>壽字牌</td><td>二蝠</td><td>祥雲</td><td>牡丹花</td><td>蝴蝶</td><td>芭蕉葉</td><td>瓜</td><td>芭蕉葉</td><td>蝴蝶</td><td>磬</td><td>山茶花</td><td>葡萄</td></tr>
<tr><td>一進前中</td><td>竹</td><td>綬帶鳥</td><td>蜻蜓</td><td>菊花</td><td>古琴</td><td>如意</td><td>一幅卷軸</td><td>拂塵</td><td>綬帶鳥</td><td>二蝴蝶</td><td>芙蓉花</td><td>一幅卷軸</td><td>牡丹花</td><td>喜鵲</td><td>二蝴蝶</td><td>如意</td><td>一幅卷軸</td><td>芙蓉花</td><td>三蝴蝶</td><td>桃花</td><td>瓜</td></tr>
<tr><td>題字</td><td>文章風流千古</td><td>吉祥如意</td><td>芳草地夏綠荷秋飲</td></tr>
<tr><td>一進前左</td><td>蝴蝶</td><td>鯰魚</td><td>山茶花</td><td>喜鵲</td><td>葡萄</td><td>松鼠</td><td>壽字牌</td><td>如意</td><td>牡丹花</td><td>佛手柑</td></tr>
</table>

一進後	二進前	二進後	三進前	二進後左右迴廊
如意紋（綠色） 白邊下紅直線	如意紋（藍色） 白邊下綠直線	如意紋（藍色） 白邊下綠直線	如意紋（紅色） 白邊下綠直線	回紋（綠色）、末端 卷草白邊下藍直線

樑架結構

愈喬二公祠的樑架為黑色，全部單色不敷彩，樑頭的結構與鄧氏宗祠的不同，穿插枋凸出柱子的部分頗長，下面有另一組斗栱承托，樑頭在斗栱結構之外而非在柱子中穿透出來，從側面看，形成兩層結構，凸出的部分用在承托多一組的樑木，使屋頂增加深度。一進前樑頭的回顧龍首形雕刻精緻細膩，二進前是向前望的草龍形樑頭，其他位置的樑頭為卷草形，顯示階級分別。

圖 5.14：愈喬二公祠一進前樑架結構

樑及額枋

與鄧氏宗祠一樣，愈喬二公祠的額枋雕刻同樣集中底部，樑架的雕刻精美，亦以龍鳳為主，造形更為生動活潑。除了一般行龍形和草龍形象，又有蜥龍游走於草叢中，令人耳目一新。

其他鳥獸也如鄧氏宗祠樑架上的造型那樣，在同一畫面中，以不同角度和姿勢展現出來。有呈正排、豎排（頭在下，尾在上）、上下倒轉的側面形象，與展現從下仰望看見腹部的情況，可能是象徵「運轉乾坤」。

愈喬二公祠的獅子造型與麒麟相似，都有獸爪（一般麒麟的足部為馬蹄形）和散尾；只是麒麟頭上長有一角，獅子沒有。雕刻的立體感強，層次分明，於第一進兩側的額枋，見鹿兒飛奔，跨過橋頭，駿馬踏在橋後追趕，前面有喜鵲相迎，能「馬上授祿」，自然「喜上眉梢」；旁邊配上活潑翻滾的獅子，暗喻時來運轉，「官帶傳流」，喜氣洋溢。能「官居一品」（一品文官的補子是鶴，一品武官是麒麟），確是值得「杏林春燕」到賀。這一對額枋雕刻，正正是古代科舉文化的寫照。部分樑底中央還有用繩結連在一起的卷草或蔓帶作裝飾，為香港祠堂常見的樑底裝飾。樑架底的雕刻題材多為卷草、龍、草龍、不同角度的飛鳥如鶴、綬帶鳥和喜鵲、梅花和寶相花等。

圖 5.15a,b：螭龍和草龍

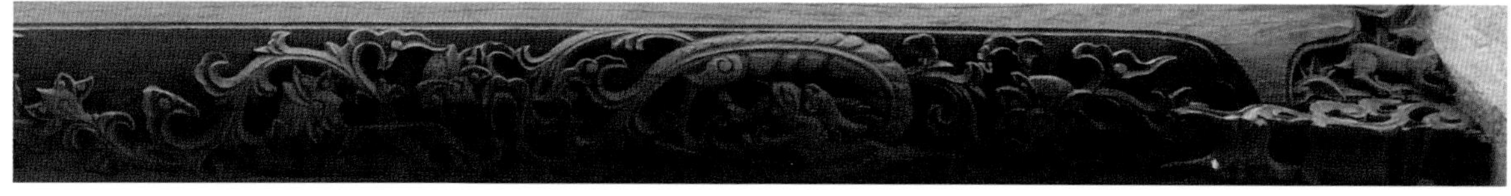

螭龍、卷草（愈喬二公祠一進後中央額枋）

草龍、卷草（愈喬二公祠二進前中央額枋）

圖 5.16：同一畫面不同角度的動物造型

麒麟（側站）、鹿（倒轉）、二鳥（倒轉）、寶相花、鳳凰（愈喬二公祠三進前中央額枋）

圖 5.17a,b：獅子和麒麟

獅子（無角，橫向，回顧）、錢（繫綵帶）、獅子（無角，身體垂直向下 / 豎排）、鹿（回顧）（愈喬二公祠一進前左額枋）

麒麟（有角）、三鶴、祥雲（愈喬二公祠一進前右額枋）

圖 5.17c

四燕子（見腹部及側面）、麒麟（有角）（愈喬二公祠一進前右額枋）

圖 5.18

「馬上授祿」：鹿、橋、馬、二喜鵲、梅花（愈喬二公祠一進前左額枋）

圖 5.19

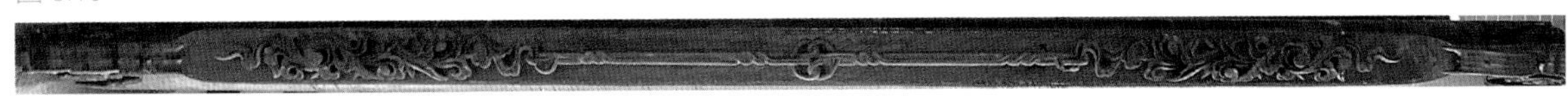

卷草 / 蔓帶相連：卷草 / 蔓帶，中央以繩結連繫在一起（愈喬二公祠三進前右額枋）

表十九：愈喬二公祠額枋底部

一進前右	麒麟	三鶴	祥雲	鯉魚在禹門下，下有波浪	祥龍環繞禹門騰飛	祥雲	四燕子	麒麟				
一進前左	鹿	二麒麟	鹿	橋	馬	二喜鵲	梅花	獅子（橫向，回顧）	錢（繫彩帶）	獅子（身體垂直向下）	鹿（回顧）	卷草
一進後右	三組卷草											
一進後中	蜥龍	卷草	鳳	花卉	鳳	蜥龍	卷草					
一進後左	三組卷草											
二進前中	草龍	卷草	鳳凰	寶相花	卷草	卷草	寶相花	鳳凰	卷草	草龍		
三進前左	卷草	中央以繩結連繫在一起	卷草									
三進前右	卷草	中央以繩結連繫在一起	卷草									

三進前中	寶相花卷草	五鴨	蓮花蓮葉蓮蓬	石榴	獅子	鹿	二鳥	寶相花	鳳	太陽祥雲	鳳	花卉	麒麟	麒麟	鳥	寶相花	鳥	鳥	鳥	鳥
					側站	倒轉	倒轉						倒轉	側身回顧	展翅向外		喝水	回顧	昂首向內	展翅倒轉

表二十：愈喬二公祠樑架雕刻底部

樑架穿插枋底	右樑架	左樑架
一進前第一層	花卉	花卉
一進前第二層	花卉	花卉
一進前第三層	二鶴（上下反向）、花卉、寶相花、二鶴（正向）	二綬帶鳥（上下反向）、花卉、梅花、二喜鵲（正向）
一進後第二層	雲龍	雙龍戲珠
二進前（最頂正面）	龍／鰲魚形穿（貓拱）	龍／鰲魚形穿（貓拱）
三進前第三層穿插枋	卷草	卷草

駝峰

一進門前兩幅駝峰的內容甚為豐富：小小方塊內，人物眾多，千姿百態，氣氛熱鬧，但層次分明，富有民俗趣味。對於科舉成就的嚮往，愈喬二公祠駝峰的「狀元遊街」圖，以更清晰明確的方式表達出來，與額枋裝飾可謂一脈相承。圖中二人持槌領前，狀元騎馬，有羅傘護蔭，尾隨侍衛捧着聖旨，狀元威風凜凜，儀仗隊浩浩蕩蕩前進，熱鬧非常，的確是令人豔羨的景象。二進駝峰上的「馬上授祿」，與一進額枋的題材相同，可作比較。二進的「英雄會」與三進的「藏龍卧虎」和「封侯受祿」都是關乎官祿的追求，有異曲同工之妙。

圖 5.20：「狀元遊街」：狀元騎馬，儀仗隊五人，前二人持槌，中央一人持羅傘，尾隨者其中一人捧卷軸，相信是有關狀元高中的榜文（愈喬二公祠一進前左駝峰）

圖 5.21a,b,c,d：與「官祿」題材相關的駝峰

「馬上授祿」：花瓶、花卉、馬、梅花鹿（愈喬二公祠二進前中央額枋上右駝峰）

「英雄會」：二飛鳥、一熊（愈喬二公祠二進前中央額枋上左駝峰）

「藏龍卧虎」：龍、虎（愈喬二公祠三進前中央額枋右駝峰）

「封侯授祿」：猴、鹿、花卉（愈喬二公祠三進前中央額枋左駝峰）

表二十一：愈喬二公祠駝峰

	右駝峰	左駝峰
一進前額枋	上層：韓湘子、鍾離權、仙人騎鶴（中央）、呂洞賓、藍采和 下層：張果老、何仙姑、一盤壽桃（中央）、曹國舅、鐵枴李	狀元騎馬，儀仗隊五人，前二人持槌，中央一人持羅傘，尾隨者其中一人捧卷軸，相信是有關狀元高中的榜文
一進後中央額枋	卷草（麻葉頭）	卷草（麻葉頭）
二進前中央額枋	花瓶、花卉、馬（配有馬鞍）、梅花鹿	二飛鳥（一展翅一合翼）、一熊
三進前中央額枋	龍、虎	猴、鹿、花
一進前樑架	卷草	卷草
一進後樑架	如意、卷草	如意、卷草
二進前簷廊上層樑架	二草龍	二草龍
二進前簷廊下層樑架	二草龍	二草龍
二進前中央樑架	如意、卷草	如意、卷草
二進後簷廊上層樑架	卷草	卷草
二進後簷廊下層樑架	卷草	卷草
三進前上層樑架	卷草、如意祥雲	卷草、如意祥雲
三進前下層樑架	卷草、如意祥雲	卷草、如意祥雲

神龕上的人物木刻

三進內的神龕下端有兩幅木刻人物浮雕，人物造型栩栩如生，刻劃細緻。其中一幅「風塵三俠」可與述卿書室同題的壁畫比照。神龕上的「風塵三俠」與一道長在一起。故事敍述虬髯客得道士徐洪客指點，把家財贈與李靖，囑咐他協助李世民建功立業，然後拜別李靖夫婦出征扶餘國。另一幅「薛禮歎月」敍述薛仁貴救駕有功，但功績被張士貴冒領，唐太宗命尉遲恭尋找真正的功臣，尉遲恭遇見薛禮（薛仁貴），薛禮向尉遲恭細訴自己遭遇的情況。這圖可與述卿書室有關薛仁貴家族故事的花罩裝飾作比照。

圖 5.22a,b：神龕下角的木刻人物浮雕

「風塵三俠」（右圖）

「薛禮歎月」（左圖）

壁畫

與科舉有關的圖像，也可在壁畫中找到。如博古架上的花瓶，書有「一色杏花香十里」，插在瓶中的孔雀毛和珊瑚，是清代官員頂戴的特徵，即「翎頂輝煌」之意。全圖表示希望高中科舉，狀元及第。

圖 5.23：有關官祿的壁畫

花瓶，瓶上書「一色杏花香十里」(瓶中插孔雀毛、珊瑚)(即「翎頂輝煌」之意)；香爐、上升輕煙(象徵「繼後香燈」)；蝙蝠、菊花、蝴蝶；「於浮山道人偶書」(此圖經修葺)(愈喬二公祠一進前左簷牆壁畫)

如前述，愈喬二公祠壁畫題字中，有三幅屬於晉 ‧ 王羲之的作品，也許是由於王羲之與鄧族的淵源。兩幅壁畫題字均節錄自《蘭亭集序》，原文：

> 「永和九年，歲在癸丑，暮春之初，會於會稽山陰之蘭亭，修禊事也。群賢畢至，少長咸集。此地有崇山峻嶺，茂林修竹；又有清流激湍，映帶左右，引以為流觴曲水，列坐其次。雖無絲竹管弦之盛，一觴一詠，亦足以暢敍幽情。是日也，天朗氣清，惠風和暢。仰觀宇宙之大，俯察品類之盛。所以遊目騁懷，足以極視聽之娛，信可樂也。……」(楊簾，2010，277-278)

題字選取的詩文是暗喻祠堂所在地——屏山，讚美它景色秀麗，人傑地靈，能凝聚人才，不單吸引見多識廣的人士到來，還可以把族中子孫培育成賢能之士。

圖 5.24a,b：節錄自晉 • 王羲之《蘭亭集序》的壁畫

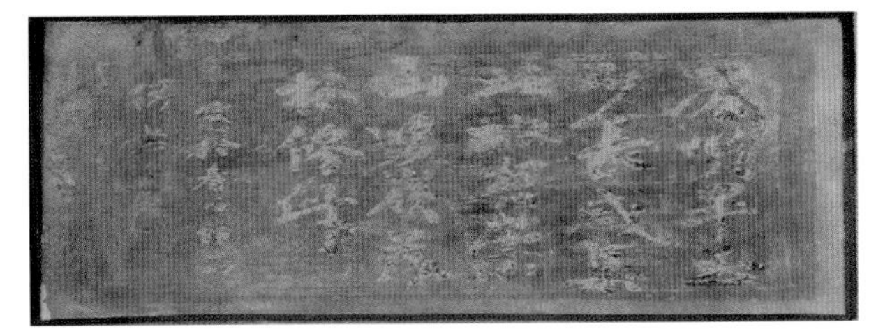

群賢畢至，少長咸集。此地有崇山峻嶺，茂林修竹。寫於春日□□偶□（愈喬二公祠一進前右簷牆壁畫下圖）

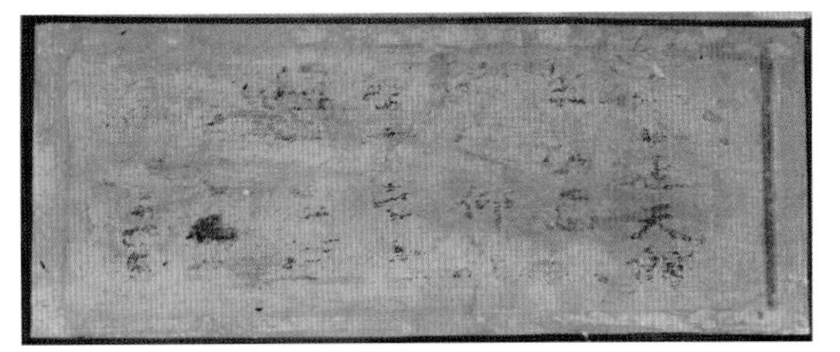

是日也，天朗氣清，惠風和暢，仰觀宇宙之大，俯察品類之盛，所以遊目騁懷，足以極視聽之娛，信可樂也。（愈喬二公祠一進前左簷牆壁畫下圖）

另一幅王羲之的作品是《十七帖》中第十五帖《旦夕帖》：「旦夕都邑動靜清和，想足下使還，具時［州將］。桓公告慰，情企足下數使命也。」這篇文章表面寫朋友間的慰問，但引用者真正關心的是能順利擔當要職，可以早日升官的祝願。與此相對的題字是「勝地初相引，徐行得自娛。見輕吹鳥毳，隨意數花鬚。細草稱偏坐，香醪冷。」原文出自唐朝杜甫《陪李金吾花下飲》：

> 「勝地初相引，徐（余）行得自娛。見輕（累）吹鳥毳，隨意數花鬚。細草稱偏（偏稱）坐，香醪懶再酤（沽）。醉歸應犯夜，可怕李金吾。」（張式銘，1995，425)

此詩原是表達賓主不歡的情況，但這裏只選取當中數句，應是強調不可忽視友情或朋友間相處之道。

圖 5.25a,b：節錄自晉 • 王羲之《蘭亭集序》的壁畫

旦夕都邑動靜清和，想足下使還，具時［州將］。桓公告慰，情企足下數使命也。□□□□□□」（愈喬二公祠一進前右簷牆壁畫上）

勝地初相引，徐行得自娛。見輕吹鳥毳，隨意數花鬚。細草稱偏坐，香醪冷。仲□偶書」（愈喬二公祠一進前左簷牆壁畫）

愈喬二公祠和鄧氏宗祠門前的壁畫都繪有不少水族物，其中以愈喬二公祠中央的壁畫尤其明顯。簷牆兩側均有二水鴨的圖像，一幅水鴨旁題上「低昂水面，駢肩含萼，蕩漾波心連理枝。」點出婚姻美滿的主題。另一圖中二水鴨旁有蘆葦草，隱喻「二甲傳臚」，即高中科舉之意。又有蝦、蟹圖。蟹和蝦都有甲殼，因此寓意在科舉中取得三甲。蝦又含「彎彎順」，即順順利利之意。另外，「蟹有螯鉗，蝦有刀刺，都具有鎮懾力量。而且蟹、蝦、魚均無眼皮，不會瞑目，因此相信能監察鬼魅，防其潛入家宅。又由於蟹、蝦、魚同屬水族，還含有驅逐火怪、鎮防火災的意義(陶思炎，1998，195)。水族物作為吉祥物又可作鎮物（或稱厭勝物，用以鎮邪的東西），其多重含義，令祠堂的相關人士得到心靈上的滿足。

除了水鄉生活，壁畫也特別鍾愛描寫夜景的詩，用文字把自然景物與人類生活融和，發揮聯想，並賦以隱逸悠閒的意境，令人神往。如

「漁翁夜傍西岩宿，曉汲清湘然楚竹。」(唐 · 柳宗元《漁翁》)
「宿鶴巢窩空落日，老龍牙爪欲拿雲，月來虬影當眸。」
「飄飄如雪夜，清香自是，寒梅獨占芳」
「明月細認，千叢雨洗，俄聞如面香團結，淡烟輝映壁。」

詩句多採用擬人法描述花鳥松風，以烘托如仙家似的生活境界，如

「能言鳥代 [舞] 歌為骨，花不語因無力詩，朗潤松風詠仙。」

蝦、蟹圖中書有

「無腸還有識，披甲且橫行。」

有關蟹的「無腸」和「橫行」在金代詩人元好問《送蟹與兄》詩中提及：「橫行公子本無腸，慣耐江湖十月霜。」(蔡義紅，2001，248) 在這裏，蟹兒這「無腸公子」，不是強蠻的橫行霸道者，而是一飽歷風霜的有識之士，對風浪處之泰然，也許這也是喬林的生活寫照吧！
此外，在二進各山牆內都飾有卷草紋。

圖 5.26：水族物（愈喬二公祠一進前中央簷牆壁畫）

位置	圖像	題字
右	二水鴨	低昂水面，駢肩含蕁，蕩漾波心連理枝。
左上	扇面外框	能言鳥代 [舞] 歌為骨，花不語因無力詩，朗潤松風詠仙。□□□□□
左下	三蟹一蝦	無腸還有識，披甲且橫行。

圖 5.27：夜景（愈喬二公祠一進前中央簷牆壁畫）

位置	圖像	題字
右上	橢圓形	漁翁夜傍西岩宿，曉汲清湘然楚竹。
右下	二水鴨、蘆葦	
左	松樹、二鶴	宿鶴巢窩空落日，老龍牙爪欲拿雲，月來虬影當眸。

表二十二：愈喬二公祠一進前簷牆壁畫

中央檐牆

圖像	題字	圖像	題字	圖像	圖像	圖像	題字
二水鴨	低昂水面，駢肩含蕚，蕩漾波心連理枝。（行書）	三蟹一蝦	無腸還有識，披甲且横行。（行書）	蒼龍教子	二水鴨、蘆葦	松樹、二鶴	宿鶴巢窩空落日，老龍牙爪欲拿雲，月來虬影當眸。（行書）

右簷牆

圖像	題字
山茶花、水仙花	
八仙之四：呂洞賓、曹國舅、何仙姑、藍采和。松樹	
花瓶、牡丹、瓜、蓮葉	富貴圖 □□□□ （隸書）

左簷牆

圖像	題字
黃色的茶花、喜鵲	寫於西軒主人畫意（行書）
八仙之四：張果老（持魚鼓）、鍾離權（持扇）、藍采和（持花籃）、鐵拐李（持葫蘆）	
花瓶，瓶中插孔雀毛、珊瑚；香爐，上昇輕煙；蝙蝠、菊花、蝴蝶	瓶上書「一色杏花香十里」（與蘇軾《送蜀人張師厚赴殿試》二首之二相近）；於浮山道人偶書（行書）

表二十三：愈喬二公祠隔斷牆及山牆壁畫

一進前中央北側隔斷牆

圖像	題字
菊花、二喜鵲	明月細認，千叢雨洗，俄聞如面香團結，淡烟輝映壁。（行書）

一進前中央南側隔斷牆

圖像	題字
喜鵲、梅花	飄飄如雪夜，清香自是，寒梅獨占芳春日偶筆（行書）

右山牆

圖像	題字
牡丹花、二白頭翁	富貴白頭（上層）（隸書）
道人、僕人、鶴、松樹、山	劈石栽松 松已倉山中，歲月去來長。烹餘一束靈芝草，分與僊禽作道糧 於癸酉年冬（行書）

左山牆

圖像	題字
花卉、二飛鳥	花香鳥語 於癸酉初冬寫（行書）
二童子奕棋，一人持斧	王質爛柯圖 人說僊家日月遲，僊[仙]家日月轉堪悲。誰將百歲人間事，只換山中一局棋。海豐鄭漢鈞學筆（行書）

述卿書室的裝飾，題字不多，只簡單地點出主題。不過，壁畫的畫工精美，無論繪畫、封簷板、駝峰和花罩都以人物作主要題材，尤其著重唐代的名將，門神的造像也與別不同。雖然書室部分建築物已經拆卸，但現存的文物仍保存良好，是香港珍貴的文化遺產。

消失的構件

根據《香港鄉村古建築》(香港政府新聞處，1979，91) 的圖片所示，述卿書室一進後的迴廊屋頂上也有正脊，其外形像畫軸，畫軸上端塑有鏤空的卷草和寶相花，下面為一展翅的蝙蝠；畫軸表面塑有窄窄的河道，有泛舟三艘，河道兩旁有柱廊和樓閣，一片水鄉景色，題材另類，令人大開眼界。一進後的「書香流芳」牌坊頂像凸字形，有正脊三塊，中央部分飾灰塑吉祥圖案，兩側有博古紋，三正脊上有鰲魚兩對 (香港政府新聞處，1979，89-90)，牌坊左右有拱門，兩側門頭上分別塑有「鍾靈」和「毓秀」(此組門頭文字與覲廷書室的側門文字相同，顯示相互的影響)。在建築內建牌坊是少有的例子。歷史圖片顯示一進前原有一門樓，該門樓的大門開在左側而不是中央，一進後還有中門和橫披，這些部分在 1977 年已拆卸。

圖 5.28a.b 述卿書室舊貌

述卿書室前門樓 (已拆卸) (照片由鄧廣賢先生提供)

述卿書室一進後的牌坊 (已拆卸) (照片由鄧廣賢先生提供)

正脊

述卿書室一進前的正脊裝飾與鄧氏宗祠和覲廷書室的一樣，中央都是以「鯉躍龍門」為題材。述卿書室的正脊還有二蟹在旁，象徵「二甲傳臚」；大小獅子，象徵「太師、少師」官位；太陽祥雲，象徵「旭日初升」，即升官之意，全是與官祿相關的題材。麒麟與鳳凰可以象徵「麟子鳳雛」，即子孫賢慧，亦可以是「麟鳳呈祥」，即美好姻緣或「天下太平」。獅子和麒麟的造形相近，它們主要的分別在於獸爪與蹄足。正脊背後則與愈喬二公祠三進後的正脊差不多，都是以山和橋為主，象徵克服困難的過橋精神，山景又可象徵「壽比南山」。總括來説正脊的裝飾都與福祿壽有關。正脊中有二瓜形鏤孔，用來分隔不同裝飾片段，鏤孔內不像覲廷書室那樣放有高足果盤和瓜果。

圖 5.29a,b：述卿書室一進前左右一對的兩組正脊裝飾

松樹；「太師、少師」：大獅、小獅；瓜形鏤孔；「旭日初升」：太陽、祥雲；「二甲傳臚」：二蟹（正脊右）

「旭日初升」：太陽、祥雲、樹；「麟子鳳雛」：鳳凰、麒麟（蹄足）（正脊左）

圖 5.30：「海屋添籌」：山水、橋、塔（述卿書室一進後正脊）

山牆灰塑

一進左山牆的灰塑裝飾優美，山尖上有博古紋、古陶瓶、小陶瓶、小石瓶（內插蓮花蕾及孔雀毛）、古琴、一幅卷軸畫、書、棋盒、寶劍、拂塵、三腳蟾蜍、楊桃、桃、壽字牌、二杯連蓋、蝴蝶等。博縫有梅花、山茶花、壽石。象徵「一品清廉」；琴、棋、書、畫象徵「四藝」；琴與劍象徵「劍膽琴心」；拂塵象徵神仙庇佑，各花鳥、蟾蜍象徵財富和「春光長壽」，吉祥題材包羅萬有。在山尖位置常見的裝飾是含著花籃的倒轉蝙蝠，花籃裝滿了壽桃或牡丹花，蝙蝠下或有獅子和鹿，以示福祿壽全（如圖 3.21：覲廷書室二進山花裝飾）。

圖 5.31a,b：述卿書室一進左山牆裝飾

一進左山牆博縫

一進左山牆上的山花

封簷板

述卿書室一進前封簷板的畫面整體效果繁密，但層次分明，花卉枝葉茂盛，鳥獸姿態萬千。在小小曲面的卷軸上，還可看到疏密有致的山水畫，可見工藝師的精湛技術。由於封簷板普遍不高，在這狹窄的空間製作人物形象頗為困難。述卿書室一進前的封簷板卻能克服這問題，並且雕刻了三組人物造像，人物姿勢生動，手工精巧，細節考究，效果清晰，是難得的佳作。其中一組人物以傳統門神的武將代表——秦叔寶和尉遲敬德出征的場面作開始，秦叔寶揮舞二鐧領兵定北，尉遲敬德持槍跟隨，二人騎着戰馬，勇猛非常，背後有程咬金持斧助陣，李世民則跨上日月驌驦馬（古代一種戰馬），御駕親征（《説唐後傳》第一回：「秦元帥興兵定北，唐貞觀御駕親征」）。除了這組人物，其他述卿書室的木刻裝飾，都是以唐朝大將為主，包括封簷板另一端，一進前樑架的駝峰和二進的花罩等。相信述卿書室的興建者——郡武庠生（俗稱「秀才」，參與府學的生員）鄧大成（述卿的少子），是以唐代盛世，寄託對國家和子弟前途的深切盼望。在唐朝名將中，以郭子儀的功績最顯赫，因他曾多次平息外亂，並經歷四朝，被封為汾陽王；德宗還尊他為尚父（苑士軍，1997，312-320），遂成為尚武者的典範。圖中赤身異服者應是外邦人，他們吹響戰號，正欲大舉進軍；與之對壘的郭子儀有羅傘隨行，凸顯他的尊貴身分。房屋主人引用唐代將領故事的目的，相信不是在乎鬥勇爭勝，而是對官祿的期盼。此外，封簷板中央的一組人物雕刻，正展現祝賀新科狀元的喜慶場面，中央穿紅色官服者，已貴為侯爵，而其他人物的年齡和衣著，應分屬不同年齡層的官員，該是象徵代代出仕，即「官帶傳流」之意，這是全所建築的重點所在。

圖 5.32a,b,c：述卿書室一進前封簷板人物裝飾

二兵卒，其一打戰鼓，另一持羅傘，一長鬚將領，持槍。一外邦將領，袒胸、虬髯，持三叉。另有三番兵，其一持羅傘，一拿刀子和盾牌，一人吹響戰號。

李世民持槍，跨上日月驌驦馬。秦叔寶持二鐧，程咬金持斧，尉遲敬德持槍，持旗手。

花瓶形洞門、僕人奉酒、文人（穿學士衣，戴學士巾，持摺扇，有鬚）、文官（捧杯，持摺扇，有鬚，戴方翅官紗，飾花）、侯爵（捧杯，持扇，有鬚，帽飾花，紅官服，應為高級官員）、文官（捧杯，持摺扇，無鬚，戴方翅冠紗，飾花，應為新科狀元）、妻子替丈夫整冠

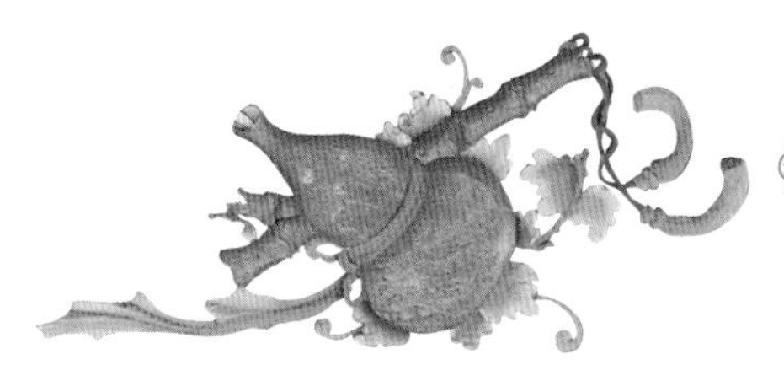

述卿書室一進後的封簷板與其他古建築的封簷板一樣，都是以花鳥、瓜果、蝴蝶、拐子龍為主，中央的卷軸沒有畫像，整體主題象徵「福壽雙全」(這塊封簷板現藏於「秀才故居」)。根據《香港鄉村古建築》(香港政府新聞處，1979，90) 的圖片，述卿書室一進後兩側迴廊的封簷板都以布幕作背景，上刻吉祥圖案，與新田麟峰文公祠封簷板的款式相同。另外，述卿書室一進後迴廊的封簷板也有人物作裝飾，圖中見二婦人、一持摺扇男士及一男孩，各人均衣著華麗，室內畫屏處處，相信是富有人家的家居景象 (香港政府新聞處，1979，91)。

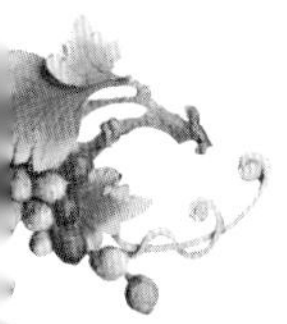

圖 5.33：述卿書室一進後封簷板 (中央部分)(現藏於「秀才故居」)

駝峰

與上述人物故事相關的裝飾，是述卿書室一進前的兩組駝峰雕刻。如前述，秦叔寶和尉遲恭是唐初的大將，二人驍勇善戰，除了成為門神造像外，也成為不少戲曲的故事題材，「取帥印」便是其中一齣家傳戶曉的劇目，原劇的內容是秦叔寶臥病在家，不能出征，他欲舉薦兒子領兵，不肯交出帥印。唐太宗於是率領徐勣 (徐茂功 (公))、尉遲恭 (尉遲敬德) 等，至秦瓊 (秦叔寶) 家探病，並取回帥印。圖中秦叔寶穿上靠甲與尉遲恭爭辯，而非穿著便服，使畫面更富張力，這是香港古建築較常見的駝峰裝飾題材。靠甲的紋飾細緻，各人的冠戴都與戲曲相符，畫面編排對稱，與其他木刻裝飾的表達手法一脈相承。與這一幅駝峰相對的一組故事，是尉遲恭投唐之後早期發生的事件。故事敍述秦王李世民得勝後班師回朝，唐高祖御賜眾功臣建造「麒麟閣」。殷、齊二王不忿，在「麒麟閣」對面私造「升仙閣」。受了程咬金的慫恿，尉遲敬德打上「升仙閣」，並命家將把它拆毀，和把閣內的家具雜物都打得粉碎 (曾平琨，清 /1993，377)。圖中見一武將正揮舞拳頭，欲踢毀椅子，旁邊的太監和侍婢看着他搗亂，一臉無奈。這裏凸顯尉遲敬德莽撞的性格，以發洩對奸惡者之不忿。以搗亂作為題材是建築裝飾的少見例子，可見民間藝人除了嚴肅的題材外，也不忘弄一點輕鬆氣氛，使弱者可以出一口「怨氣」。

圖 5.34a,b：述卿書室一進前上層駝峰

「取帥印」：侍衛、尉遲敬德（尉遲恭）（虬髯，表示性格粗豪魯莽）、程咬金（紅袍、虬髯）、唐太宗（黃袍、長髯）、文官徐茂公（藍官服、長髯）、秦叔寶（五綹長髯，表示年長和較溫文）（右梂架）

尉遲恭大鬧「升仙閣」：持刀侍衛、侍衛、武將、椅子、太監、宮中仕女三人（左梂架）

下層兩幅駝峰是有關「舉鼎」的故事。已知的「舉鼎」故事有四個版本：

（一）「拔山舉鼎」是關於西楚霸王項羽。「《史記 · 項羽本紀》中描寫項羽：『籍（項羽）長八尺餘，力能扛鼎⋯⋯。司馬遷以『拔山舉鼎』表現項羽的英雄氣概」。文中只描述項羽力大無窮，並沒有提及相關的故事內容。

（二）「霸王舉鼎」是有關戰國時秦武王的故事。武王好比力之戲。一次他將鼎舉起時不力，鼎掉下來，打斷了自己的小腿（羅青（等），2003，7）。

（三）「臨潼鬥寶」

春秋時代秦穆公欲稱霸諸侯，召十八國諸侯各帶一件寶物到臨潼比試。楚國太傅伍奢舉薦兒子伍員保駕前往。強盜柳展雄守在潼關專劫寶物，後柳展雄被伍員擊敗，二人結為兄弟。在比寶場中，伍員力舉千年銅鼎，秦王不敢留難（出自《春秋五霸七雄列國志傳》引自羅青（等），2003，239)，並將其妹無祥女許楚太子芈建，各國太子安然回國（藝生、文燦、李斌，1986，33)。後來楚平王囚伍奢，又命伍奢修書，叫其子伍員進京。伍員生疑不往。結果兄長伍尚與父親均被斬。伍員逃至昭關，等了七日，不能出關，髮鬚變白。隱士東皋公之友人皇甫訥因貌似伍員（子胥），故意上關，子胥在此時乘亂逃出昭關（同上，37)。

（四）「舉鼎觀畫」（雙獅圖）與「薛剛反唐」「徐策跑城」為同一系列劇目：

元宵夜，薛丁山子薛剛醉鬧花燈闖禍，被奸臣張天佐（張泰）誣陷，遭滿門抄斬。薛剛逃離，徐策以自己兒子調換薛猛子薛蛟，撫養成人。後來薛剛在山上聚義，薛剛妻紀鸞英在卧龍山（寒山）招兵買馬。

薛蛟自幼習武，十二歲時在府門遊戲，舉起雙石獅；徐策見到後，引他至祠堂，讓他觀看先人畫像，告知薛家的冤情，並命薛蛟投奔卧龍山（寒山），與叔嬸合力攻打長安。薛蛟拜別養父，上陽關。薛蛟在山下遇薛剛子薛葵，二人爭鬥，薛葵敗。薛剛也到卧龍山（寒山）與妻會合。後薛剛率蛟、葵等，發兵直奔長安（劉爭義（編）[鈍根]a，1915/1990，497)。

據上述四個故事的梗概，以「臨潼鬥寶」和「舉鼎觀畫」較符合右駝峰的內容。雖然薛蛟在「舉鼎觀畫」一劇中，並非如劇名所言舉鼎，相信作者是想借舉鼎作喻，顯示薛蛟的力氣大，這一點，在「舉鼎觀畫」劇的情節中也有交代，小生（薛蛟）白：

> 「昔日有個伍子胥，臨潼會上美名題，雙手舉鼎無人敵，各國不敢逞凶威。我今運動千鈞力，要學古人把名題。」（劉爭義（編）[鈍根]c，1915/1990，881)

而木刻工匠就憑劇名創作薛蛟的舉鼎形像（古時在豪華宅第門前常擺放石獅子，因此，普羅百姓在日常生活中可接觸到石獅子。然而，「鼎」象徵國家權力，百姓難以走近，遑論把它舉起。因此這裏的舉鼎是一種借喻的表達手法，而非實際的行為）。在「臨潼鬥寶」和「舉鼎觀畫」二劇中，位當中央的人物都是霸王，或是佔據山頭的地方首領，角色的布局都與這駝峰的畫面相符。然「臨潼鬥寶」中的女角秦國郡主「無祥女」實不習武，與此圖內容並不脗合；而「舉鼎觀畫」劇中薛剛的妻子紀鸞英為女將，並屯兵在卧龍山（寒山），似較合圖意。圖中女將穿靠，但手持扇子，表示她不在作戰的情況。相信此圖是描述薛蛟上卧龍山（寒山）拜見薛剛夫婦，並以舉鼎顯示自

己的實力，旁邊應是魯莽的薛葵，薛剛側有一穿官服者（可能是暗助薛剛的程咬金），另一人為寨中的獻策者或師爺，最末者為侍從。與其相對的一幅圖可能是描述伍員出關，過江避難的情況，或是薛蛟離家往找臥龍山（寒山）薛剛夫婦。當中以後者較符合圖像內容，因為伍員出關時蓄有白鬚，但圖中拜別者沒有鬍子，伍員故事的發展也與山寨人物無關。此外，薛蛟舉鼎（獅）時只有十二歲，與圖中年青人身分較脗合，及後他前往山寨與薛剛夫婦會合，也與圖意相合。再者，舉鼎有炫耀武力之意，與武庠生的背景相符。舉鼎是其他古建築駝峰和看脊常見的題材，與清末時期，朝廷積弱，無力抵抗外敵的情況有關。可以說，「舉鼎」圖是民間對政局不滿的一種回應方式。

5.35a,b：述卿書室一進前下層駝峰

「舉鼎觀畫」：女將（持扇）、男少將、官員、霸王／戴霸盔、持拂塵道長／師爺、舉鼎少年、家丁／武弁（右樑架）

「舉鼎觀畫」薛蛟離家前往臥龍山：三侍衛或隨從、一長鬚官員、一年青人正拱手行禮（拜別）、山上一侍衛（左樑架）

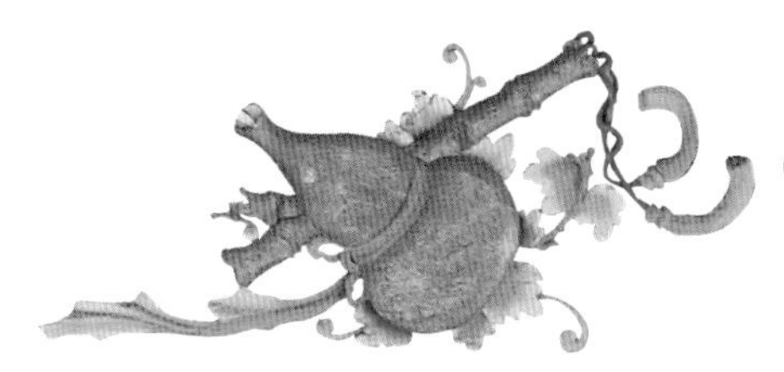

述卿書室的興建者——鄧大成的居所尚存，他的後人稱之為「秀才故居」，建築的內貌仍完好，屋內還藏有大量古時的生活用品和農作工具。部分述卿書室已拆卸的構件，如人物駝峰、隔扇門和封簷板，在這裏也可以找到。現藏於述卿書室的一塊人物駝峰，相信是「取帥印」的另一版本。該駝峰的關鍵人物站在門前，其服飾稱為「打腰包」（有多褶的腰下衣裳，純色，沒有花紋），表示染病，與上述「唐太宗率領徐勣、尉遲恭等，至秦瓊家探病，並取回帥印」的情節脗合。染病的是秦瓊，穿黃官服者應為唐太宗，穿道袍者為徐勣，白鬚者為程咬金，程咬金身旁的應是尉遲恭，其他應為隨行的官員。這一塊駝峰的製作風格與一進前的不同，應出自不同工匠之手。據歷史圖片顯示，迴廊上封簷板下也有駝峰，其中一幅雕有四人在家居內的情況：順序為年青穿官服者、仕女、僕人、老人，可能是與新科狀元有關的題材。根據《香港鄉村古建築》(香港政府新聞處，1979，90-91) 述卿書室一進後的駝峰，上層飾以二顆豆子，下層的駝峰中央置一畫軸，畫面繪有蘭花，畫軸側有芙蓉花襯托，表示對福澤、多子與榮華的渴求。

圖 5.36：「秀才故居」內貌

圖 5.37：頂板：蘭花；裙板：菊花；格心：石榴、瓜果、卷草、倒轉蝙蝠、花籃（述卿書室廂房隔扇門）（已拆卸）

圖 5.38：「取帥印」：四將領、白鬚持扇男子、穿道服人士、官員、男打腰包（表示染病）（述卿書室駝峰）（已拆卸，現藏於「秀才故居」）

花罩

根據歷史圖片，述卿書室的二進在正廳、簷廊和簷廊右側迴廊門都有花罩（由於沒有左側圖片，因此不知該位置有否花罩）。正廳的花罩是鏤空纏枝牡丹花，簷廊右側的是鏤空玉蘭花（與清暑軒的花罩相同，相信是當時流行的款式），迴廊門上還有樑架，其上飾有博古紋、暗八仙和在中央的室內人物圖，可辨認的人物正攜着古琴進入室內，畫面中央擺放了桌子，桌子後有人物。

圖 5.39：述卿書室二進花罩（已拆卸）（照片由鄧廣賢先生提供）

圖 5.40：述卿書室二進右迴廊門花罩（已拆卸）（照片由鄧廣賢先生提供）

述卿書室二進前簷廊花罩與清暑軒的花罩款式有點近似，都是以博古紋為主，鏤空的花紋中藏有瓜果和花卉；花罩左右各有一組鳥和獅子，屬於「英雄會」的題材，述卿書室的花罩兩端轉角位置各有一幅雕刻，二者對稱排列。不像清暑軒那樣雕有畫軸，而是以石榴的外形作畫框。各雕二人：右端的一幅刻畫一文人倚在書旁，一童僕正奉酒，相信是常見的題材——「太白醉酒」；左端的一幅則是文人握着杯子喝茶，僕人提着茶壺奉茶，並指向遠山，相信是根據晉．陶淵明．《飲酒二十首其五》中的詩句：「採菊東籬下，悠然見南山。」的意境想像而刻製的。由於南山象徵長壽，故此用來作吉祥裝飾；而李白和陶淵明都是古代著名文人，用來與花罩中央各段的武將（薛仁貴父子的故事）作配對也頗切合。

圖 5.41：述卿書室二進簷廊花罩（已拆卸，現藏於建築署）（照片由鄧廣賢先生提供）

圖 5.42a.b：述卿書室二進前簷廊花罩兩角裝飾（已拆卸，現藏於建築署）

一文人倚於書本旁，僕人奉酒（太白醉酒）（花罩右端）

僕人奉茶，指向山，文人喝茶（陶淵明）（花罩左端）

花罩中央飾以薛仁貴父子的故事，故事由花罩中段左端的「白袍小將」開始。「白袍小將」是指薛仁貴，圖中這小將持槍（在古典小說中薛仁貴應持戟），在投軍初期被派做伙頭軍（伙伕），白袍是妻子為他縫製的，左右兩側的小將應是與他結義為兄弟的其他伙頭軍。在持槍小將身旁穿紫袍的應是多次冒領薛仁貴軍功的總兵張士貴。薛仁貴在鳳凰山救駕後，唐太宗派尉遲敬德到軍中調查，尋找救駕有功的白袍小將。圖中呈奔走姿勢的將領應是尉遲敬德，一位戴罐子盔的軍士，持舉門槍旗（八腳旗），旗上書有「定唐大司命」，點出薛仁貴的顯赫成就，也點出述卿書室與建者對子孫功名成就的盼望。

圖 5.43：述卿書室二進前簷廊花罩

一戴罐子盔的軍士，持舉門槍旗（八腳旗），上書「定唐大司命」；兵卒、穿靠將士（一腳提起，表示行走）、白袍小將、穿靠將士、馬伕（一腳提起，表示行走）及馬（花罩中央段左端）

花罩右端刻有一老車伕停車侍立，一持槍武旦正下車，另一武旦上前迎接。前者應是在番邦救助薛丁山的陳金定，後者是在棋盤山救助薛丁山的竇仙童；陳金定後來由父親送往薛家，與竇仙童先後成為薛丁山的夫人。中央的一段有穿靠甲的男女將士，男將應為薛仁貴的兒子薛丁山，女將抱着兩個嬰孩，應為薛丁山的第三位夫人樊梨花（因薛仁貴的妻子柳金花不懂武功，與此像身分不符），故事中，樊梨花曾兩次在陣中產子，這可能是寓意兒孫滿堂。樊梨花背後有另一武裝的女侍衛，表示樊梨花領兵的角色。整組人物裝飾，在反映對盛唐將領的成就感到欽佩外，也寓有官帶傳流之意。

圖 5.44a,b：述卿書室二進前簷廊花罩

老車伕 / 老角（陳雲）、二武旦（持槍者應為陳金定、迎接者應為竇仙童）（花罩中央段右端）

一女將，穿靠，背四靠旗，戴七星額子，手抱二嬰兒，背後有一侍婢；一年青將領穿靠，背四靠旗，配箭。背景中有一大纛旗。（花罩中央段右側）

樑架

述卿書室的樑架與二祠堂的不同，兩側的額枋以石製成，而且作弓形，石匠稱作「蝦公樑」（廣東民間工藝術學院博物館，1994，187)。石額枋底有卷草 / 蔓帶浮雕，「蝦公樑」的上面中央有一石獅子，稱為「看樑獅子」，它面向中央，呈走動姿勢，背上負有三角形的石塊，上有卷草、寶相花浮雕（其他建築多為倒轉蝙蝠及花籃的一組造像），這一構件的作用與一斗三升及駝峰的作用相同，都是額枋與屋頂間的支撐物，「蝦公樑」下兩端的雀替也用石製成，其上雕上博古和卷草紋，還有石製的樑頭，稱為「朝階」，一般左右朝階大多雕刻日、月神像，也有官員或侯爵造像，這裏以獅子和童僕組合，是少見的例子。這種樑架結構形式是廣東式古建築的特色，筆者曾到訪廣西省不同的粵東會館，以及國外的廣東會館或廟宇，如越南胡志明市的穗城會館（天后廟）、馬來西亞吉隆坡的陳氏書院，發現它們都採用這種建築結構形式，明顯有別於當地來自其他省份的華人族群所興建的古建築，相信當時的人認為這種建築結構形式更易為同鄉族人接受，有利團結所致。

圖 5.45：述卿書室一進前石製的「蝦公樑」、「看樑獅子」、「朝階」和雀替（廣東古建築特色）

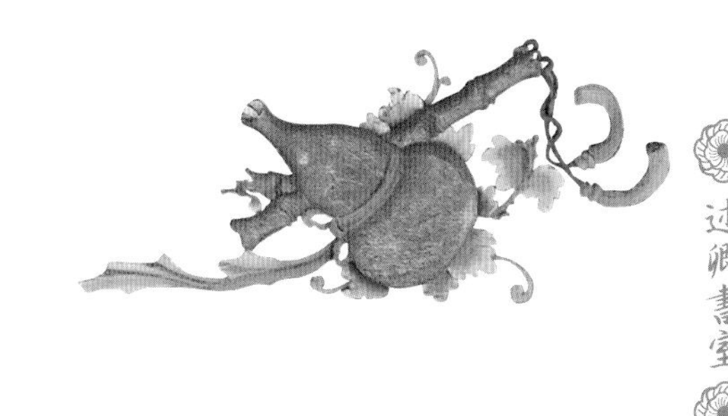

壁畫

屏山各古建築中最優美的壁畫，可算是述卿書室一進前中央的壁畫，它是一幅工筆畫，畫工精湛，筆法細膩。畫中題字：「三多、九如、五星圖」。三多、即多福、多壽、多子。九如取自《詩經》卷九的「小雅」「鹿鳴之什」「天保」，意為天地四方、山川松柏皆好，即九方如意。「三多九如」是祝賀吉祥幸福之意（王延海，2000，370-371；王慶豐，1990，171）。

一般吉祥圖案多只提及「三多九如」，或只呈現三星圖（即福、祿、壽星），很少涉及五星。圖中的五星包括福星、祿星、壽星、吉星和如意星。福、祿、壽星以老人和老人的錦衣圖案裝飾作表示，如福星的衣服上飾有瓜、葉圖案，指出多子即有福；這裏的祿星與常見的祿星形象不同（一般祿星穿官服，戴侯帽），是一持杖的老翁，杖上有葫蘆，背後有一隻鹿（諧音「祿」）。老翁前面有一紮頭巾者向他呈獻一圓形物（「圓」諧音「元」，中國古代科舉制度中，鄉試、會試、殿試的第一名為解元、會元、狀元。寓意「三元及第」。）；壽星的衣裳上飾有壽字花紋，壽星後的隔扇門上也有壽字裝飾；吉星和如意星則透過童僕所肩負的東西表達，如「戟」（諧音「吉」）和長柄的如意。福星和壽星間還有一隻鷺鷥，組成的圖案叫「一路福星」，祝願遠行的人路途順利。眾人的指甲特別長，表示長壽，與二祠堂的人物特徵相同。背景的細節，無論地磚的圖案、室外曲折院道的欄杆、室內的矮欄柵，以至隔扇門各段的裝飾，包括格心和裙板的彩畫，都描畫得細緻入微，令人讚嘆。

圖 5.46a,b：「三多九如五星圖」（述卿書室一進前中央簷牆壁畫）

老翁持杖，杖上有葫蘆，背後有一隻鹿、松樹。紮頭巾者向老翁呈一圓形物。

童僕持戟，「戟」與「吉」諧音；另一童僕持如意，如意上懸掛著幾個石榴。

圖 5.46c：「三多九如五星圖」(述卿書室一進前中央簷牆壁畫)

老翁衣服上飾有瓜、葉圖案，側有男孩相伴。門上有壽字裝飾，老翁衣服上飾有壽字花紋，旁有一鷺鷥。

另一幅值得觀賞的壁畫是參考自李白的《春夜宴桃李園序》而繪的畫，位於一進前左簷牆上。畫中題字：「會桃李於芳園，祝天倫之樂」「 光緒口亥年孟秋并題 余清園」。畫中人物眾多，有老翁執筆在壁上題字，身旁有抱古琴的男子用蠟燭照亮牆壁觀賞，男子背後的仕女持高身茶壺侍奉在側，仕女前面有童子，頭戴太子盔，手持如意棒，棒上掛一小燈籠，燈籠上有「李白」二字。九位男士正圍在桌邊閱讀文章，一位拿着紙張像在思考，一位正提筆點墨，欲在桌上的紙張書寫，一位捧硯，一位持着文章閱讀，三位在旁傾聽，其中一位持杖，一位持如意。較遠的另一位人物正欲把燈高掛，桌上點有二枝蠟燭和二隻杯子。圖中人物正飲酒作詩，男女老少共聚一堂，儼然像李白詩的插圖一般。天倫是指父子、兄弟關係，寓意是希望家中老少能團聚在一起，樂聚天倫，詩禮全家。這建築的木刻人物多強調官祿，尤其是武官的角色；而壁畫則着重人倫和文人素養的教化作用。這幅畫與鄧氏宗祠和愈喬二公祠的「曲水流觴」及「蘭亭集序」壁畫有異曲同工之妙。有關右簷牆上的「八仙」和兩側的「劉海戲蟾」壁畫，在另一章已介紹。

圖 5.47：題字：「會桃李於芳園，祝天倫之樂」「 光緒口亥年孟秋并題 余清園」(述卿書室一進前左簷牆壁畫)

圖 5.48a,b：述卿書室一進前左簷牆壁畫
男子持古琴及蠟燭，仕女持長身茶壺，老翁執筆像在壁上題字。童子戴太子盔，持如意棒，棒上掛燈，燈上有「李白」二字。六位男士正圍在桌邊閱讀文章，桌上點有蠟燭。

兩側山牆上的壁畫分別為「風塵三俠」與「和合二仙」。與「風塵三俠」相關的故事源自《隋唐演義》、唐杜光庭《虬髯客傳》、元雜劇《風塵三俠》、明張鳳翼《紅拂記》。「風塵三俠」是指隋唐時期的李靖、紅拂女和虬髯客。故事講述李靖到訪楊素府中，楊府中持紅拂的歌伎張氏傾慕李靖，夜奔李靖居所，相偕逃去；途中遇虬髯公張仲堅，三人成為莫逆之交。後虬髯公將家財贈予李靖夫婦，囑助李世民，然後離國他往 (吳同賓、周亞勛，2007，377)。戲曲故事中，李靖成為李世民的大將 (但在《隋唐演義》古典小說中，李靖並沒有成親，反而得道成仙，成為藥王，還多次在緊急關頭救助程咬金和秦叔寶等人)，圖中見穿馬褂的虬髯客與侍從，正到訪李靖與紅拂女的家中，並與之話別。「風塵三俠」象徵和諧及友情可貴，是香港古建築常見的人物裝飾題材，清暑軒閣樓正廳駝峰和愈喬二公祠的神龕也有相同內容。「和合二仙」是指唐代兩位高僧寒山和拾得，他們在寒山區的寺院中認識，成為好朋友。後來寒山到蘇州削髮為僧，拾得攜 荷花往訪，贈予好友，寒山則預備食盒招待故友 (禾三千、吳喬，2006，337-338)。這壁畫中共有四人，二人手持擔挑，擔挑上掛果籃及花籃，像拜訪親友。旁邊有二人，一人持盒，另一人持禾稻。禾稻或荷花均諧音「和」，「盒子」寓「合」，「和合二仙」原本寓意友情和兄弟和睦共處，後引申為婚姻美滿、家庭和諧。「和合二仙」是香港古建築常見的人物裝飾題材，鄧氏宗祠也有相同內容的壁畫，「和合二仙」常與「攜琴訪友」或「風塵三俠」配對。

圖 5.49a.b：述卿書室一進前山牆壁畫

「風塵三俠」：侍從、虬髯客、李靖、紅拂女 (右山牆)

「和合二仙」：畫中共有四人，二人手持擔挑，上掛果籃及花籃，像拜訪親友。旁邊有二人，一人持盒，另一人持禾稻 (左山牆)

隔斷牆上的兩幅壁畫分別繪有三隻雁和三隻烏鴉。三是吉祥之數，雁隱喻兄弟長幼有序，或來去有時，行止有序，即表示追求傳統的倫理，或寓意「雁塔題名」，即追求登科及第。唐 · 白居易在《慈烏夜啼》詩中稱烏鴉為「鳥中之曾參」，因此，烏鴉象徵孝道。此圖中烏鴉在玉蘭花間飛舞，玉蘭花寓意「必得其壽」。這兩幅花鳥畫在筆法和布局方面都表現嫻熟。建築前面壁畫的落款多為「余芳」，後面壁畫多為「春圃」，一進前右隔斷牆壁畫中二款兼用，相信「余芳」和「春

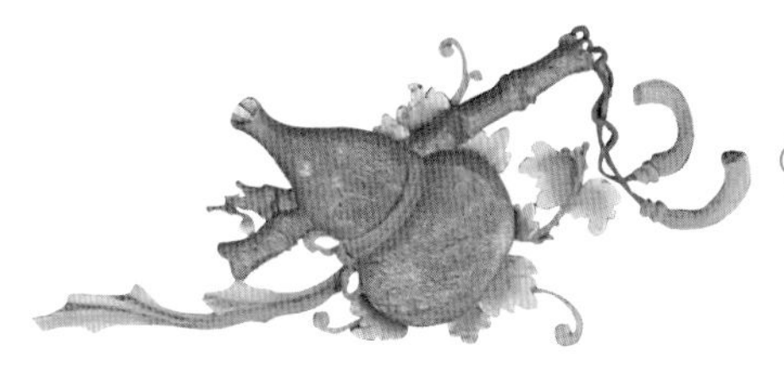

圃」是同一人。述卿書室一進前後的壁畫出自同一人的手筆，但建築前的畫風較佳，建築後的效果較草率。

圖 5.50a.b：述卿書室一進前中央隔斷牆壁畫

圖像：三隻雁、壽石；
題字：「春圃」「余芳」（行書）
（右隔斷牆）

圖像：玉蘭樹、三隻烏鴉；
題字：「余芳」（行書）
（左隔斷牆）

述卿書室一進後的壁畫大多為水墨效果，如中央的「蒼龍教子」、兩側的菊花、蘭花和竹子皆只有黑白二色，而且題字較潦草，難以辨認，這一面的水墨壁畫大多為春圃所畫，只有左、右兩幅隔斷牆的壁畫才有敷彩，內容較豐富。左隔斷牆的壁畫有敞大的磬（諧音「慶」），磬後有鯰（諧音「年」）魚、如意和壽字牌，旁邊還有蓮花、蓮葉和四飛鳥，寓意「吉慶年年」、「年年有餘」、「年年如意」。以各諧音的吉祥物作組合，是常見的吉祥圖案表達手法。右隔斷牆的壁畫上繪有笛子、在花籃內有牡丹花，畫面還有一株橫臥的山茶花和鳥兒，寓意「長春富貴」或暗八仙之韓湘子與藍采和。

圖 5.51a,b：述卿書室一進後隔斷牆壁畫

鳥、蓮花、如意、如意形磬，二如意間為一尾鯰魚、壽字牌（左隔斷牆）

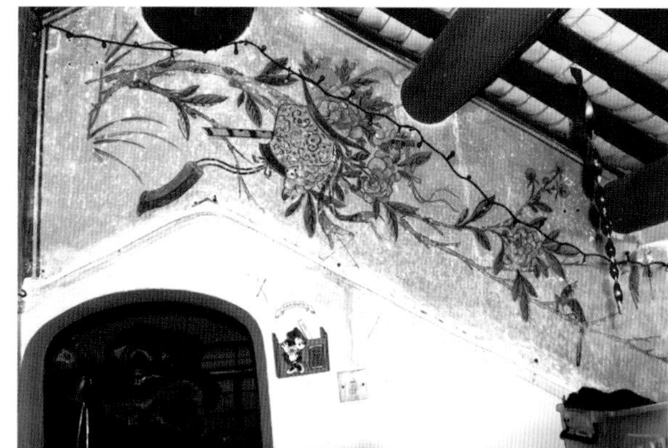

笛子、花籃、山茶花、鳥（右隔斷牆）

除了前面壁畫的題字改編自李白在《春夜宴桃李園序》中的「會桃李之芳園，序天倫之樂事」，建築後面壁畫的題字也愛引用古詩，如採自宋 · 陸游《偶得雙鯽》中的「重陽未到菊先開」[3]；出自唐 · 杜甫《客至》的「花徑未曾緣［客］掃」，和摘自宋 · 蘇軾《送蜀人張師厚赴殿試》的「一色杏花三十里」（這句也可在愈喬二公祠和清暑軒的壁畫中看到）。前二者表達淡薄名利，嚮往自然的鄉村生活方式；後者卻反映熱衷功名利祿的追求。也許這種矛盾心態，正是當時民間的真實寫照。從壁畫上的題字，如「花徑未曾緣［客］掃」一句，遺漏了［客］字，以及難以辨識文字的情況比比皆是，如此種種，反映工匠對詩句也許不太認識，在臨摹時弄錯了，相信當時另有讀書人提供粉本，讓工匠書於壁上。不過，工匠對民間傳說或戲曲故事較為熟悉，在生活細節上可以憑一己的能力細心觀察，因此表達力特別強，而且生動有趣。文人雅士的詩興，對他們來說似乎有點遙遠，只有填上一般花鳥作點交代罷。

註釋：
3　宋 · 陸游《偶得雙鯽》原文：「酒興森然不可回，重陽未到菊先開。一雙鰟刺明吾眼，催喚厨人斫鱠來。」

表二十四：述卿書室一進前簷牆壁畫

中央簷牆			
三多九如五星圖（行草）	老翁持杖，杖上有葫蘆，背後有一隻鹿、松樹。紮頭巾者向老翁呈一圓形物。	童僕持戟，「戟」與「吉」諧音；另一童僕持如意，如意上懸掛著幾個石榴。	老翁衣服上飾有瓜、葉圖案。門上有壽字裝飾，老翁衣服上飾有壽字花紋，旁有一鷺鷥。

右簷牆			左簷牆		
三腳蟾蜍，口吐一線，一青年（掛童子髮，赤腳）吹笛子	荷仙姑、呂洞賓（持劍）、鍾離權、騎在驢子上和手持魚鼓的張果老、曹國舅（位於下角，響板飛到天空中，即在畫面上方）、韓湘子吹橫笛 、藍采和頭頂花籃及鐵拐李（背著拐杖和葫蘆，騎在龍背上並握著龍角）；蝦丞相（有蝦鬚及蝦鉗）、二夜叉（一持叉、一持螺）、鯰魚；蕉葉（八仙過海，各顯神通）	八仙圖	男子持古琴及蠟燭，仕女持瓶子，老翁執筆像在壁上題字。童子戴太子盔，持如意棒，棒上掛燈，燈上有「李白」二字。六位男士正圍在桌邊閱讀文章，桌上點有蠟燭。	會桃李於芳園，祝天倫之樂 光緒口（乙／丁／己）亥年孟秋并題 余清園（行書）	三腳蟾蜍，口吐如意雲，一青年提一串錢

表二十五：述卿書室一進前隔斷牆及山牆壁畫

中央右隔斷牆		中央左隔斷牆	
三隻雁、壽石	春圃 余芳（行書）	玉蘭樹、三隻烏鴉	余芳（行書）

右山牆內	左山牆內
「風塵三俠」：侍從、虬髯客、李靖、紅拂女	畫中共有四人，二人手持擔挑，上掛果籃及花籃，像拜訪親友。旁邊有二人，一人持盒，另一人持禾稻

表二十六：述卿書室一進後壁畫

中央簷牆左		中央簷牆	中央簷牆右	
菊花	重陽未到菊先開，壽比南天。□□□。（草書）	一大龍一小龍	蘭花	至（林？）如只半書生 少元 春圃畫（草書）

左隔斷牆	右隔斷牆
鳥、蓮花、如意、一尾鯰魚、如意形磬、壽字牌	笛子、花籃、山茶花

左簷牆		右簷牆	
蘭花	一色杏花三十里 春日畫 春圃筆	竹	花徑未曾緣[客]掃 春日偶書 春圃

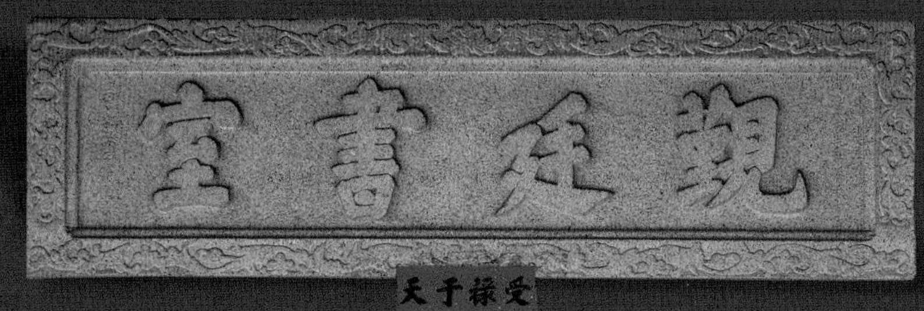

覲廷書室最難得之處，是它能完整地保留香港地區古代的書室文化。它既承襲了讀書人的文人文化，又結合了世俗的民間風俗習慣，裝飾圖文並茂，把文人的多愁善感與民間的吉祥觀融合一起，形成多采多姿的文化現象，是考究同類建築和裝飾題材的上佳例子。

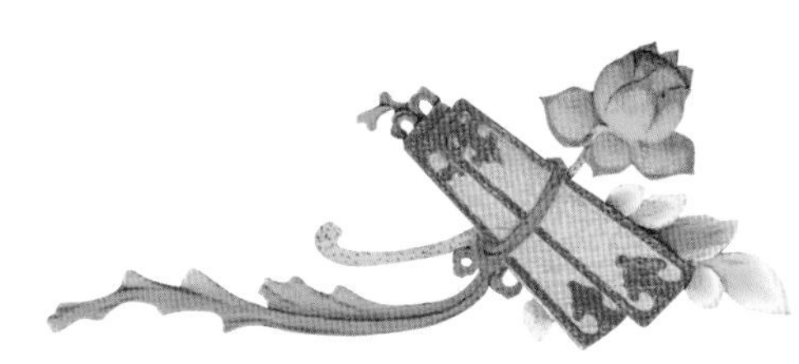

古代文士認為民間建築裝飾矯揉造作，既俗套，又華而不實，書院不應仿效。構建書院只須着重忠實地表現材料技術，務求達致自然淡雅的樸實美已足夠（楊慎初，2002，105）。因此一般書院建築力求樸實簡潔，不尚華麗裝飾，並通過嵌碑立石、命名題額、匾聯書法等，營造典雅的環境，藉此對學子發揮潛移默化的教育作用（同上，101）。覲廷書室的建築富有文人色彩，同時，民間信仰及民俗味都甚濃，究其原因，相信與建築構思者的文化學養有關。『《一家言・居室部》曾指出：「造物鬼神之技，亦有工拙雅俗之分，以主人的取去為取去。主人雅而喜工，則工雅者至矣；主人俗而容拙，則拙而俗者至矣」。《園冶》也指出：「世之興造，專主鳩匠，獨不聞三分匠，七分主人之諺乎？非主人也，能主人也，能主之人也」，而「第園築之主，還須什九，而用匠什一」。這裏所講的「能主之人」，就是主持設計者。設計的構思意境如何，決定其雅俗工拙之所在。』（同上，106）

圖 5.52：覲廷書室

除了門聯、建築名稱和祖堂的匾額外，覲廷書室內不見書法碑銘。然而，在建築的每一角落，都設有裝飾，可謂詩畫處處，極富文藝氣息。可惜的是，由於年代久遠，在 1990 年代復修以前，對壁畫沒有好好保護，今日的壁畫已面目模糊，難以窺見古時的詩中有畫，畫中有詩的美麗實況，幸好閣樓「藏經閣」仍有保存尚好的例子，供人欣賞。這一所古建築，除了優美的木雕外，壁畫的詩情畫意是其精華所在，是它作為書室的獨特之處。雖然這裏的壁畫大多剝落破損，但它卻是讀書人值得細味的地方。

圖 5.53：剝落的壁畫和精美的木雕（覲廷書室二進閣樓廂房）

屋頂及山牆

覲廷書室正脊所表達的內容在於獲取功名官祿，這正是古人讀書的目標。一進前的「太師、少師」，一進後的「鯉躍龍門」、「二甲傳臚」（二水鴨、蚌、蟹、蘆葦；「旭日初升」（升官），

都是顯而易見的例子。正脊中還夾雜了壽 (綬帶鳥、蝴蝶)、福 (瓜果) 和吉祥 (雞)、榮華 (芙蓉花) 的寓意，都是常見的吉祥圖案。二進的正脊為 1990 年代復修時的新作，在此不作評論。

覲廷書室與前述三所建築不同，垂脊上有博古龍，在垂脊頂部向山牆的表面灰塑還有書本、古琴、例轉花瓶、蓮花蕾、孔雀毛、官扇及其他物品，另一垂脊有書本、拂塵、古陶瓶及其他物品。寶瓶為佛教器物，表示福智圓滿，喻成功和名利 (李祖定，1998，62)。各物均強調對讀古書的重要，和讀古書可邁向官位的途徑 (一般建築較少在垂脊頂端添加裝飾)。天井女兒牆有拐子紋。各山牆的博縫都有花鳥灰塑，包括牡丹花、梅花、山茶花、杏花、蓮花、蘆葦、樹、瓜、喜鵲和蝴蝶等。象徵了福、祿、壽、喜、財等五福的吉祥願望。

屋頂及山牆

覲廷書室正脊所表達的內容在於獲取功名官祿，這正是古人讀書的目標。一進前的「太師、少師」，一進後的「鯉躍龍門」、「二甲傳臚」(二水鴨、蚌、蟹、蘆葦；「旭日初升」(升官)，都是顯而易見的例子。正脊中還夾雜了壽 (綬帶鳥、蝴蝶)、福 (瓜果) 和吉祥 (雞)、榮華 (芙蓉花) 的寓意，都是常見的吉祥圖案。二進的正脊為 1990 年代復修時的新作，在此不作評論。

覲廷書室與前述三所建築不同，垂脊上有博古龍，在垂脊頂部向山牆的表面灰塑還有書本、古琴、倒轉花瓶、蓮花蕾、孔雀毛、官扇及其他物品，另一垂脊有書本、拂塵、古陶瓶及其他物品。寶瓶為佛教器物，表示福智圓滿，喻成功和名利 (李祖定，1998，62)。各物均強調對讀古書的重要，和讀古書可邁向官位的途徑 (一般建築較少在垂脊頂端添加裝飾)。天井女兒牆有拐子紋。各山牆的博縫都有花鳥灰塑，包括牡丹花、梅花、山茶花、杏花、蓮花、蘆葦、樹、瓜、喜鵲和蝴蝶等。象徵了福、祿、壽、喜、財等五福的吉祥願望。

圖 5.54：「太師、少師」：一大獅、二小獅、樹 (覲廷書室一進前正脊)

表二十七：觀廷書室正脊

一進前	博古、各種瓜果、水鴨	壽石、竹、綬帶鳥	鏤空方格內置果盤及果	**一大獅、二小獅、樹**	鏤空方格內置果盤及果	萱草、壽石、蝴蝶	博古、各種瓜果、水鴨
一進後	博古、各種瓜果、水鴨	二水鴨、蘆葦	鏤空方格內置果盤及果	**蚌、蟹、魚、禹門、魚化龍、龍、祥雲、太陽**	鏤空方格內置果盤及果	二母雞、芙蓉花、壽石	博古、各種瓜果、水鴨

二進前	博古	二大麒麟、一小麒麟	蓮花、鴛鴦	**菊花、壽石、月季花、二飛鳥、綬帶鳥、梅花、燕子**	壽石、竹、公母鹿、月季花、「佛山造」、四印章	博古
二進後	博古	二人在竹林中暢談，一持扇子	竹、壽石	**月季花、綬帶鳥、壽石、松樹、喜鵲**	梅花 / 桃花、二人舉爵暢飲，一持扇子，桌子上有圓形水果及瓶子	博古

觀廷書室二進山牆上的山花灰塑是常見的款式，有倒轉蝙蝠、花籃、花卉、博古、錢，象徵「福到平安」、「福到眼前」(見圖 3.21)。一進的裝飾則與別不同，山花上塑磬形，山水景色塑在磬形的框內，「磬」與「慶」同音，山象徵長壽，故寓意「海屋添壽」或慶壽。山水景色也可能與圖下兩側花瓶上的楹聯：「無心雲出岫」和「有意月窺窗」相關。此門聯改編自晉代陶淵明《歸去來兮辭》中「雲無心以出岫，鳥倦飛而知還。」以描寫「歸田園居」的景象。觀廷書室內有數幅描寫山居的圖畫和詩句，如分別由唐代兩位詩人杜牧及項斯所寫的《山行》，因此，這圖可以又說是一幅描繪詩中意境的山居圖。「藏經閣」門側的花瓶內插月季花，並有博古紋環繞兩側。根據建築的結構外貌，此處應曾經改建，原本應是窗戶，並非側門，與楹聯之意脗合。門頭(窗上方)的灰塑有「藏經閣」三字。「藏」字位於龍形腹中，含「藏龍」之意。龍長雙翼(有翼的龍稱「應龍」)，正展翅飛翔，象徵藏龍不是永久潛藏，是會一飛沖天的，「閣」字位於古琴當中，有雅舍之意。

圖 5.55：書本、古琴、倒轉花瓶、蓮花、孔雀毛、官扇及其他物品(觀廷書室一進左垂脊頂灰塑)

圖 5.56：山花灰塑：「磬」的外形，內塑山景、茅廬、松樹；門頭（窗上方）的灰塑：畫框、龍（有雙翼，稱「應龍」）、古琴、題字：「藏經閣」（覲廷書室一進左山牆山花及「藏經閣」門頭灰塑）

圖 5.57：垂脊：博古龍；博縫：壽石、牡丹花、瓜、喜鵲（覲廷書室一進左垂脊及博縫）

圖 5.58a,b：覲廷書室一進左山牆「藏經閣」左右門側灰塑

表二十八：覲廷書室山牆博縫

一進左山牆		一進右山牆		二進左山牆		二進右山牆	
壽石、牡丹花、瓜、喜鵲	梅花、山茶花	蓮花、蘆葦	竹、梅、喜鵲	壽石、牡丹花、梅花、喜鵲	壽石、松樹	蝴蝶、壽石、喜鵲、杏花	花、壽石

封簷板

覲廷書室一進前的封簷板以「暗八仙」的形式分佈在整塊板上，「暗八仙」即八仙的法器，由右至左排列為笛子、葫蘆、扇子、魚鼓、花籃、寶劍、荷花和響板等，並以拂塵烘托出他們的神仙身分（見圖 3.58）。暗八仙之間有象徵福、祿、壽、財、喜的花鳥圖，又以鷺鷥加強語意，如「路路富貴」。其中一組圖像，即「花瓶內插蓮花、拂塵、孔雀毛、如意」，與覲廷書室廂房裙板的裝飾差不多（見圖 3.33），都是寓意「一品清廉」或「翎頂輝煌」，即當高官之意。也有寓意升官的圖像，如上升的祥雲，寓意「青雲直上」。當然還需靠賢慧的子孫（象徵物是玉蘭花和蘭花）（見圖 3.12）的努力，這願望才可以達成。

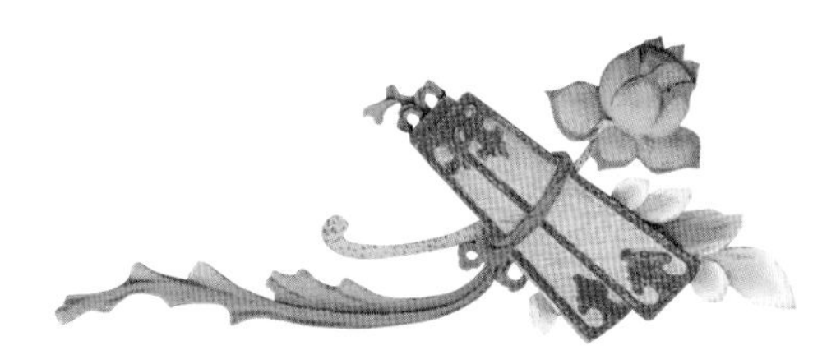

圖 5.59：「一品清廉」/「翎頂輝煌」：花瓶、內插蓮花、拂塵、孔雀毛、如意（覲廷書室一進前封簷板）

一進後封簷板以花鳥為主，整體寓意在福、壽、財、喜，中央以竹作畫軸的主題，這幅竹圖，與左右迴廊封簷板中央的梅花、蘭花和迴廊門頭上的菊花壁畫組成梅、蘭、菊、竹四君子的組合，「君子」是讀書人追求的理想，是書室常見的裝飾題材。左右迴廊封簷板的圖像以卷草、寶相花及瓜果為主，寓意「福壽雙全」。

圖 5.60a,b,c：覲廷書室一進後及迴廊封簷板中央裝飾

一幅畫（繪梅花）、壽字牌、桃、石榴（右迴廊）

一幅畫（繪蘭花）、壽字牌、佛手柑、瓜及花（左迴廊）

一幅畫（繪竹）、壽字牌、牡丹花（一進後）

二進前封簷板的中央有「鯉躍龍門」，與一進後正脊的相同造像互相呼應（見圖 1.10)，可見其重要性。兩側的二組蝙蝠與祥雲，象徵「福自天來」和在清廷（蜻蜓諧音清廷）當官，意圖十分清晰。有了官位自然富貴（牡丹花）和喜（喜鵲）事齊來了。這也要子子孫孫世代相傳（瓜瓞綿綿）的配合吧！

表二十九：覲廷書室封簷板

一進前（由右至左）													
松鼠葡萄	博古架	佛手柑	花瓶內插蓮花、拂塵、孔雀毛、如意	二綬帶鳥	笛子	葫蘆有仙氣溢出	祥雲	二蝙蝠	蝴蝶	二綬帶鳥			
牡丹花	一幅卷軸	菊花	扇子	魚鼓	瓜	二綬帶鳥	牡丹花	**中央有二隻連結在一起的紅色蝙蝠外形，其上書有「吉祥如意」四字，下有壽字牌**					
牡丹花	二喜鵲	花籃內盛佛手柑	寶劍	倒轉蝴蝶	蘭花	一幅卷軸	玉蘭花	二蝴蝶	二喜鵲	豆	荷花	響板	豆
喜鵲	倒轉蝴蝶	象	博古架	瓜	壽字牌	三腳蟾蜍口吐上升的祥雲	象	壽字牌	拂塵	二鷺鷥	牡丹花		

一進後													
瓜、蔓草	石榴	喜鵲	倒轉蝴蝶	牡丹花	**一幅畫（竹）**	壽字牌	牡丹花	蝴蝶	蝴蝶	喜鵲	蓮花	蓮葉	瓜、蔓草

一進後右迴廊					
寶相花、卷草	**一幅畫（繪梅花）**	桃	壽字牌	石榴	卷草、寶相花

一進後左迴廊						
卷草、寶相花	瓜及花	壽字牌	佛手柑	**一幅畫（繪蘭花）**	瓜及花	卷草、寶相花

二進前												
瓜、花葉	蝴蝶	喜鵲	蜻蜓	牡丹花	倒轉蝴蝶	二蝠、祥雲	**鯉魚、禹門、龍**	二蝠、祥雲	牡丹花	蝴蝶	喜鵲	瓜、花葉

樑架及駝峰

作為書室，覲廷書室的建築裝飾對當官的盼望，可謂溢於言表。穿插枋和隨樑枋都有「潮水江牙」圖案，寓意當官上朝；駝峰上有鷹和熊，即「英雄會」(參考覲廷書室壁畫的相關敍述)；「青雲直上」、「旭日初升」等都是寓意升官的題材；又有麒麟和鳳凰，寓意「麟子鳳雛」，即卓越子孫，可以有條件攀上高位。對於子孫的祈望，最理想的是能像諸葛亮那樣，有聰明才智，或像姜維那樣驍勇善戰，甚至諸葛亮也想把他收歸麾下。有關他們的故事，可見於二進的駝峰，該駝峰有「姜」字帥旗，所敍述的正是《三國演義》第九十三回「姜伯約歸降孔明」的故事，這塊駝峰意指文武英才。與這一塊駝峰配對的是《三國演義》第五十四回「吳國太佛寺看新郎」的甘露寺。圖中吳國太有太監侍候，正在甘露寺準備相婿。趙子龍提着禮品跟隨劉備，劉備搖著摺扇過橋渡江招親(提扇動作顯示當時不是進行戰爭行動)。劉備過江招親是常見的古建築裝飾題材，這題材在戲曲劇目中名為「龍鳳呈祥」，這裏寓意婚姻美滿。

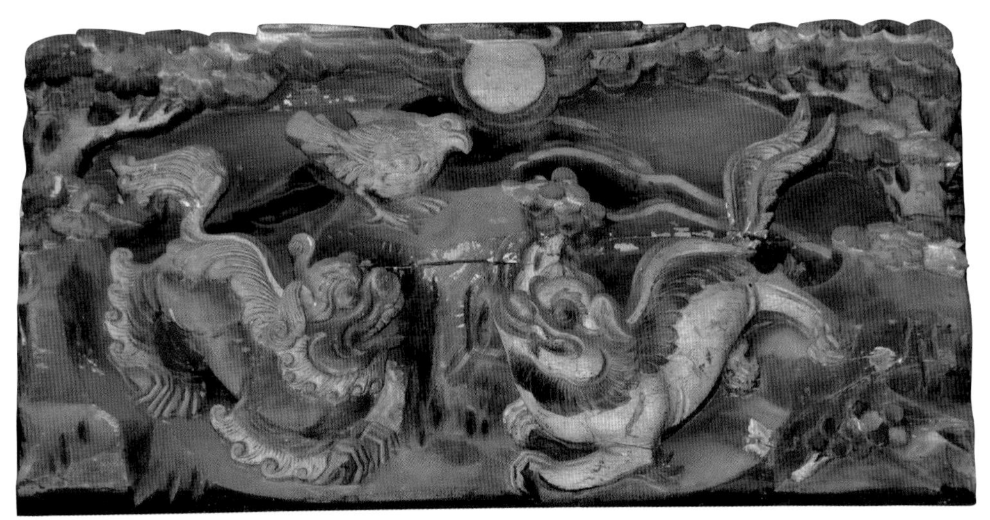

圖 5.61a：「英雄會」：禽鳥、獅子、熊；「旭日初升」：太陽、祥雲(覲廷書室二進前右樑架上層駝峰)

圖 5.61b：「麟鳳呈祥」或「麟子鳳雛」：麒麟(兔及書卷「麟吐玉書」、鳳(含綵帶，綵帶繫如意)；「旭日初升」：太陽、祥雲(覲廷書室二進前左樑架上層駝峰)

圖 5.62a：「姜伯約歸降孔明」(覲廷書室二進前右樑架下層駝峰)

圖 5.62b：「吳國太佛寺看新郎」(覲廷書室二進前左樑架下層駝峰)

二進前中央額枋上的駝峰，一幅是有關《三國演義》第八回的「董太師大鬧鳳儀亭」的故事，圖中見一戴相貂和穿官服的年長者，他提着畫戟，刺向少將，相信是表達董卓見呂布與刁嬋在一起，怒把畫戟擲向呂布的情況。另一幅的內容出自《水滸傳》第二十三回「景陽岡武松打虎」至二十六回，或戲曲劇目「獅子樓」。武松在打死猛虎後回家，得悉嫂嫂潘金蓮勾搭上西門慶的故事。歷史圖片顯示在這位置的二幅駝峰在 1990 年復修前已損毀，現有的兩幅都是在復修時新製的。所有內容都是按中國傳統，教化子孫應謹言慎行，遵禮守規。

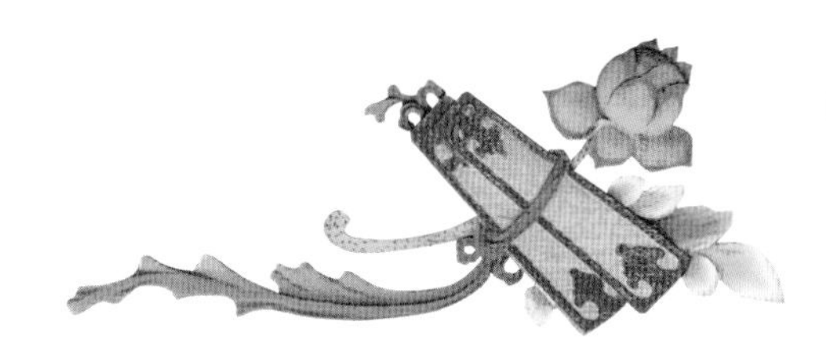

圖 5.63a：「董太師大鬧鳳儀亭」(覲廷書室二進前中央額枋上右駝峰)

圖 5.63b：「景陽岡武松打虎」、「獅子樓」(覲廷書室二進前中央額枋上左駝峰)

門楣上的題字

覲廷書室一進後，廂房門楣上的題字分別是「桂馥」和「蘭芬」，都是透過花的香氣暗喻子孫賢才昌盛的詞語。右側和左側門上的「鍾靈」、「毓秀」是指名山大川的靈秀之氣產生傑出的人材。至於第二進的題字「稟道」和「毓德」[4]，則著重德行的培養和承傳。楊慎初 (2002，105 及 107) 引述理學家朱熹之言：『「善者美之實也」，「道者文之根本，文者道之枝葉」，「文皆是從道中流去」。』從而指出古建築亦強調社會實用功能，即善、道與美的關係。又認為建築文化思想在傳統文化制約束縛下，「為封建政治倫理道德服務」。

圖：5.64a,b：覲廷書室門楣上的題字「鍾靈」、「毓秀」

隔扇門

一般隔扇門以四扇為一組，每扇上下分四段，首部為頂板，次為格心(隔心)，中為腰板(絛環板)，下為裙板四部分。覲廷書室的所有隔扇門都沒有腰板部份。覲廷書室一進後天井廂房的隔扇門頂板飾淺浮雕如意一雙，呈交叉形，中央繫紅綵帶；格心飾透刻如意、八角形、菱形、瓜、瓜蒂、海棠，框架中央鑲不同色彩的玻璃。格心隔扇門的鏤空部分其實也具窗戶的通風作用，這裏的空間被玻璃封閉了，廂房的牆上便須設空心的漏窗作透氣之用；裙板飾淺浮雕博古架，其上擺放佛手柑、花瓶，花瓶內插微泛青綠色的蓮花蕾、孔雀毛，寓意「一品清廉」即當官之意。

二進偏廳隔扇門的頂板為淺浮雕陰刻蘭花；格心為透刻，以拐子紋為主要骨幹，中央飾倒轉蝴蝶、花籃、花卉、二蝙蝠、海棠 / 柿蒂和卷草，上下四角有桃子；裙板為陰刻竹圖，寓意「福壽雙全」。蘭花和竹是四君子之二。

二進閣樓廂房的頂板為淺浮雕陰刻菊花；格心為透刻，以拐子紋為主要骨幹，中央飾倒轉蝙蝠、花籃、祥雲、瓜果和盤長，寓意福到和子孫世代綿長；裙板為陰刻的竹。菊花和竹是四君子之二。隔扇門的裝飾都以花卉、瓜果為主，以蝙蝠、蝴蝶、花籃為中央組合吉祥圖案的主要內容，題材都與福祿壽相關。

圖：5.65a,b,c,d：覲廷書室隔扇門

一進後至二進間左廂房隔扇門

二進閣樓隔扇門隔心

二進右偏廳隔扇門

二進右偏廳隔扇門隔心

花罩

花罩的功能是作為分隔空間之用，大多數花罩都用透刻製成，使空間在分隔之餘，又不會感到太侷促和呆板，亦可增加美感。覲廷書室的花罩有三款，在一進後迴廊門的花罩像是雀替的連續，中間加上牡丹花。在二進正廳的花罩較大型，以藍色鏤空博古紋為主要骨幹，中央有一幅卷軸，卷軸上繪畫菊花和書有「吉祥如意」，博古紋中藏有瓜、桃、桃花、牡丹花、葡萄、石榴、蓮花和蓮蓬等，象徵多福多壽。偏廳的花罩又像縮小板的正廳花罩，中央為葡萄，博古紋中藏有蝙蝠祥雲、瓜、桃和壽字牌等，象徵「福自天來」和多福多壽。下面的隨樑枋飾「潮水江牙 (崖)」紋，象徵江山社稷，即官祿。

圖 5.66：瓜、牡丹花 (覲廷書室一進後迴廊門花罩)

圖 5.67：中央為葡萄，左右有蝙蝠祥雲、瓜；博古、桃、壽字牌；隨樑枋：「潮水江牙 (崖)」(覲廷書室二進偏廳花罩及隨樑枋)

圖 5.68a,b,c：覲廷書室二進正廳花罩

一幅卷軸，上繪菊花和書「吉祥如意」，側有瓜、桃、桃花、牡丹花 (中央)

瓜、博古、葡萄、石榴、蓮花、蓮蓬 (右下)

瓜、桃、桃花、葡萄 (右上)

壁畫

覲廷書室的壁畫是整座建築的主要特色，這裏的壁畫分四類，即吉祥圖案、詩畫、題詩和神話傳説。壁畫中保存最好的要算是正門前中央的一幅「南山雙壽」圖，一進閣樓「藏經閣」的牆壁，也許在古時受書架的阻隔，少受人流的破壞，因此仍鮮豔如新。二進的「郭子儀祝壽」和「太白醉酒」都保存良好，它們的畫工精美，都是值得欣賞的藝術品。

全所建築壁畫的落款有五款：

(1) 「翠石 / 翠石道人」所繪的畫共有 8 幅，其中 3 幅在中央，最重要的一幅是一進前中央的「南山雙壽」圖；他的畫有 2 幅在一進前，其中 3 幅是人物、2 幅動物、1 幅花卉、1 幅書籍及雜物，相信「翠石 / 翠石道人」為各畫工之中的主筆，他擅於畫人，畫工精美，而且多才多藝，樣樣皆能；

(2) 「白雲道人」共有畫 8 幅，其中 4 幅在中央位置，最重要的一幅是一進後中央的「蒼龍教子」圖；他的畫有 3 幅在一進前，2 幅山水、2 幅花卉、1 幅書籍和雜物、1 幅八仙中的四仙人物圖 (另一端沒有落款的四仙圖，可能都是他的作品)，「白雲道人」繪的八仙圖的畫工沒有「翠石」繪的那樣精細，他的作品題材多樣，而且有些在重要的位置，但大多已破損；

(3) 「半醉山房」共有畫 9 幅 (或 12 幅，在迴廊的 3 幅花鳥畫可能都是「半醉山房」的作品)，其中 1 幅在中央，2 幅山水、7 幅花鳥，「藏經閣」的落款全部都是「半醉山房」的作品，這裏西牆中央的山水畫十分優美，而且保存良好，是他的精心傑作，相信他不擅長人物畫，因為在這建築中沒有他署名的人物畫；

(4) 「半閒子」共有畫 6 幅，其中 1 幅在中央，1 幅人物、3 幅花鳥、1 幅瓜果、1 幅鳥獸，雖然他的作品不多，又不在顯眼位置，但畫工也仔細，大部分畫作仍保存良好；

(5) 「羅浮懶仙」共有 2 幅，全部都已磨損，不能辨認。

相信古代的畫工按各人所長作出分工，擅長畫人物的相信佔較高地位，所繪的畫，面積較大和在中央顯眼的位置，有些房間由一人全權負責，有些房間的裝飾則是由各人共同合作而成。各純文字的壁畫都沒有落款，不知是誰的手筆。

題詩

作為一所書室，覲廷書室有特別豐富的壁畫題詩，全部都是一對對地排列於牆壁中央兩側，包括一進前、後，一進左、右閣樓和二進前等位置，共有十幅之多。除了左閣樓的一對為宋代蘇軾的《題金山寺回文體》外，其他都是唐代不同詩人的作品。這些題詩的內容，都在於借景抒情，而且充滿著離愁別緒，相信是來自外地的書室「山長」/「塾師」(即老師)在構思裝飾題材時，睹物思人，懷念故鄉吧！

思鄉情切

以下是覲廷書室的題詩：

「中庭地白樹棲鴉，冷露無聲濕桂花。今夜月明人盡望，不知秋思落誰家？」
(唐 · 王建《十五夜望月寄杜郎中》)

「寒雨連江夜入吳，平明送客楚山孤。洛陽親友如相問，一片冰心在玉壺。」
(唐 · 王昌齡《芙蓉樓送辛漸》)

「誰家玉笛暗飛聲，散入春風滿洛城。此夜曲中聞折柳，何人不起故園情？」
(唐 · 李白《春日夜洛城聞笛》)

「汀洲無浪復無煙，楚客相思益渺然。漢口夕陽斜渡鳥，洞庭秋水遠連天。」
(唐 · 劉長卿《自夏口至鸚鵡洲夕望岳陽寄元中丞》)

題詩中對山居景色也特別愛好，相信是實際環境的感染。所選的詩著重描寫日暮、斜陽和春雨，也許這時分令人額外傷感，容易勾起相思之苦吧！畢竟古時讀書，除了追求學問外，書室主人也在乎功名官祿。故此，「皇都」和「五侯家」，都是夢寐以求的地方。又能有「玉面紅妝」追隨，真是理想極了！

春色滿皇都

「天街小雨潤如酥，草色遙看近卻無。最是一年春好處，絕勝煙柳滿皇都。」
(唐 · 韓愈《早春呈水部張十八員外》)

「春城無處不飛花，寒食東風御柳斜。日暮漢宮傳蠟燭，輕煙散入五侯家。」
（唐 · 韓翃《寒食》）

「江雨朝飛浥細塵，陽橋花柳不勝春。金安［鞍］白馬來從趙，玉面紅妝本姓秦。」
（唐 · 宋之問《和趙員外桂陽橋遇佳人》）

回文詩

最有趣的一進左閣樓「藏經閣」的回文詩。這裏把一首詩分成二段題在牆上：

「潮隨暗浪雪山傾，遠浦漁舟釣月明。橋對寺門松徑小，檻當泉眼石波清。」

「迢迢綠樹江天曉，靄靄紅霞海日晴。遙望四邊雲接水，碧峰千點數鴻輕。」
（宋 · 蘇軾《題金山寺回文體》）

回文詩是可以把詩回文倒讀，即由末字讀起，如上文可轉為：「輕鴻數點千峰碧，水接雲邊四望遙……」構思巧妙（趙書三，1997，135-135)。壁畫兩側的題字都是寫山水景致，對中央的壁畫有烘托的作用。加強對畫中意境的聯想。

詩情畫意

山景圖

其他壁畫更題上相關的詩句，像這樣設計的山景詩畫圖有九幅，位置都在一進前或各閣樓中，純山景的有三幅（在二進左、右偏廳）。建築的構思者對一些唐詩特別鍾愛，重複使用在純題字壁畫和山景詩畫圖中的有唐 · 杜牧《山行》，在不同位置由不同落款的工匠重複使用在山景圖中的有唐 · 項斯《山行》。其他描寫山景的詩畫還有唐 · 韓翃《宿石邑山中》。

「遠上寒山石徑斜，白雲深處有人家。停車坐愛楓林晚，霜葉紅於二月花。」
（唐 · 杜牧《山行》）（翠石畫）

「青櫪林深亦有人，一渠流水數家分。山當日午回峰影，草帶泥痕過鹿群。」
（唐 · 項斯《山行》）（分別由半醉山房和白雲道人畫）

「浮雲不共此山齊，山靄蒼蒼望轉迷。曉月暫飛千樹裡，秋河隔在數峰西。」
（唐 ・ 韓翃《宿石邑山中》）（半醉山房畫）

在覲廷書室與清暑軒重複使用的有唐 ・ 王維《山居秋暝》。詩中提及［明月］和「清泉」隱含了古代書院的文化，暗喻對讀書人的理想追求。古時士人在山林隱居，希望學子能在這寧靜的環境中修身養性，學有所成。因而唐詩中多稱頌書院的松、竹、泉、石之美（楊慎初，2002，48-50）。從明 ・ 高啟《詠梅》中提及「雪滿山中高士臥」一句，反映古人對山能孕育賢慧人士的聯想。

「［明月］松間照，清泉石上流。」
（唐 ・ 王維《山居秋暝》）（白雲道人畫）

「雪滿山中高士臥，月明林下美人來。」
（明 ・ 高啟《詠梅》（《梅花九首》中的第一首））

除了山水景色外，畫面上常有孤帆泛舟海上，壁畫題上唐 ・ 王灣《次北固山下》詩句

「客路青山外，行舟綠水前。潮平兩岸闊，風正一帆懸。」
（唐 ・ 王灣《次北固山下》）

北固山是《三國演義》第五十四回「吳國太佛寺看新郎」的甘露寺所在，北固山山勢險峻，也因為劉備過江招親的故事，成為騷人墨客借景抒情的對象。另一幅孤舟圖上書有「高山流水無愁調，帶□琴□□自啼」。「高山流水」一曲，又點出伯牙和子期的「攜琴訪友」故事。伯牙是晉國的大夫，他在途經馬鞍山時，停舟撫琴，並彈奏「高山流水」一曲，遇知音鍾子期，二人成為好友，後來伯牙攜琴再訪，但子期已死。伯牙感到知音不再，於是把琴摔碎，發誓終身不再彈琴（劉爭義（編）［鈍根］b，1915/1990，161）。這故事寓意友情可貴。可見山景圖不僅描寫自然景色，同時也蘊含豐富的文化色彩。

花鳥畫

除了風景畫外，覲廷書室也擁有大量的花鳥畫，而且圖像和題詩的內容互相配合，令畫像好像是詩句的插圖，詩句又令畫作沾上了點點文人的優雅氣息。三幅牡丹花圖中，選用了兩首唐 ・ 羅隱寫的牡丹詩：

「艷多烟重欲開難，紅蕊當心一抹檀。公子醉歸燈下見，美人朝插鏡中看。」
（唐 ・ 羅隱《牡丹》）

「若教解語應傾國，任是無情也動人。」
（唐 · 羅隱《牡丹花》）（半閒子畫）

繪有山茶花的畫共五幅，畫中還伴有綬帶鳥，寓意「春光長壽」。題詩有兩首，包括明 · 張新《寶珠茶》和清 · 張璿「花鳥四條屏」中題字，後者被重複引用一次。詩中提及的「羅浮仙子」又被用作工匠的別名「羅浮懶仙」。「羅浮山」著名的道教神仙有葛洪和麻姑，「麻姑獻壽」是常見的裝飾題材，覲廷書室大門上便有一幅可作參考。

「胭脂染綘群圍，琥珀裝成赤玉盆。」
（明 · 張新《寶珠茶》）（半醉山房畫）

「羅浮仙子飲流霞，醉倒孤山處士家。幾度東風吹不醒，至今顏色似桃花。」
（清 · 張璿「花鳥四條屏」中題字）（白雲道人畫）

圖5.69：圖像：壽石、山茶花、綬帶鳥；蘭花；題字：「羅浮仙子飲流霞，醉倒孤山處士家。幾度東風吹不醒，至今顏色似桃花。」「白雲道人畫」（行書）（覲廷書室一進後左隔斷牆／隔間牆內壁畫）

繪有菊花的畫共有七幅，與菊花組合一起的有壽石、綬帶鳥、竹、花籃和蝴蝶等，都是與長壽相關。選用的詩為宋 · 劉子翬《詠菊》，被選用共二次。劉子翬在北宋末年任承務郎，南宋時任興代軍通判。辭官歸鄉後在屏山隱居講學，人稱「屏山先生」，朱熹即出其門下。著有《屏山全集》（陸耀東，1994，110)。對於居住在香港屏山的鄧氏族人來說，找國內「屏山先生」（劉子翬）

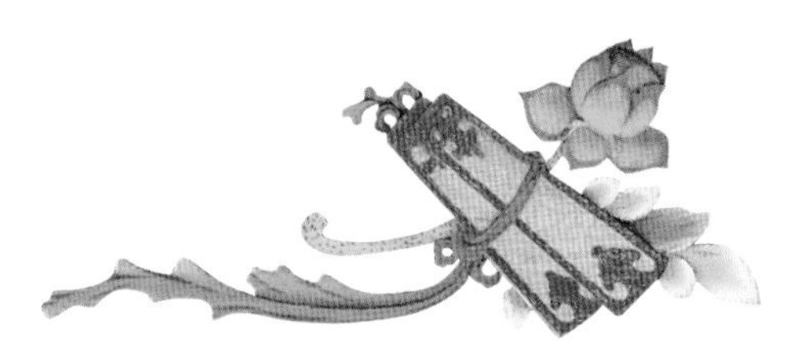

的詩句來點綴他們在屏山的家園，一定更親切動人。詩中緬懷愛菊的陶淵明，多次表達對山野隱居讀書那淡泊名利、回歸田園的生活感受。另有其他題字，暫未能辨識和瞭解其實際含義。

「輕煙細雨重陽節，曲檻疎籬五柳家」（宋 · 劉子翬《詠菊》）（半閒子畫）

·

「□□□□普世灋（同「法」字）門」

圖 5.70：圖像：菊花、壽石、綬帶鳥；蘭花；題字：「輕煙細雨重陽節，曲檻疎籬五柳家」「半閒子偶畫」（覲廷書室一進後右隔斷牆 / 隔間牆壁畫）

繪有蓮花的壁畫共三幅，畫中有蘆葦，寓意「一路連科」，即科舉中取勝之意。題詩有兩首，著重描述蓮花與葉，紅色與綠色相映成趣。

「紅□碧玉秋波瑩，綠雲扇擁青搖傾。水宮仙子鬥紅妝，輕步凌波踏明鏡。」（宋 · 張文潛（張耒）《對蓮花戲寄晁應之》）

「碧沼停寒玉，紅蕖映綠波。」（明 · 申時行《蓮花》）（半閒子畫）

玉蘭花被形容為富貴一品花，玉蘭花又寓意長壽，因此與柏樹組合一起。題字為

「木□結子千般□，富貴開花一品仙」

也有把花卉和八哥鳥描述成像人類那樣，可以談笑自若。

「花鳥能言咲 [笑]，逢人也不驚。」

其他畫面內容有月季花和綬帶鳥（一幅）；蘭花（五幅）；桃、桃花、綬帶鳥、壽石（二幅）；桃、花籃、心形外框（一幅）；梅花、喜鵲、竹（一幅）；瓜果、壽石（一幅）；瓜、石榴、壽石（二幅，其一有蝴蝶）；三圓形果實、喜鵲（一幅，寓意「喜中三元」）；樹（二幅，其一為松樹，一為柏樹，一幅有鳥）；竹、松、果（一幅）寓意祝福、祝壽；和竹、壽石、石榴、喜鵲、黃色杏花（一幅，寓意「福祿壽全」）。

四季

覲廷書室的四個不同位置的迴廊門上，採用了四種不同的花卉作壁畫，象徵四季。近二進右迴廊門上是的月季花和綬帶鳥（象徵春季）；近一進右的是魚、水草和蓮花（象徵夏季）；近二進左的是菊花（象徵秋季），有題詩「採菊東籬下，悠然見南山」（東晉・陶淵明《飲酒》詩）；近一進左的是梅花（象徵冬季）。都是「半醉山房」刻意安排的繪畫作品。這裏又再引用陶淵明的詩，表示認同他的隱世思想及做人方式。壁畫題詩中有關春天的還有唐・韓愈《早春呈水部張十八員外》、唐・韓　《寒食》和唐・宋之問《和趙員外桂陽橋遇佳人》。關於秋天的詩有唐・韓　《宿石邑山中》、唐・劉長卿《自夏口至鸚鵡洲夕望岳陽寄元中丞》、唐・杜牧《山行》和唐・王建《十五夜望月寄杜郎中》等。

表三十：覲廷書室壁畫（四季）

位置	圖	題字		位置	圖	題字	作者	
右迴廊東	月季花、綬帶鳥	半醉山房偶畫	春季	左迴廊東	菊花、綬帶鳥	採菊東籬下，悠然見南山	東晉・陶淵明《飲酒》詩	秋季
右迴廊西	魚、水草、蓮花		夏季	左迴廊西	梅花			冬季

吉祥物組合圖

覲廷書室內有四幅以多種類花卉及物品組合的吉祥圖案壁畫，所在位置分別是閣樓、廂房和偏廳。在一進左、右閣樓的兩幅都寫上相同的製作日期：「同治九年歲次庚午時桂陽月中浣」即 1870 年八至十月中旬，落款分別是「翠石道人」和「半醉山房」，二者畫風相近，不知是否同一人。其一繪上白菜、山茶花、佛手柑、花瓶、菊花、壽石和雞冠花；另一幅繪上二蝴蝶、瓜、菠蘿、萬年青、月季花、壽石和桃，都是象徵福、祿、壽和財。

圖 5.71：圖像：白菜、山茶花、佛手柑、花瓶、菊花、壽石、雞冠花；題字：「同治九年歲次庚午時桂陽月中浣翠石道人偶畫」（行書）（覲廷書室一進右閣樓東牆中央壁畫）

圖 5.72：圖像：二蝴蝶、二大桔、二菠蘿、山茶花、二桃、二葫蘆、金錢、壽石、二株萬年青、柏樹；題字：「同治九年歲次庚午時桂陽月中浣半醉山房偶畫并書」(行書)(覲廷書室一進左閣樓「藏經閣」東牆壁畫)

吉祥物組合中有三幅壁畫繪有書本，在廂房一幅的書本上寫上《明心口鑑》「省城福口棠藏板」、蝴蝶、花瓶、瓜、雙錢，由「白雲道人」畫。《明心口鑑》相信是一本古書的名稱或當年十分重視或流行的一本書，可惜未能看到書名的全貌。近似書名的有《明心寶鑑》一書。該書為明代范立本所纂輯，內容涵蓋歷代的嘉言警句、家訓鄉約等道德要求。此書於明清時代在庶民間十分流行，廣範用作童蒙教材，與書室的教化作用脗合。古書在這幅圖中也可暗喻年代久遠，意即長壽，與瓜和蝴蝶結合一起寓意「福壽雙全」。在偏廳的一幅壁畫中的書本寫上「全通勝」三字，又有文章冊頁和寫有「同治九年」「歲次[庚午]」的綬帶。「通勝」是關於曆法的書籍，「通勝」原本稱為「通書」，因「書」與「輸」同音，因而被改稱為「通勝」。這幅圖中還有花瓶、杏花、蘆葦、如意、拂塵、孔雀毛、頭長一角的含環瑞獸等，暗喻能在各階段的科舉考試中得勝，登科及第，一品當朝。偏廳另一端壁畫的書本上有題字「第八才子」的書本、寫有「狀元及第」的綬帶、圓形果實、文章冊頁、博古、倒轉蝴蝶、錢、杏花和有含環瑞獸的花瓶。「第八才子」的典故來自清代的粵劇《花箋記》，最早的版本名為《靜淨齋第八才子花箋記》，劇中的才子是梁芳州，在十八歲時已嶄露頭角(薛汕，1985，1及4)。此圖除了寓意「福壽雙全」外，也暗喻希望有卓越才能的子孫，可以高中狀元。

圖 5.73：圖像：書本，上書「全通勝」、綬帶，上書「同治九年」「歲次[庚午]」、文章冊頁、花瓶、杏花、蘆葦、如意、拂塵、孔雀毛(花翎)、頭長一角的含環瑞獸；題字：「全通勝」(楷書)「同治九年」「歲次[庚午]」(楷書)「翠石畫」(行書)(覲廷書室左偏廳西扇面牆壁畫)

圖 5.74：圖像：圓果；書，上有題字「第八才子」；綬帶，上有題字「狀元及第」；倒轉蝴蝶、錢；花瓶，上有含環瑞獸及插杏花；文章冊頁、博古(覲廷書室右偏廳西牆內壁畫)

吉祥動物

古人望子成龍的熱切盼望，體現在各所建築的「蒼龍教子」壁畫中，除了水墨的大小龍圖像，覲廷書室還賦上詩句：

「末日風雲滿素屏，爭[峥]嶸頭角露神形；静看頗[有為霖]勢，贈口口墨點情。」

近似的題字內容也可在廣州南沙區黃閣鎮東裏村輔黨麥公祠找到，反映香港的古建築與嶺南文化一脈相承的關係。

由於中國人喜歡採用暗喻的方式表達訊息，我們必須從表象中尋找其隱藏的真正意義。另外，同一物品又包含多重意義，因此難以辨別作者的原意。壁畫裝飾的題字，實有助古建築裝飾研究者鑑別其實際含義，如廂房中的鳳凰、太陽、樹和靈芝壁畫，我們很容易便能辨認它是「雙鳳朝陽」的寓意；壁畫中見麒麟、二兔、一卷軸，即「麟吐玉書」，從諧音角度，也容易理解「兔」與「吐」的關係，至於「麟吐玉書」與孔子誕生有關，而延伸至能獲賢能兒子，則須靠尋找典故作參考，才可得知。廂房壁畫的「二獅譜燕」是少見的吉祥圖案例子，這例子擴闊我們對古代文化的認識。燕子與科舉及第的喜訊相關。獅子與官祿相關，二者與古時努力讀書的成果相關，脫離這一情境，是難以作出聯想的。最令人費煞思量的是覲廷書室廂房壁畫中的雙尾動物與鳥兒的組合，這一幅畫上書有「英雄會」。在日常生活中未見有二條尾巴的動物，一般吉祥圖案書也沒有這造像，只有在石灣古陶中才可以找到「雙尾熊」的例子。根據石灣學者的解釋，以二條尾巴作為「熊」的特徵是古時留下來的製作傳統，古時石灣也在陶獅上加上一角，使其更有仙氣。壁畫「英雄會」中的鳥獸組合，「熊」諧音「雄」，「英」的諧音自然與鳥名「鷹」或鸚鵡的「鸚」聯想起來。以鳥獸作英雄其實只是其表面意義，這一組合的圖像，常與鹿圖作配對，有時候與鳥作組合的是獅子或麒麟。這些實例反映，所謂英雄，實際指的是官祿，因獅子可以寓意太師、少師，也是二品武官官服補子的標誌，麒麟是一品武官的標誌，如此，可以引申到文官的補子，都是用鳥類作為代表。根據《大清會典圖》繪文官補子：一品（鶴）、二品（錦雞）、三品（孔雀）、四品（雁）、五品（白鷴）、六品（鷺鷥）、七品（鸂鶒）、八品（鵪鶉）、九品（練雀）。文官補子中沒有鷹或鸚鵡，鳥 /「英」只是泛指所有文官。武官補子：一品（麒麟）、二品（獅）、三品（豹）、四品（虎）、五品（熊）、六品（彪）、七品（犀）、八品（犀）、九品（海馬）、從耕農官（彩雲捧日）。「英雄會」象徵希望獲得文、武官職。在香港古建築中，「英雄會」壁畫不多，但「英雄會」駝峰和其他木刻裝飾卻是比比皆是，這一幅壁畫，可以作為考究其他相關裝飾題材的依據，因此彌足珍貴。

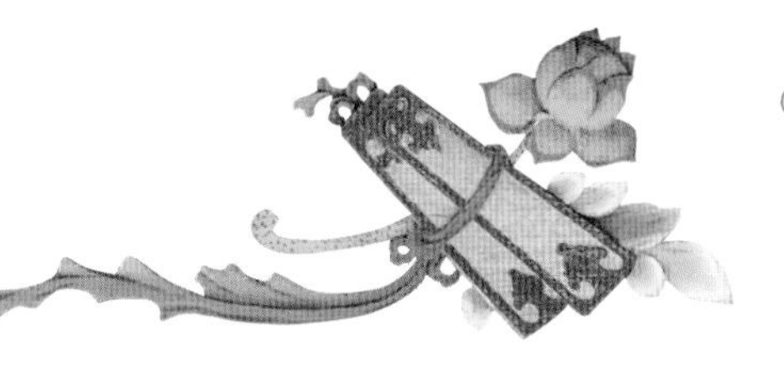

圖 5.75：「英雄會」：鳥（鷹）、二熊（有雙尾）（覲廷書室一進後北廂房壁畫）

圖 5.76：圖像：鳳凰、太陽、樹、靈芝；題字：「雙鳳朝陽」「翠石偶畫」（覲廷書室一進後右廂房北牆壁畫）

圖 5.77：圖像：麒麟、二兔、一卷軸；題字：「麟吐玉書」「翠石偶畫」（覲廷書室一進後左廂房南牆壁畫）

吉祥人物

在二進偏廳有二幅敞大的人物壁畫。右面的標題是「太白醉酒」，左面的是「郭子儀祝壽」。李白和郭子儀都是唐朝的著名人物，李白的成就在文學，被尊為「詩仙」，郭子儀是四代宿將，被封為汾陽王和德宗的尚父，由於子婿眾多，又享高壽，因而常用作集福、祿、壽於一身的吉祥標誌。作為文、武的象徵，這兩幅壁畫的位置與肇慶德慶學宮文、武日月神的位置安排相同，即建築右為文、建築左為武，相信這種排列方法是古代中國的建築文化傳統。「太白醉酒」和「郭子儀祝壽」都是香港古建築常見的裝飾題材。由於一般的裝飾缺乏標題，難以作出鑑別。這裏的壁畫圖文配合，畫意清晰，可以作為相關題材的佐證。「太白醉酒」壁畫中，題上唐 ・ 杜甫《飲中八仙歌》：

「李白斗酒詩百篇，長安市上酒家眠。天子呼來不上船，自稱臣是酒中仙。」

點出民間除了欣賞李白的才華外，也愛他浪漫不羈的豪邁性格，或平民百姓終有出頭天的盼望。民間建築在嚴肅的吉祥盼望之餘，也有輕鬆的一面。「郭子儀祝壽」圖除了繪上老人外，還有年青官員相伴，展示與當官的子孫或朋友共聚一堂的安享晚年快樂景象。畫中題上「福如東海年年在，壽比南山日日增。」的吉祥語句。一般的「郭子儀祝壽」圖把郭子儀安排在畫面中央，身穿侯爵服飾，並安坐於案後，左右有持扇侍女事奉，兩旁有福壽二星到賀，當官的兒子站在兩側，有時候在案前叩首賀壽（這種表達方式的例子，可參考大夫第一進後正脊中央的裝飾）。

圖 5.78：圖像：在山野間有一穿學士衣及戴學士巾的士人，倚在書本和古琴側，身旁有童僕煮酒；題字：「太白醉酒」；「李白斗酒詩百篇，長安市上酒家眠。天子呼來不上船，自稱臣是酒中仙。翠石畫」（覲廷書室二進左偏廳西扇面牆壁畫）

5.79：圖像：一長鬚老翁倚在觀賞一名士人的揮毫，另一年青官員也樂在其中；畫的一端二童僕中一人抱琴，一人奉茶點。另一端桌子上擺放佛手柑，中央有柏樹；題字：「郭子儀祝壽」「福如東海年年在，壽比南山日日增。」「半閒子偶畫」（覲廷書室二進右偏廳西扇面牆壁畫）

吉祥神仙

壽星

古建築中與長壽有關的壁畫很多，覲廷書室在大門上方繪有「南山雙壽」的壁畫，畫中展示南極仙翁和麻姑二位男女壽星，在山野間悠閒地談笑，麻姑像剛採摘滿籃子的靈芝，準備往瑤池向西王母賀壽。畫上題上

> 「南山福祿長添壽，松柏連橫不老春。」「同治九年，歲次庚午，時維菊月中浣，翠石道人偶畫並書以為一哂之耳」

八仙

在覲廷書室外牆還有分成二組的八仙繪在兩側牆上，一端的四人中，可辨認的一人持魚鼓（張果老），另一人握寶劍（呂洞賓）：畫上書有

> 「瑤池燕樂永無休，蓬萊洞裏甚幽遊。□□□□仝唱和，不□□唱數千秋。」

另一幅四人物中，可辨認的一人持簫 / 笛（韓湘子）和女子（何仙姑）。畫上題有

> 「瑤池安樂」「……以為一哂之耳」

二畫都與「瑤池祝壽」相關。在觀廷書室有多處八仙裝飾，除了壁畫，一進前封簷板和一進後的橫披都有暗八仙裝飾，繪製八仙寓意長壽，也給建築主人一點有神靈襄助的精神安慰。

圖 5.80a-d：覲廷書室一進後橫披上的裝飾

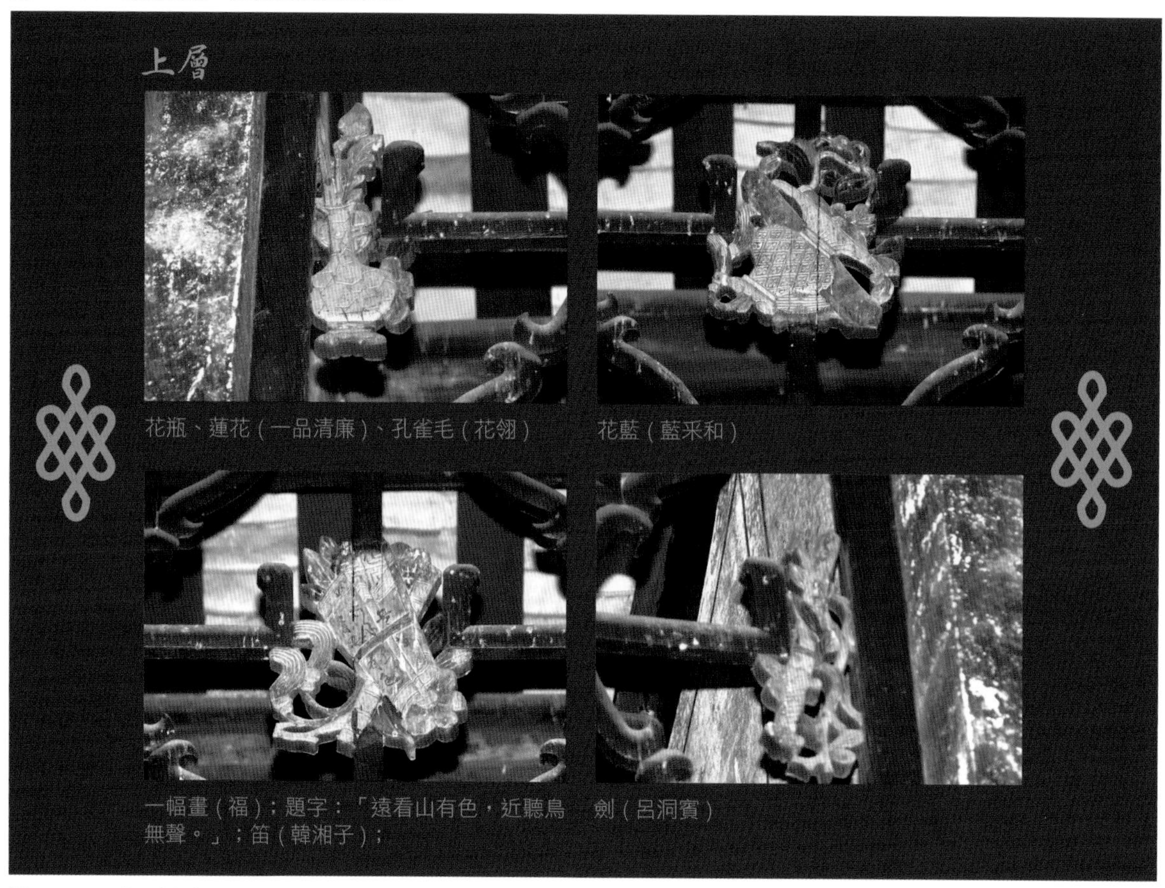

上層

花瓶、蓮花（一品清廉）、孔雀毛（花翎）

花藍（藍采和）

一幅畫（福）；題字：「遠看山有色，近聽鳥無聲。」；笛（韓湘子）；

劍（呂洞賓）

圖 5.80e-h：覲廷書室一進後橫披上的裝飾

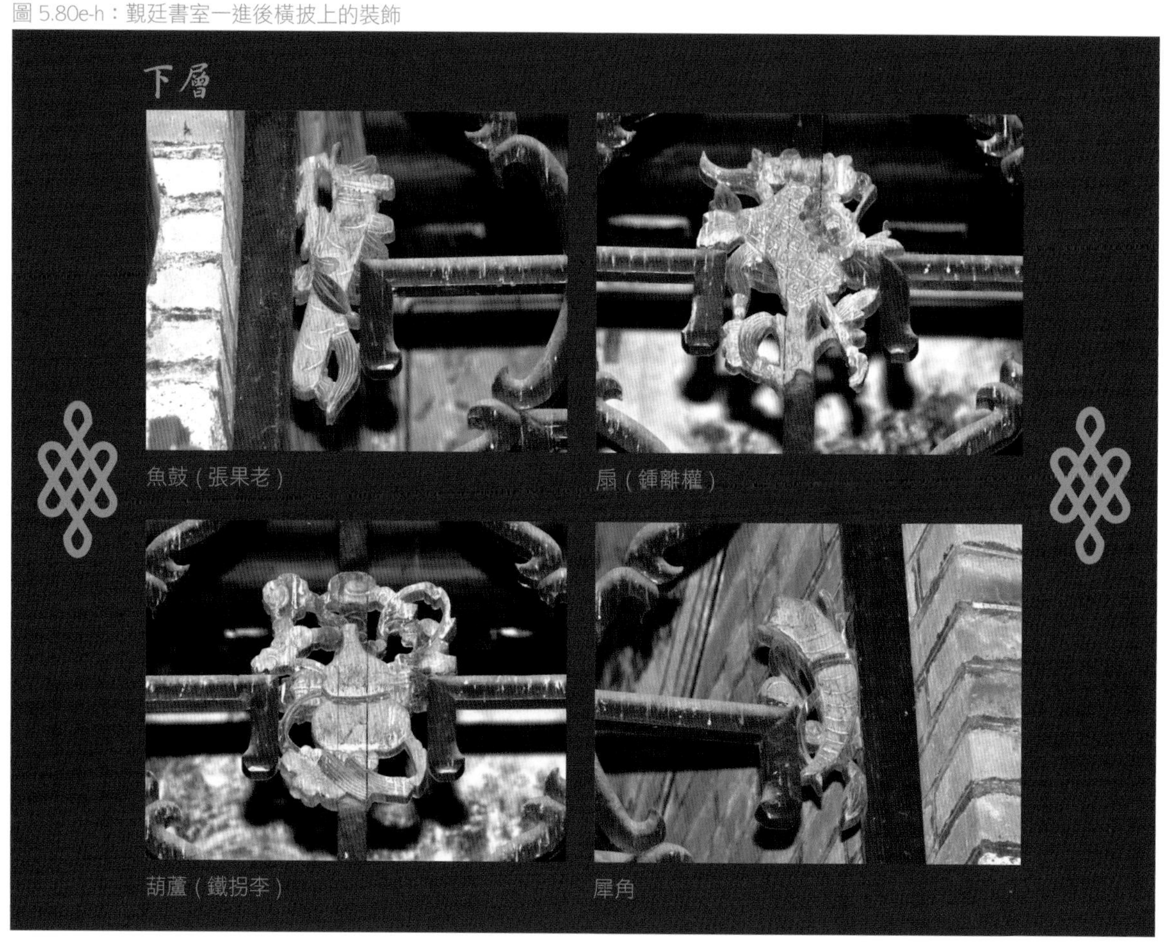

下層

魚鼓（張果老）

扇（鍾離權）

葫蘆（鐵拐李）

犀角

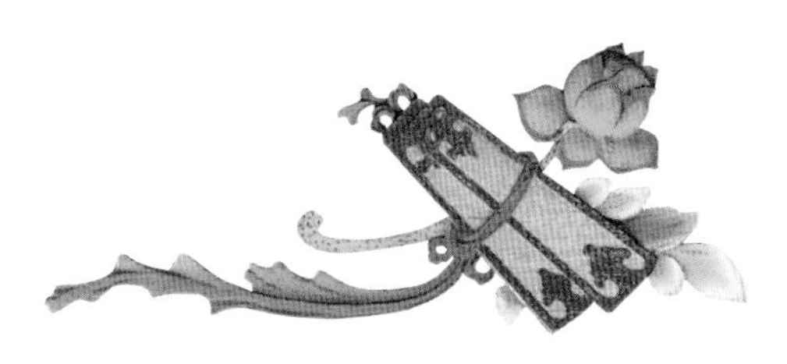

各橫披中，以覲廷書室一進後的三對中門上的橫披最為精緻，骨架以十字、博古和如意形組成，分三層。木條交界處以塊面狀的浮雕作點綴，中層中央飾以倒轉的蝙蝠形，上書「如意吉祥」，下有寶相花。上下層其他位置綴以瓜、花瓶、蓮花、孔雀毛和暗八仙（欠曹國舅的響板，而以犀角作替代）等。其中一幅卷軸上書有：「遠看山有色，近聽鳥無聲。」原文出自唐 · 王維：

「遠看山有色，近聽水無聲。春去花還在，人來鳥不驚。」

民間傳說中的仙道人物

廂房的正中位置繪畫了一幅「壺裏乾坤」圖。圖中展示兩老，一人正探視葫蘆內，畫中殘存「……何物……」題字。反映古人在潛心研讀古書之餘，對民間傳說也充滿了好奇和暇想。

書院建築藝術強調意境，重寓意，命名題額必出經典，庭園綠化多松竹梅之類，以寓意歲寒不凋的品德，反映其情景交融，物我一體的境界（楊慎初，2002，106）。建築面積細小的覲廷書室，難以栽種佔大量空間的松、竹、梅植物，但在建築每一個角落的裝飾，都可看到松、竹、梅歲寒三友和梅、蘭、菊、竹四君子的踪影。覲廷書室承襲了書院的文化傳統，根據環境實況作出調節，把理想抒發到壁畫及雕刻裝飾中，它利用物象的多重象徵性，把士人文化與民間傳統融合在一起，裝飾既富民間色彩，又負載高雅的書院文化，是文人與藝人共同努力的藝術成果。

表三十一：覲廷書室一進前壁畫

中央右隔斷牆		中央簷牆		中央左隔斷牆	
圖像	題字	圖像	題字	圖像	題字
牡丹花	艷多烟重欲開難，紅蕊當心一抹檀。公子醉歸燈下見，美人朝插鏡中看。□□□□（行書）（唐 · 羅隱《牡丹》）	二童僕，一正煮酒。另一童僕持如意，白鬚老翁倚着書几，上有數卷軸及木枴杖，仕女背向老翁，頭望老翁。仕女側有鋤頭，上掛一籃子，籃子內有如意形靈芝，背景有大樹及壽石。	南山雙壽（隸書）南山福祿長添壽，松柏連橫不老春。同治九年，歲次庚午，時維菊月中浣，翠石道人偶畫並書以為一哂之耳（行書）	綬帶鳥、山茶花、壽石	胭脂染絳群圍，琥珀裝成赤玉盆。半醉山房偶畫口耳（行書）（明 · 張新《寶珠茶》）

表三十一：覲廷書室一進前壁畫（續）

右簷牆		左簷牆		左簷牆側牆	
圖像	題字	圖像	題字	圖像	題字
（不清晰）	高山流水無愁調，帶□琴□□自啼。□□偶畫（行書）	山、石、樹、帆	［明月］松間照，清泉石上流。［白雲］道人偶畫（行書）（唐 · 王維《山居秋暝》）	菊花、松樹	□□□□普世瀍（同法）門（行書）
樹、山石；四人物：一持魚鼓（張果老）、一握寶劍（呂洞賓）	瑤池燕樂永無休，蓬萊洞裏甚幽遊。□□□□仝唱和，不□□唱數千秋。□□道人□□□□（行書）	樹、四人物：一持簫／笛（韓湘子）、一仕女（何仙姑）。	瑤池安樂…以為一哂之耳（隸書行書）		
樹、山石	遠上寒山石徑斜，白雲深處有人家。停車坐愛楓林晚，霜葉紅於二月花。翠石偶畫（行書）（唐 · 杜牧《山行》）	山、樹	青櫪林深亦有人，一渠流水數家分。山當日午回峰影，草帶泥痕過鹿群。 半醉山房偶畫（行書）（唐 · 項斯《山行》）		

表三十二：覲廷書室一進後壁畫

左隔斷牆		中央簷牆		右隔斷牆	
圖像	題字	圖像	題字	圖像	題字
壽石、山茶花、綬帶鳥；蘭花	羅浮仙子飲流霞，醉倒孤山處士家。幾度東風吹不醒，至今顏色似桃花。白雲道人畫（行書）（清 · 張璠「花鳥四條屏」中題字）	蒼龍教子，精氣由下方的龍噴出	末日風雲滃素屏，爭［崢］嶸頭角露神形；靜看頗［有為霖］勢，贈□□墨點情白雲道人偶畫并題（行書）	菊花、壽石、綬帶鳥；蘭花	輕煙細雨重陽節，曲檻疎籬五柳家半開子偶畫（行書）（宋 · 劉子翬《詠菊》）

表三十三：覲廷書室一進右閣樓壁畫

東牆北端		東牆中央		東牆南端		南隔斷牆	
圖像	題字	圖像	題字	圖像	題字	圖像	題字
蘭花	白雲道人畫（行書）	白菜、山茶花、佛手柑、花瓶、菊花、壽石、雞冠花	同治九年歲次庚午時桂陽月中浣翠石道人偶畫（行書）	蘭花	半醉山房偶畫（行書）	瓜果、壽石	［半］閒子偶畫（行書）

西牆中央		北山牆			
圖像	題字	圖像	題字	圖像	題字
二人在一葉孤舟中、山、樹	客路青山外，行舟綠水前。潮平兩岸闊，風正一帆懸。偶畫（行書）（唐 · 王灣《次北固山下》）	鳥、壽石、山茶花	羅浮…（行書）	蓮花、蓮葉、禾穗	紅□碧玉秋波瑩，綠雲扇擁青搖傾。水宮仙子鬥紅妝，輕步凌波踏明鏡。偶畫並書（行書）（宋 · 張文潛（張耒）《對蓮花戲寄晁應之》）

表三十四：覲廷書室一進左閣樓「藏經閣」壁畫

南山牆西端		西牆		北隔斷牆
圖像	題字	圖像	題字	圖像
柏樹、鳥	輕烟細雨重陽節，曲檻疎籬五柳家。（宋 · 劉子翬《詠菊》）	山水畫	浮雲不共此山齊，山靄蒼蒼望轉迷。曉月暫飛千樹裡，秋河隔在數峰西。半醉山房偶寫以為一哂之耳（行書）（唐 · 韓翃《宿石邑山中》）	山茶花、壽石、瓜

東牆			
圖像	題字	圖像	題字
蘭花、壽石	半醉山房偶寫以為一哂之耳（行書）	二蝴蝶、瓜、菠蘿、雞冠花、月季花、壽石、桃	同治九年歲次庚午時桂陽月中浣半醉山房偶畫并書（行書）

表三十五：覲廷書室一進後天井右廂房壁畫

西扇面牆			北牆					
圖像	圖像	題字	圖像	題字	圖像	題字	圖像	題字
瓜、蝴蝶、石榴	壽石、桃花、桃、綬帶鳥	半醉山房偶畫（行書）	二熊（雙尾）、鳥（鷹）	英雄會半閒子畫（行書）	二長鬚老人，一持葫蘆，一探視葫蘆內、一童僕、一酒罈	壺裏乾坤…何物…（隸書行書）	鳳凰、太陽、樹、靈芝	雙鳳朝陽偶畫（楷書行書）

東扇面牆			
圖像	題字	圖像	題字
壽石、牡丹花	若教解語應傾國，任是無情也動人。半閒子偶畫（行書）（唐 · 羅隱《牡丹花》）	蓮花、蘆葦	碧沼停寒玉，紅蕖映綠波。半閒子偶畫（行書）（宋 · 明 · 申時行《蓮花》）

表三十六：覲廷書室一進後天井左廂房壁畫

東扇面牆			西扇面牆		
圖像	題字	圖像	圖像	圖像	題字
綬帶鳥、折枝、雞冠花束	羅浮仙子飲流霞，醉倒孤山處士家，幾度春風吹不醒，至今顏色似桃花。偶題（行書）	桃、綬帶鳥	三圓形果實、喜鵲	玉蘭樹、柏樹	木□結子千般□，富貴開花一品仙（行書）

南牆							
圖像	題字	圖像	題字	題字	題字	圖像	題字
麒麟、二兔、一卷軸	麟吐玉書翠石偶畫（隸書、行書）	書，書本名稱：《明心□□論》「省城福□棠藏板」、蝴蝶、花瓶、瓜、雙錢	白雲道人畫（行書）	一團和氣 流□□財□□□□同治九年歲次庚午時□□南□翠石偶畫以為一哂之耳（行書）	羅浮懶仙畫（行書）	獅子、燕子	二獅譜燕（隸書）

表三十七：覲廷書室二進正廳及偏廳壁畫

正廳		左偏廳			右偏廳		
右隔斷牆	左隔斷牆	南山牆			北山牆		
壽石、茶花	瓜、石榴、壽石	桃、花籃、心形外框	山水畫	菊花、壽石	山、樹	竹、松、果	海屋添壽

左偏廳西扇面牆			
圖像	圖像	題字	圖像
書本，上書「全通勝」、綬帶，上書「同治九年」「歲次［庚午］」、文章冊頁、花瓶、杏花、蘆葦、如意、拂塵、孔雀毛、頭長一角的含環瑞獸	在山野間有一穿學士衣的士人，倚在書本和古琴側，身旁有童僕煮酒	太白醉酒；李白斗酒詩百篇，長安市上酒家眠。天子呼來不上船，自稱臣是酒中仙。翠石畫	花籃、菊花、二蝴蝶、二棵白菜

右偏廳西扇面牆					
圖像	題字	圖像	題字	圖像	題字
柏樹與八哥鳥	花鳥能言咲［笑］，逢人也不驚。偶筆（行書）	一長鬚老翁倚在桌子側觀賞一名士人的揮毫，另一年青官也樂在其中；另一端二童僕中一人抱琴，一人奉茶點。畫的一端桌子上擺放佛手柑，中央有柏樹	郭子儀祝壽（隸書）福如東海年年在，壽比南山日日增。半閒子偶畫（行書）	圓果；書，上有題字「第八才子」（楷書）；綬帶，上有題字「狀元及第」（楷書）；倒轉蝴蝶、錢；花瓶，上有含環瑞獸及插杏花；文章冊頁、博古	第八才子（楷書）狀元及第（楷書）（清粵劇《花箋記》主角）

表三十八：覲廷書室二進右閣樓壁畫

東簷牆					南隔斷牆
圖像	題字	圖像	題字	圖像	圖像
月季花綬帶鳥	半醉山房偶畫	屋、樹、石	［青櫪林深亦有人，一渠流水數家分。山當日午］迴峰影，草帶泥痕過鹿群。白雲道人偶畫（行草）	梅花、喜鵲、竹	松樹

表三十九：覲廷書室二進左閣樓壁畫

北隔斷牆	東簷牆			
圖像	圖像	圖像	題字	圖像
竹、壽石、石榴、喜鵲、黃色杏花	牡丹花	南端二人過橋	雪滿山中高士臥，月明林下美人來。（行書）（明．高啟《詠梅》（《梅花九首》中的第一首））	菊、竹

註釋：

4 南朝•梁昭明太子蕭統所編的《文選》第二十卷中，南朝宋•顏延之有《皇太子釋奠會作詩一首》，詩中：「國尚師位，家崇儒門，稟道毓德，藝立言。」

清暑軒

清暑軒的裝飾題材內容與覲廷書室一脈相承，尤以清暑軒的壁畫最為顯著。壁畫反映了古代的書院文化，建築內的灰塑和木刻題字，多來自經典史籍，要欣賞它的內涵，必須對中國文學有一定程度的認知。除了清高的士文化外，清暑軒的駝峰的人物，卻來自當時民間流行的戲曲故事，這種雅俗文化並存的現象實例，增加了我們對古代生活的瞭解。

香港常見的古代建築大多是中軸對稱，鮮有像清暑軒那樣不拘一格，以悠閒方式，享受生活的品味建築。建築內還設有廚房和浴房等實用空間，也採用了當時新興的物料——玻璃，改變了傳統建築的製作傳統，同時，一些裝飾圖案，也融入了西方的風格，從清暑軒的例子，可以看到晚清時期中國傳統文化的演變過程，由內裏較少公眾人士看到的空間開始，慢慢浮現於人前。從清暑軒也可以看到古人如何因地制宜地應用傳統文化，在彈丸之地，也可以變化多端。

圖 5.81：玻璃洞窗：採用了當時新興的物料——玻璃，改變了傳統建築的製作傳統；八角形洞窗：框內鑲長方形及三角形玻璃；框飾：卷草、瓜、石榴、如意、海棠、桃、同心結（清暑軒地面正廳前天井）

古代書院在中軸主院的外圍，常附有側院，作為山長或學員住宿的齋舍，提供附屬設施或園林遊息之地。齋舍與中軸主體建築隔離，但有廊廡與之聯繫，構成實用和安靜的學習生活環境（楊慎初，2002，68）。在覲廷書室側的清暑軒正具這一種特質。它與覲廷書室有一迴廊之隔，迴廊向大街的方向有門樓和正脊。清暑軒的大門在這門樓內的空間，面向覲廷書室的左側，覲廷書室又有側門可通往清暑軒。清暑軒的建築不像其他傳統的中式建築那樣是中軸對稱的，而是以曲尺的形式構成，不拘一格。院落的面積細小，不能容納亭台水榭、小橋流水，訪客從圓形的月門進入院落，迎面是八角形的玻璃洞窗，兩側有雅致的漏窗和灰塑楹聯、花卉及動物的吉祥裝飾，以及正廳的木刻花罩，每一角落的景觀變化別具心思，為辛勤讀書的學子，提供一個理想的餘暇活動之所。

圖 5.82：清暑軒的大門面向覲廷書室左側

圖 5.83：不拘一格的清暑軒建築結構

功名牌

建築的門廳擺放著紅色髹上金漆文字的功名牌，像衙門那樣威嚴肅穆。牌上刻有「甲子科 祖孫文武登科」；「甲子科鄉進士」；「揀選衛正堂」；「父子、兄弟聯科」；「叔姪、兄弟、父子、祖孫文武登科」。

牌上文字所指的登科人物是瑞泰的祖、父、孫三代，即瑞泰（屏山第 20 傳）、勷猷（屏山第 21 傳）、宏英及惠育（屏山第 22 傳）（三代）；和瑞泰的姪兒遂懷和飛鴻（屏山第 21 傳），他們均考獲鄉進士（舉人）之位，瑞泰與惠育祖孫考得功名的時間都在甲子年，相隔有六十年之久，除了惠育考得文舉外，其餘均為武舉。家族的社會地位得以提升，這正是族人興建書室所期望獲得的成果，家族成員有此顯赫成就，當然值得向來訪者炫耀一番了！

圖 5.84：清暑軒地面門廳正門後的功名牌

表四十：清代屏山鄧氏中科舉者的親屬關係

第 19 傳	（夢月）（排行 2）（芝蘭兄）（瑞泰的生父是芝蘭，瑞泰後來過繼夢月）		（芝蘭）（排行 3）	（允升）（排行 2）
第 20 傳	瑞泰（排行 1）（武舉人）		（培泰）（排行 2）	（式）（排行 1）
第 21 傳	（述卿）（排行 2）	勷猷（排行 3）（武舉人）	遂懷（排行 2）（武舉人）	飛鴻（武舉人）
第 22 傳	寶琛／惠育（排行 1）（文舉人）	宏英（排行 2）（武舉人）		

（黑色：中科舉者；藍色：親屬）

正脊

覲廷書室與清暑軒間迴廊門前正脊延續覲廷書室的裝飾主題，也有以書本、博古作裝飾；以孔雀、麒麟象徵文武官員；和象徵「連中三元」的圓形的果實。都與讀書和高中入仕相關。清暑軒閣樓正廳上正脊結構款式與覲廷書室差不多，都是平脊，正脊兩端有鏤空博古紋，博古紋空間中的雁隻肥大，蝙蝠次之，和各種小瓜作襯托。旁邊有地瓜（南瓜）與蝴蝶圖，象徵「天長地久」，和二鴨、蘆葦、蓮花，象徵「一路連科」、「二甲傳臚」。中央生動活躍的五隻駿馬帶出「馬上」取得之意，整脊給人大自然的氣息，又暗喻福、祿、壽的盼望。垂脊以博古或博古龍作裝飾，博縫有卷草紋。

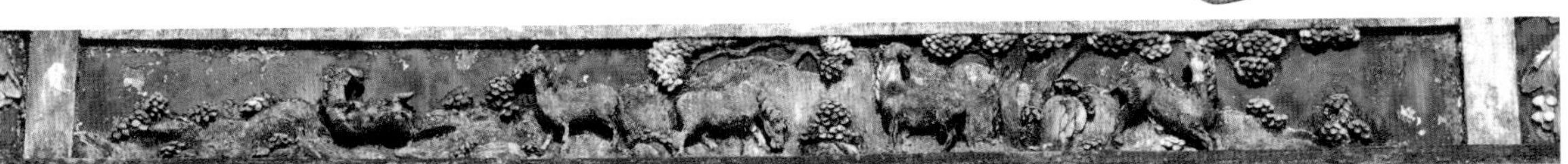

圖 5.85：「龍馬精神」、「馬到功成」：梧桐樹、五隻駿馬。馬的姿態各異，一隻馬仰卧打滾、一慢行踱步、一低頭悠閒吃草、一回首觀望、一昂首嘶鳴，活潑生動（清暑軒閣樓正廳上正脊）

封簷板

清暑軒的封簷板與其他建築相若，都有蘭花、寶相花；山茶花、菊花；牡丹花、芙蓉花等花卉，分別象徵子孫、長壽和富貴榮華。蝴蝶、石榴、佛手柑、瓜、蝙蝠、松鼠葡萄、香爐（寓意「繼後香燈」）；麒麟、兔、書象徵「麟吐玉書」，麒麟與鳳凰寓意「麟子鳳雛」，即得賢能子孫，都被視為有「福」；桃、蝴蝶、綬帶鳥、壽石、壽字牌、博古等象徵「壽」；鷺鶯、蓮花象徵「路路連科」，燕子象徵「杏林春燕」科舉高中，官扇、蟈蟈（諧音官兒）、蜻蜓（諧音清廷），都指當官之意，「彩雲旭日」象徵升官，獅子連錢象徵「官帶傳流」，都與官祿相關，喜鵲與「喜」關聯，蟾蜍寓意「財富」，都是常見的題材。建築的文人雅氣，展現在於封簷板中央的卷軸上，如覲廷書室與清暑軒間迴廊門前封簷板上書有「占春魁」，祝願在春天進行的科舉考試成功，即「狀元及第」，在此建築後面的封簷板中央的卷軸書上「長發其祥」，此語出自古典書籍《詩經 · 商頌 · 長發》，寓意經常有吉祥的事情降臨或事業興旺。二者均以篆書寫成，給建築增添一點古典雅意。

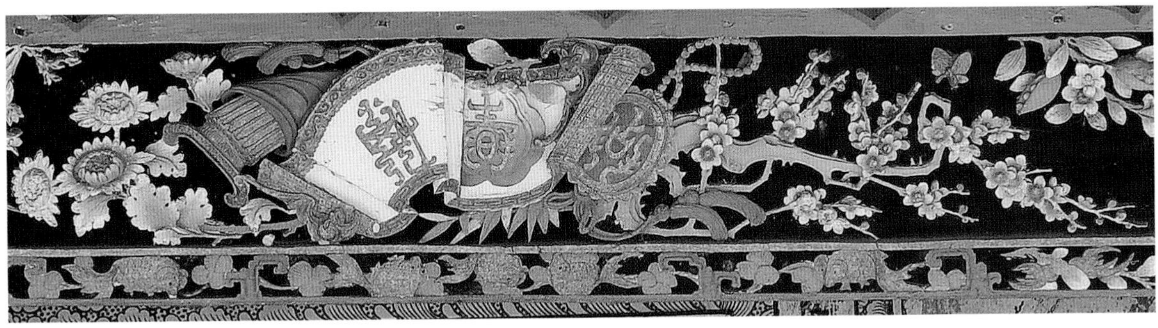

圖 5.86：題字：「占春魁」（覲廷書室與清暑軒間迴廊門前封簷板中央）

圖 5.87：題字：「長發其祥」（覲廷書室與清暑軒間迴廊門後封簷板中央）

灰塑

清暑軒的文人色彩也透過灰塑的題字散發出來，門廳外月門上方的「率履不越」採自《詩經 · 頌 · 商頌 · 長發》，透過借古鑑今的手法，訓勉族人在外要遵守規矩禮法，古琴除了是高雅之物，

也是為官清廉的標記，組合的圖像中有琴、棋和一幅畫軸，是四藝之三（不見書本），月門內塑上「步月」，令人聯想在月下漫步像詩的意境，在院落的漏窗兩側配上「紅日當窗花絢錦，和風繞檻桂生香」楹聯，以文字和想像填補了現實中欠缺花卉樹木的缺失。漏窗上書有「綠蔭」二字；「蔭」字寫在蝙蝠身上，又可成為「福蔭」之意。「綠」諧音「祿」，蝙蝠與之組合，也可聯想成「福祿」。文字與圖像結合，產生多樣的象徵意義。這是古代文人與建築裝飾工藝師的合作，共同努力的成果。

圖 5.88：圖像：五枚壽字牌、如意、古琴、磬、棋盤、一幅畫軸、瓜、蝙蝠、葉（象徵多福、多壽、如意、高雅（對藝術的喜好））；題字：「率履不越」（清暑軒門廳外月門上方灰塑）

圖 5.89：圖像：蓮花、蓮葉、牡丹花、花瓶，上書「綠」；蝙蝠，上書「蔭」（象徵福蔭，綠諧音祿，這裏也指祿（清暑軒地面天井西牆內灰塑）

地面正廳右廂房前迴廊門灰塑題上「居仁」二字，此詞出自孟子《盡心篇》：「……居仁由義，大人之事備矣。」意即在道德生活中，一切以仁出發，或喻「仁」為人的安宅歸宿。另外，清初時曲阜孔廟的大成門外兩側門之一稱為「居仁門」。這裏可能以孔廟作借鑑作教化子弟。門楣灰塑上三層的邊飾，邊飾以生動活潑的蝙蝠作為末端收口，饒富趣味。

清暑軒地面廚房外兩個門頭灰塑揉合了中西風格，門頭呈半圓形，中央有直線的放射圖案，儼如英國喬治時期的扇形窗 (Georgian Fanlights)，中心有半個壽字，半圓形的外圍有層層的花邊，最外一層飾上寶相花，沒有上彩，整個門頭裝飾把中西文化結合得天衣無縫。

圖 5.90：最外層邊飾：花、桃、花、桃、花；第二層邊飾：魚鱗錦；第三層邊飾：卷草、海棠；中央：題字：「居仁」、古陶瓶（平安）、花瓶內插二靈芝、一幅卷軸、一綬帶、二蝙蝠、二獅子、壽字牌、金錢、如意、山茶花（象徵「福祿壽全」）（清暑軒正廳右廂房前迴廊門）

圖 5.91：最上層邊飾：寶相花；第二層邊飾：葉形；中央：半圓形壽字及放射線圖案（清暑軒廚房東端門頭）

表四十一：清暑軒地面門廳內灰塑

	地面門廳月門上方	門廳外月門上方	地面天井西牆內	地面天井西牆內	天井西牆內左右	地下天井西牆兩側牆
圖	瓜	五枚壽字牌、如意、古琴、磬、棋盤、一幅畫軸、瓜、蝙蝠、葉	梅花（背景）漏窗兩側對聯	（漏窗上方）蓮花、蓮葉、牡丹花、花瓶、蝙蝠	金魚（導水管）	麒麟、山、樹、旭日初昇
題字	步月	率履不越（《詩經・頌・商頌・長發》）	紅日當窗花絢錦，和風繞檻桂生香	花瓶，上書「綠」；蝙蝠，上書「蔭」		

表四十二：清暑軒地面迴廊門灰塑

正廳右廂房前	最外層邊飾	花、桃、花、桃、花
	第二層邊飾	魚鱗錦
	第三層邊飾	卷草、海棠 中央：題字：「居仁」、古陶瓶、花瓶內插二靈芝、一幅卷軸、一綬帶、二蝙蝠、二獅子、壽字牌、金錢、如意、山茶花 卷草、海棠
門廳前迴廊東門（向正廳）	花、二瓜、花、二瓜、花、末端：蝙蝠	
門廳前迴廊東門（向迴廊內）	卷草、瓜、花、瓜、卷草	
左迴廊門（東門向正廳）	五瓜、二花，末端蝙蝠	
左迴廊門（東門向迴廊）	末端蝙蝠，卷草、花、果、花、卷草、末端蝙蝠	
左迴廊門（西門向迴廊內）	末端蝙蝠、卷草、果、花、果、末端蝙蝠	
左迴廊後浴房門	芭蕉扇形	
一字門門頭	卷草末端	

表四十三：清暑軒地面廚房外門頭灰塑

最上層邊飾	次二層邊飾	中央
寶相花	葉形	半圓形及放射線圖案，中心有壽字牌

圖 5.92：蝙蝠（清暑軒門框邊飾）

壁畫

除了常見的吉祥花卉外，清暑軒的壁畫以風景畫佔多數，畫面常見茅廬和歸帆，暗喻了歸田園居的寧靜生活，與書院文化一脈相承。各畫面中亦出現抱琴或持杖的老翁，在山野間緩緩前行，一派訪友模樣，隱喻和諧及友情的可貴。與覲廷書室不同的是：清暑軒的所有壁畫都沒有列出繪畫年份和落款，只有一幅落款為「正堂」，相信是這些壁畫的畫工。

圖 5-93a,b：「山居圖」及「攜琴訪友」（清暑軒閣樓右廂房前迴廊壁畫）

圖 5-93c,d：「山居圖」及「攜琴訪友」(清暑軒閣樓右廂房前迴廊壁畫)

「山居圖」：高山流水、持杖人物、茅廬 (象徵長壽) (左隔斷牆 / 隔間牆)

「攜琴訪友」：山景、小舟、攜琴人物 (象徵友情) (右山牆)

壁畫的分佈主要在地面的大門前、與覲廷書室相連的迴廊門前和在閣樓的各牆壁上，這些壁畫中只有三幅有題字，其中一幅以「錦灰堆」的形式出現，即畫面上有一些書法或文章的殘篇，就像讀書人的書法臨摹、抄寫或草稿修訂等的棄稿，「錦灰堆」是讀書人在學習過程中的生活寫照。「錦灰堆」是古建築裝飾的一種時尚，在廣西伏波廟也可見到，其風行程度可見一班。畫中的書冊上寫上「富貴全書」，冊頁上書有唐，王維《山居秋暝》詩的二句內容：「明月松間照，清泉石上流」(見圖 2.24)。同詩在覲廷書室一進前的壁畫也可以找到。這首詩反映了古時書院文化所追求的清雅隱逸思想，是讀書人的理想境界。另一幅畫中的冊頁上書宋 · 徐庭筠《詠竹》中二句：「未出土時先有節，到凌雲處也無心。」(見圖 2.25) 進一步表明讀書人的心志取向，應追求清高氣節，與隔壁覲廷書室藏經閣的「雲無心以出岫」楹聯相映成趣。民間讀書人的矛盾心態，在另一幅題字中展現出來。該畫中的冊頁上書「一色杏花香十里，狀元歸去馬如飛」。(詩句改自宋 · 蘇軾《送蜀人張師厚赴殿試》二首之二：「一色杏花三十里，新郎君去馬如飛。」) 寓意「功名富貴」。同詩句亦見於愈喬二公祠和述卿書室，可見族人對功名的熱熾追求。

圖 5-94：一冊頁，上題字「一色杏花香十里，狀元歸去馬如飛」(行草)、花瓶內插牡丹花、二蝙蝠、另一幅冊頁 (清暑軒閣樓廂房北簷牆壁畫)

表四十四：清暑軒地面正門壁畫

右側牆	簷牆	簷牆	簷牆	簷牆	簷牆	左側牆
牡丹花、喜鵲	歸帆 (收帆)、茅廬 / 屋棚、人物、山、樹	梅花、壽石、草	扇面、四蝴蝶、杏花	菊花	二人物、船、屋、(攜琴訪友)	喜鵲、花卉

表四十五：清暑軒閣樓壁畫

正廳

右隔斷牆	簷牆			左隔斷牆
高山流水、持杖人物	海棠（黃色）、四蝴蝶	松樹	鳳凰	山景

左偏廳

南隔斷牆	東簷牆			南山牆		
杏花、二花卉 / 果實	山茶花	高山、持杖人物	牡丹花	玉蘭花、牡丹花	石榴、一幅卷軸、花瓶、牡丹花、蓮花	山、樹　佛手柑

右偏廳

北山牆						東簷牆			北隔斷牆
菊花、壽石	山、樹	山、樹	芙蓉花	錦灰堆：如意、一冊頁（上書「明月松間照，清泉石上流」）、一書冊（上書「富貴全書」、「正堂筆」）（行書）、一些書法 / 文章的殘篇	瓜、壽石、芙蓉花	牡丹花	海屋添壽	菊花	三圓形果實、牡丹花、壽石

左偏廳前迴廊				右偏廳前迴廊			
南山牆	西簷牆			西簷牆			北山牆
花卉、壽石	山、樹	山、樹	芙蓉花、壽石	山、水、樹	瓜、壽石	山、水、樹	石榴、壽石

右廂房前迴廊右山牆	右廂房前迴廊左隔斷牆
山景、小舟、攜琴訪友	高山流水、持杖人物、茅廬

表四十六：清暑軒閣樓右廂房壁畫

西山牆					北簷牆
山茶花、壽石	花卉、壽石	瓜果、壽石	高山流水、攜琴訪友	花卉、壽石	一冊頁，上題字「一色杏花香十里，狀元歸去馬如飛」（行草）、花瓶內插牡丹花、二蝙蝠、另一幅冊頁

北簷牆					
山、樹	菊花、壽石	山、水、茅廬，茅廬內有一人	桃花、竹	山、石	一幅冊頁上題字：「未出土時先有節，到凌雲處也無心。春日偶筆」（行書）圖：如意、花瓶、牡丹花

東隔斷牆					南扇面牆	
壽石、樹	老人持杖，童僕持琴	瓜果、壽石	花卉、壽石	山茶花、壽石	高山、持杖人物	可能是蘭花

花罩和隔扇

清暑軒透過大量的花罩和駝峰裝飾，營造悠閒寫意的環境氣氛。部分花罩採用了當時的新興科技產物——玻璃，給來賓先進的印象，玻璃花罩的裝飾，仍以鏤空木刻的傳統花卉、瓜果為主，框內邊飾採用了鎖鏈紋。清暑軒閣樓右廂房門也鑲有玻璃，門上的格心花紋為十字圓形八角窗花，門扇的頂板為陰刻蘭花，裙板為竹。閣樓正廳花罩兩側設有隔扇，隔扇的格心為透刻裝飾，中央有花籃，籃上有寶相花、籃身飾柿蒂紋、籃子的四周有四蝙蝠、籃子下有祥雲，上下有如意拐子紋和柿蒂紋，是典型的隔扇裝飾模式。

圖 5.95a,b,c：清暑軒地面正廳玻璃落地罩

右角框內透刻：牡丹花、一幅畫、瓜、壽字牌（象徵福壽富貴）

鑲玻璃的透刻圖案：鎖鏈紋、卷草、海棠 / 柿蒂（象徵子孫世代連綿）

圖 5.96：清暑軒閣樓正廳內的隔扇花罩

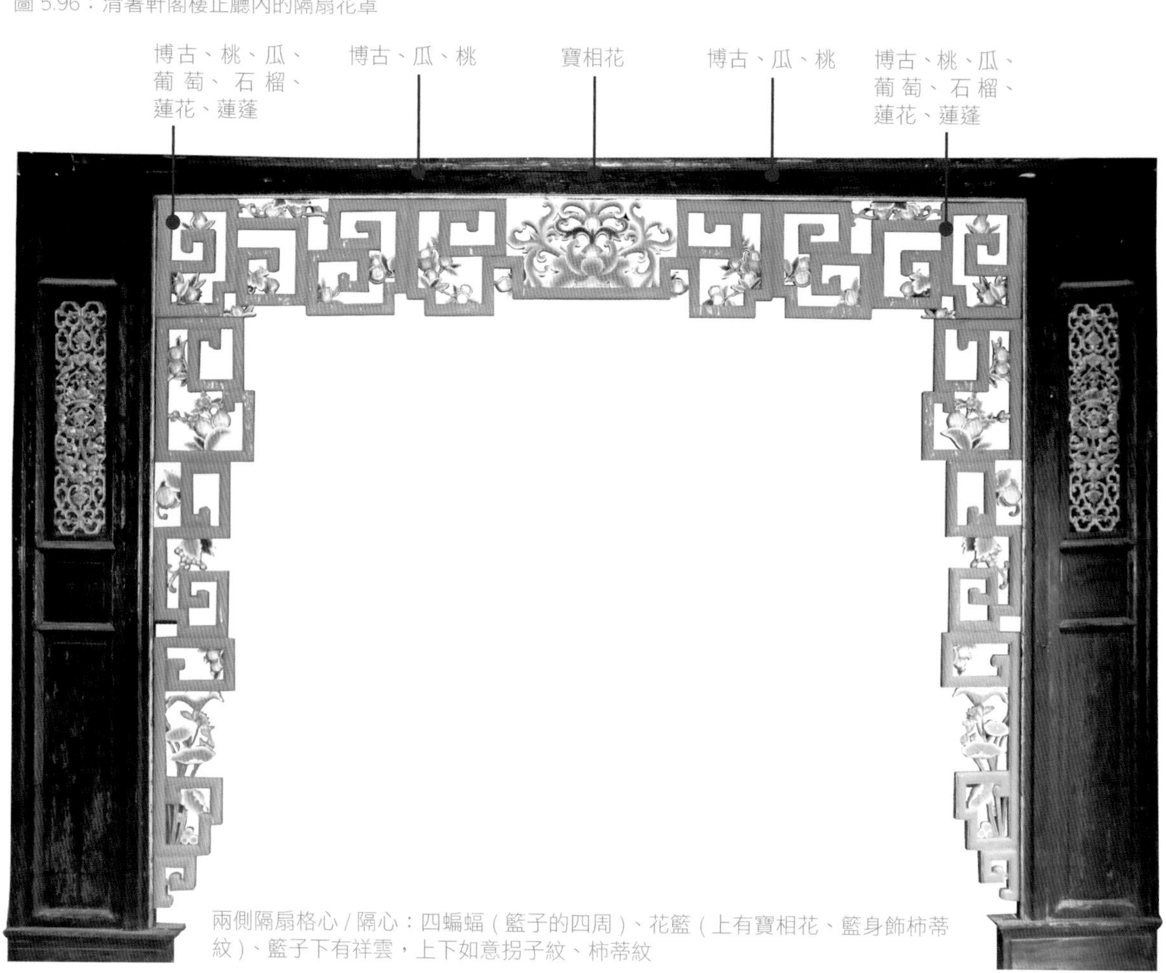

木刻花罩的題材和內容除了象徵多子多福的瓜果、石榴、蝙蝠外，也有寓意長壽的桃子、綬帶鳥和玉蘭花等。地面正廳與閣樓簷廊的花罩內容差不多，在左右兩端和前後兩面都有「英雄會」的題材，即有鷹和熊的組合造型，在花罩的兩角都有畫軸，細小的畫軸表面繪上花卉或風景畫，閣樓迴廊花罩轉角風景畫的畫工精細優美，古時的精湛工藝令人歎為觀止！他們一絲不苟的工作精神也令人欽佩。花罩的中央除了寶相花外，大多為一幅卷軸，上面書有「吉祥如意」或「書琴樂」。「書琴樂」三字正表出清暑軒的精神：讀書和彈琴都是人生快樂事。在這個清幽雅致的環境中讀書，的確是令人神往的稱心享受。隨樑枋的上層為柿蒂紋，下層為「潮水江牙」圖案，使讀書人在理想中不忘對官祿的現實追求。雀替裝飾以牡丹花、蝴蝶和蝙蝠為主，像不斷呢喃福壽富貴的盼望。

圖 5.97：髹上新漆的花罩（清暑軒閣樓左偏廳向偏廳花罩）（根據歷史圖片述卿書室二進也有同款的花罩）

圖 5.98：隨樑枋（上層）柿蒂紋；（下層）「潮水江牙（崖）」；雀替：牡丹花、蝴蝶、蝠（清暑軒地面北偏廳隨樑枋及雀替）

圖 5.99a.b：清暑軒閣樓迴廊中央花罩（向迴廊）兩角的畫軸（畫工精細）

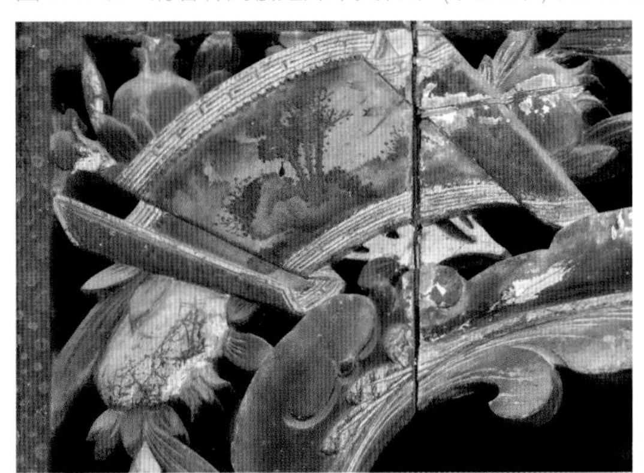

一幅卷軸（繪山、樹、二帆船）

「攜琴訪友」：一幅卷軸（繪攜琴人物、亭子）

表四十七：清暑軒地面正廳前花罩

<table>
<tr><th colspan="9">向天井，西面</th></tr>
<tr><td colspan="2">花罩上層裝飾</td><td colspan="7">波浪紋「潮水江牙」</td></tr>
<tr><td colspan="2">石榴、喜鵲、一幅畫（樹）、桃</td><td colspan="2">鷹、熊、祥雲（英雄會）；博古、瓜</td><td colspan="2">一幅卷軸，上書「如意吉祥」、牡丹花、壽字牌</td><td>鷹、熊、祥雲（英雄會）；博古</td><td colspan="2">石榴、喜鵲、一幅畫（亭子、樹）、桃</td></tr>
<tr><th colspan="9">向正廳東面</th></tr>
<tr><td>卷草、桃、喜鵲、石榴</td><td>一幅畫（竹）</td><td>鷹、熊、祥雲、博古</td><td>瓜、牡丹、喜鵲</td><td>壽字牌、一幅卷軸，上書「書琴樂」</td><td>瓜、牡丹、喜鵲</td><td>鷹、熊、祥雲、博古</td><td>一幅畫（蘭花）</td><td>卷草、桃、喜鵲、石榴</td></tr>
</table>

表四十八：清暑軒閣樓偏廳及迴廊花罩

<table>
<tr><td>左偏廳（前及後）</td><td>玉蘭花、三綬帶鳥</td><td>蝴蝶</td><td>倒飛蝙蝠銜花籃</td><td>蝴蝶</td><td>玉蘭花、三綬帶鳥</td></tr>
<tr><td>右偏廳（前及後）</td><td>玉蘭花、三綬帶鳥</td><td>蝴蝶</td><td>倒飛蝙蝠銜花籃</td><td>蝴蝶</td><td>玉蘭花、三綬帶鳥</td></tr>
<tr><td>迴廊右（前及後）</td><td colspan="3">瓜、桃、瑞獸、卷草</td><td colspan="2">瓜、桃、瑞獸、卷草</td></tr>
</table>

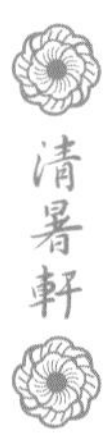

表四十九：清暑軒閣樓迴廊中央花罩

向正廳								
桃、牡丹花、花瓶、蝙蝠、瓜	一幅畫（竹）、石榴、瓜、喜鵲	鷹、熊；瓜、博古	瓜、喜鵲、牡丹花	**一幅卷軸（上書「書琴樂」）、壽字牌**	牡丹花、喜鵲、瓜	鷹、熊；瓜、博古	一幅畫（蘭花）、石榴、瓜、喜鵲	桃、牡丹花、花瓶、蝙蝠、瓜
向迴廊								
喜鵲、桃、桃、花瓶、牡丹花	一幅卷軸（山、樹、二帆船）、石榴、瓜、喜鵲	鷹、熊；瓜、博古	瓜、喜鵲、牡丹花	**一幅卷軸（上書「吉祥如意」）、壽字牌**	牡丹花、喜鵲、瓜	博古、鷹、熊	一幅卷軸（攜琴人物、亭子）、石榴、瓜、喜鵲	喜鵲、桃、桃、花瓶、牡丹花

駝峰

清暑軒的駝峰最富民間色彩，這些駝峰的題材反映了當時的民間戲曲潮流。最令人觸目的一幅駝峰，畫面上展示一面旗幟，上面書有「擂台」和「令」字，令人聯想到戲曲情節中的擂台比武活動。台上的人背著雙鐧，雙鐧是唐朝大將秦叔寶的標誌，趟在台下的一人相信是被秦叔寶打下擂台的史大奈。根據《說唐全傳》這是一件秦叔寶被誣告後，在刺配當兵途中發生的事件，在打擂台之後，秦得見單雄信托負來救助他的人——張公瑾。打擂台一事凸顯秦叔寶的勇猛，也標誌了他廣交朋友的能力和得到各方友好的輔助。另一可能是有關戲曲「對雙鐧」/「秦瓊打擂」。故事說曹英冒充秦瓊面君。馬三保奏請李淵立擂測試其能力。秦瓊上擂與曹英對打，曹英被打翻在地（藝生、文燦、李斌，1986，177）。與此相對的一幅駝峰是「風塵三俠」（故事內容參看述卿書室壁畫），是有關紅拂女與李靖的愛情故事，和他們與虬髯客張仲堅間的友情故事（這是香港古建築常見的人物裝飾題材）。二幅駝峰的內容都指友情的可貴。

另一幅「花鼓鬧廟」所展示的輕鬆活潑一幕也甚為吸引，圖中夫婦二人落力作花鼓表演，不羈的公子扭動扇子調戲少婦，場面詼諧惹笑。與此相對的一幅較為嚴肅，有一老翁在石上書上「三台奇山」四字。據《史記》云：「……自威、宣、燕昭，使人入海求蓬萊、方丈、瀛洲，此三神山者，其傳在渤海中……」，傳說這三座山是仙人的住所。此圖的另一可能是敍述道教徐神翁的故事。徐神翁，名徐守信，又名徐守真，宋哲宗、徽宗年間的一個道士，海凌（今江蘇泰州）人。徐神翁最著名的本事是預知未來，他常採用寫字方式推算未來發生的事，他的故事收錄在由朱宋卿撰寫的《徐神翁語錄》中。有關三山的故事，與道士王和甫相關。徐神翁給王和甫寫了三個山字，不久王和甫當上了嵩山崇福宮提舉，「嵩山崇福宮」五字中有三個山字，對應了他的預言（趙杏根，2002，202-204）。駝峰以徐神翁為主角，象徵神力庇佑，王和甫的三山故事，也可寓意升官。

圖 5.100a：「風塵三俠」：一持扇女子、一文人（正拱手行禮）、一有鬚人物（戴風帽，穿紅衣，背劍）揮手道別、一侍從（提一足，欲行）（清暑軒閣樓正廳右樑架上層東端駝峰）

圖 5.100b：秦叔寶擂台比武：旗幟上書有「擂台」和「令」字，台上的人背著雙鐧，一人趟在台下（清暑軒閣樓正廳左樑架上層東端）

圖 5.101a：「三台奇山」：老翁提筆，在石上書有「三台奇山」四字，有童僕侍奉在側。（清暑軒閣樓正廳右樑架上層西端）

圖 5.101b：「花鼓鬧廟」/「打花鼓」：故事見《紅梅記》後部。某公子出遊，見來自鳳陽的夫婦二人，在街頭唱演花鼓，乃命其奏技，又調戲少婦，醜態百出。(清暑軒閣樓正廳左樑架上層西端)

兩樑架中以中央的駝峰最具威儀，其中一幅以文武官為主角，武官向文官動武進逼，文官氣定神閒，和睦以對，相信是關於廉頗和藺相如的「將相和」一劇，故事講述廉頗不滿藺相如因出使秦國，成功把完好的寶璧帶回趙國，而得授上卿官職。這戲曲劇目與「完璧歸趙」和「廉頗負荊」相關。寓意是國人應團結和諧，共同替國家效力。與此駝峰相對的一幅圖中見一女將與一男將對決，中央有一隻雙尾熊。相信是有關樊梨花在金牛關大戰番邦野熊仙的故事。樊梨花打敗野熊仙，但野熊仙卻被李道符先師所救。最後野熊仙被謝應登殺死(圖中的道長可能是李道符或謝應登)(〈說唐三傳〉第六十四至六十七回，曾平琨(編)(清/1993))。「將相和」及「樊梨花大戰野熊仙」兩組故事是古代國民對襄內抗外精神的認同。

圖 5.102a：「將相和」：一文官(官紗翅上有雙錢，穿紅色蟒服)，右手抱一曲形物，左手端前；一武官(有鬍子，戴霸盔，穿靠甲)，右手端前，左手高舉(似揮舞拳頭)；中央端坐案後者應為皇帝；皇帝與武將間的人物穿褶子(海青)，戴橋樑巾，手持拂塵，象徵懂得道術的人或軍師；三侍衛。(清暑軒閣樓正廳右樑架下層中央)

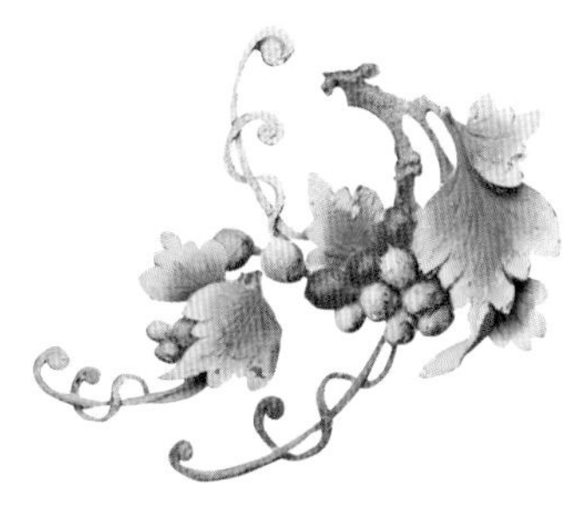

圖 5.102b：「樊梨花大戰野熊仙」：女將持二槌、中央一隻雙尾熊、持二鞭長鬚將領（戴侯帽，穿靠）、女將背後有持劍女侍衛、男將後有一文官、中央二人戴福如巾、一戴道巾道長（清暑軒閣樓正廳左樑架下層中央）

除了民間戲曲故事外，清暑軒的駝峰也載有神仙傳說。其中一幅中有一女子正放牧三羊，三羊可象徵「三羊啟泰」或「三陽開泰」，即大地回春，萬象更新，興旺發達，諸事順遂；也可以是指「龍女牧羊」即「柳毅傳書」的故事。「龍女牧羊」是有關洞庭龍女嫁與涇河龍王太子的故事，太子殘暴，命龍女放羊，柳毅在途中遇見龍女，並替她向洞庭龍王傳書，龍女獲救後與柳毅成婚（吳同賓、周亞勛，2007，385）。「龍女牧羊」也可寓意婚姻美滿或有神仙庇祐。與此相對的是「麻姑獻壽」，麻姑是仙女，畫中常見她拿著鋤頭尋找靈芝，並以靈芝釀造仙酒，作為向西王母賀壽的禮物。仙鹿背著的瓶子，應是暗示盛著靈芝酒。「鹿」除了寓意「祿」外也象徵長壽。同題材也可見於覲廷書室大門上方的壁畫。

圖 5.103a：「龍女牧羊」/「柳毅傳書」：牧羊女、三羊（清暑軒閣樓正廳右樑架下層東端）

圖 5.103b：「麻姑獻壽」：一仙女（手執一柄子，似與背後的拂塵相連）、鹿（背有一瓶子）、地上有二棵靈芝草、樹上有蝙蝠（清暑軒閣樓正廳左樑架下層東端）

兩組樑架中大多以人物為主，只有下層的兩幅以動物為主角。其中一駝峰中的動物有長鼻子、彎曲長牙，和大耳，雖然身形瘦削，四肢幼長，相信是大象的形象。引領大象的人物穿對襟衫，領有蝴蝶結，頭戴高帽，似洋人模樣。畫面效果與廣州陳氏書院一塊石刻相同。當國勢強盛、聲威遠播，外邦便紛紛前來朝貢，南方諸國遣使進獻大象，這圖像被喻為「太平有象」，即指「國家長治久安，物阜民豐。」（康鍩錫，2007，64）除了大象外，獅子也因佛教文化的傳播而從西域傳入中國。獅子在裝飾圖像中有多重意義，牠可以象徵官祿，即太師、少師，或二品武官，可以象徵子嗣，可以有辟邪作用。獅子和大象是佛教的文殊菩薩和普賢菩薩的坐騎，獅子和象可以是暗喻有他們的庇佑。但相信在這裏伴著獅子的人物，並非文殊菩薩。他頭戴月牙箍，身穿兜肚，正握著螺殼吹奏。月牙箍是帶髮出家的頭陀的髮飾，兜肚是童子的服飾，法螺是佛教器物，佛教以白色海螺作為吉祥圓滿的象徵，表示佛音吉祥。相信這是「善財」童子的造像。「善財」在出生時家中有珍寶湧出，故名。他後來得到文殊和普賢的教化，得成正果。被比作運氣的象徵（李祖定，1998，62）。善財童子的五十三參法要偈也有提及妙音的作用。

圖 5.104a：「太平有象」：獸有長鼻，彎曲長牙，大耳，長尾，脊骨明顯，具有「象」的特徵。人物穿對襟衫，領有蝴蝶結，頭戴高帽，似洋人模樣。（清暑軒閣樓正廳右樑架下層西端）

圖 5.104b：獅子與「善財童子」：獅子，在山崗上向下行，側有一龍柱，上飾祥雲。人物頭戴月牙箍，穿紅色兜肚，正在吹着法螺。（清暑軒閣樓正廳左樑架下層西端）

其他裝飾

清暑軒閣樓右廂房房門上加插了門額枋，裝飾內容與封簷板差不多。廂房的隔扇門的頂板和裙板如中國傳統，雕上陰刻蘭、竹，格心卻不是採用吉祥圖像，而是以幾何十字、圓形和八角形作裝飾，並鑲了玻璃。閣樓正廳的窗花款式與這些隔扇門差不多 (1989 年的歷史圖片顯示正廳的窗花已全毀，這些窗櫺應是覆修時仿製)。

圖 5.105a,b：頂板：蘭花；格心：十字龜背紋窗花，鑲玻璃；裙板：竹（清暑軒閣樓閣樓右廂房房門）

樓梯木欄杆的頂部把手以下的地方加上玉米、桃和瓜果作點綴，室外的欄杆有陶製的方磚組合，如菊花、海棠、如意；八角、萬字紋、如意；錢、蝠；海棠、柿蒂；和立體圓雕竹筒、花瓶等款式，令生活環境中處處充滿藝術。

圖 5.106a,b,c,d,e：清暑軒閣樓樓梯木欄杆

玉米（象徵多子）

桃（象徵長壽）

瓜（象徵多子）

瓜 / 果（象徵多子）

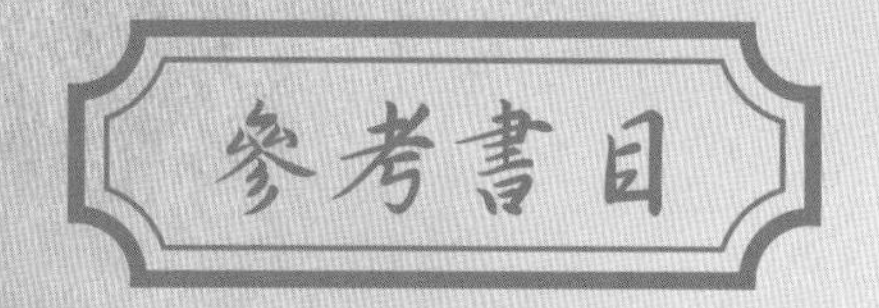

文懷沙 (2005)：《屈原九歌今繹》，天津，百花文藝出版社。

午榮 (明)，周宏 (編)(2010)：《圖解魯班經》，北京，陝西師範大學出版社。

王炳照 (1998)：《中國古代書院》，北京，商務印書館。

王延海 (2000)：《詩經今注今譯》，石家莊，河北人民出版社。

王建平 (編)(2005)：《實用典故小辭典》，西安，世界圖書出版西安公司。

王慶豐 (1990)：《中國吉祥圖説》，遼寧，遼寧大學出版社。

王堯衢 (2000)：《唐詩合解箋注》，河北，河北大學出版社。

王慶豐 (1990)：《中國吉祥圖説》，遼寧，遼寧大學出版社。

尹奎友 (1996)：《成語典故精選 999》，山東，山東人民出版社。

中國歷史大辭典編纂委員會 (2000)：《中國歷史大辭典》(上卷)，上海，上海辭書出版社。

禾三千、吳喬 (2006)：《道教天尊地仙吉神圖説》，哈爾濱，黑龍江美術出版社。

白話史記編輯委員會 (編)(1985)：《白話史記》(一)，台北，聯經出版事業公司。

朱熹 (宋 /2010)：《晦庵先生朱文公文集卷十五》，輯於郭群一、鄭明寶 (編)《朱子全書》，上海，上海古籍出版社及安徽教育出版社。

全明詩編輯編纂委員會 (1991)：《全明詩》(第一冊)，上海，上海古籍出版社。

成乃丹 (2004)：《歷代詠竹詩叢》，陝西，陝西人民出版社。

完顏紹元、郭永生 (1997)：《中國吉祥圖像解説》，上海，上海書店出版社。

李祖定 (編)(1998)：《中國傳統吉祥圖案》，台南，大孚書局。

余功保 (2006)：《中國太極拳辭典》，北京，人民體育出版社。

吳同賓、周亞勛 (編)(2007)：《京劇知識詞典》，天津市，天津人民出版社。

明基全 (編)(1996)：《教不倦─新界傳統教育的蛻變》，香港，香港區域市政局。

香港政府新聞處 (1979)：《香港鄉村古建築》，香港，香港政府印務局。

苑士軍 (1997)：《中華名將》(第二卷)，北京，中國經濟出版社。

屏子 (鄧聖時)(1993)：《屏山古事初探》，香港，鄧聖時。

唐彪 (清約康熙三十七年 (1698 年) 前)，趙伯英、萬恆德 (選注)(1992)：《家塾教學法》，上海，華東師覺大學出版社。

殷偉 (2009)：《圖説門神》，合肥，安徽文藝出版社。

高衛紅 (2009)：《經典詩文解讀》，河南，中原農民出版社。

莊英章 (2004)：《田野與書齋之間》，台北，允晨文化實業股份有限公司。

陸耀東 (1994)：《中國歷代愛國詩詞精品》，湖北，武漢大學出版社。

康鍩錫 (2007)：《台灣古建築裝飾圖鑑》，台北，貓頭鷹出版。

野崎誠近 (1991)：《中國吉祥圖案》，台北，古亭書屋。

陶思炎 (1998)：《中國鎮物》，台北，東大圖書股份有限公司。

張小平 (2002)：《徽州古祠堂》，沈陽市，遼寧人民出版社。

張式銘 (1995)：《李白杜甫詩全集》，北京，燕山出版社。

曾平琨 (編)(清 /1993)：《説唐全傳》，長沙，岳麓書社。

馮志明 (1996)：《元朗文物古蹟概覽》，香港，元朗區議會。

馮爾康 (1998)：《中國古代宗族與祠堂》，臺北市，臺灣商務印書館股份有限公司。

葉祖康 (編)(1982)：《活的歷史》，香港，香港市政局出版。

喬繼堂 (1993)：《吉祥物在中國》，台北，百觀出版社。

楊慎初 (2002)：《中國書院文化與建築》，武漢，湖北教育出版社。

楊簫 (2010)：《古文觀止通鑑 (上)》，北京，華夏出版社。

趙之碩、張耀笳、于瑛麗 (1992)：《中國傳統京劇服裝道具》，台北，淑馨出版社。

趙杏根 (2002)：《八仙故事源考》，北京，宗教文化出版社。

趙書三 (1997)：《趣詩佳話》，濟南市，黃河出版社。

廣東民間工藝術學院博物館 (1994)：《廣州陳氏書院文化研究》，廣州，中山大學出版社。

葛洪 (1987)：《神仙傳：10 卷》，上海，上海古籍出版社。

黎傑 (1982)：《明史》，香港，學津書店。

蔡義紅 (2001)：《樓夢詩詞曲賦鑒賞》，北京，中華書局。

樓慶西 (2000)：《中國建築的門文化》，台北，藝術家。

薛汕 (1985)：《花箋記》，北京，文化藝術出版社。

蕭國健 (1990)：《新界五大家族》，香港，現代教育研究社。

蕭國健 (2006)：《香港新界鄉村之歷史與風貌》，香港，中華文教交流服務中心。

劉爭義 (編)[鈍根]a(1915/1990)：《戲考大全》(第一冊)，上海，上海書店。

劉爭義 (編)[鈍根]b(1915/1990)：《戲考大全》(第二冊)，上海，上海書店。

劉爭義 (編)[鈍根]c (1915/1990)：《戲考大全》(第三冊)，上海，上海書店。

劉秋霖 (等)(2008)：《中華神仙圖典》，天津，百花文藝出版社。

劉黎明 (2003)：《祠堂 · 靈牌 · 家譜》，成都，四川人民出版社。

謝華 (1984)：《羅浮山風物誌》，廣州，廣東旅出版社。

聶文豪 (2008)：《孟頫行書集字楹聯》，南昌，江西美術出版社。

羅青 (等)(2003)：《京劇典故》，北京，文化藝術出版社。

蘇軾，楊家駱 (編)(1964/1998)：《蘇東坡全集》(上冊)，台北，世界書局。

藝生、文燦、李斌 (1986)：《豫劇傳統劇目滙釋》，鄭州，黃河文藝出版社。

中華人民共和國國家文物局 (17-2-2012)：《南沙發現百年「蒼龍教子」壁畫，作於道光丙午年》，瀏覽日期 8-4-2012，http://www.sach.gov.cn:8080/www.sach.gov.cn/tabid/300/InfoID/31900/Default.aspx

鳴謝

黃啟裕先生、林社鈴先生、龍炳頤教授、李浩然博士、李翠蓮女士、曾廣才先生、何大鈞先生、

鄧昆池先生、鄧聖時先生、鄧廣賢先生、鄧火華先生、鄧則鳴先生、鄧美霞小姐、鄧品華先生、

黃壽如先生、黃博錚先生、陳香梅小姐、張梓柔小姐、梁以華先生、香港教育大學

香港屏山古建築裝飾探究

作者：馬素梅

攝影：黃啟裕

馬素梅（部分）

文字編輯：李翠蓮

義務顧問：林社鈴

研究助理：張梓柔、陳香梅

出版者：馬素梅

出版地點：香港

平面及排版設計：呂浣姬

承印：AOMM CREATIVE

版次：2017 年 1 月香港第一版第一次印刷

全書分兩冊

（第一冊）《香港屏山古建築裝飾探究》

（第二冊）《香港屏山古建築裝飾圖鑑》

ISBN 978-988-13571-2-0

資助

香港藝術發展局全力支持藝術表達自由，
本計劃內容並不反映本局意見。